#수능공략
#단기간 학습

# 수능전략
# 수학 영역

Chunjae
Makes
Chunjae

▼

# [ 수능전략 ] 수학 영역 수학 Ⅱ


**기획총괄** 김덕유
**편집개발** 오종래, 장효정, 이진희, 최보윤
**디자인총괄** 김희정
**표지디자인** 윤순미, 심지영
**내지디자인** 박희춘, 안정승
**제작** 황성진, 조규영

**발행일** 2022년 2월 15일 초판 2022년 2월 15일 1쇄
**발행인** (주)천재교육
**주소** 서울시 금천구 가산로9길 54
**신고번호** 제2001-000018호
**고객센터** 1577-0902
**교재 내용문의** (02)3282-8858

# 수능전략

수·학·영·역

## 수학Ⅱ

BOOK 1

# 이 책의 구성과 활용

본책인 BOOK 1과 BOOK2의 구성은 아래와 같습니다.

BOOK 1
1주, 2주

BOOK 2
1주, 2주

BOOK 3
정답과 해설

## 주 도입

본격적인 학습에 앞서, 재미있는 만화를 살펴보며 이번 주에 학습할 내용을 확인해 봅니다.

## 1일

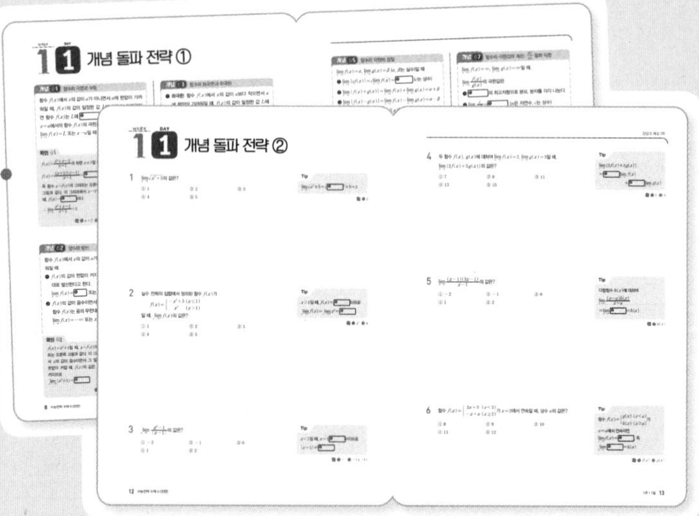


**개념 돌파 전략**
수능을 대비하기 위해 꼭 알아야 할 핵심 개념을 익힌 뒤, 간단한 문제를 풀며 개념을 잘 이해했는지 확인해 봅니다.

## 2일, 3일

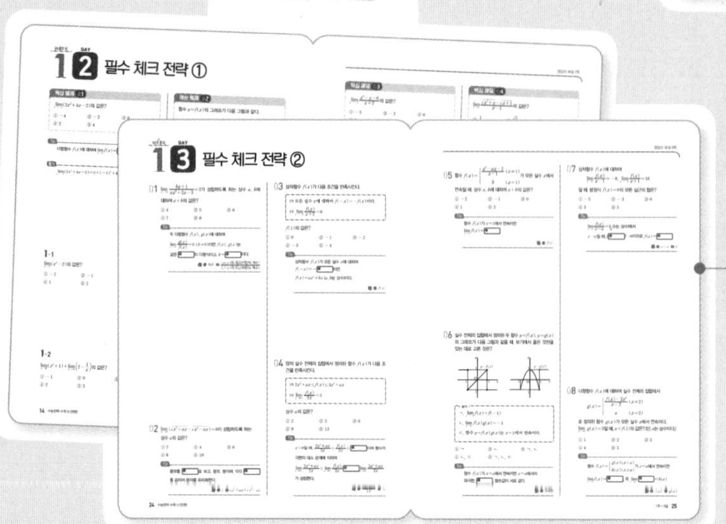


**필수 체크 전략**
기출문제에서 선별한 대표 유형 문제와 쌍둥이 문제를 함께 풀며 문제에 접근하는 과정과 해결 전략을 체계적으로 익혀 봅니다.

부록 수능에 꼭 나오는 필수 유형 ZIP

본 책에서 다룬 대표 유형과 그 해결 전략을 집중적으로 연습할 수 있도록 권두 부록을 구성했습니다. 부록을 뜯으면 미니북으로 활용할 수 있습니다.

## 주 마무리 코너

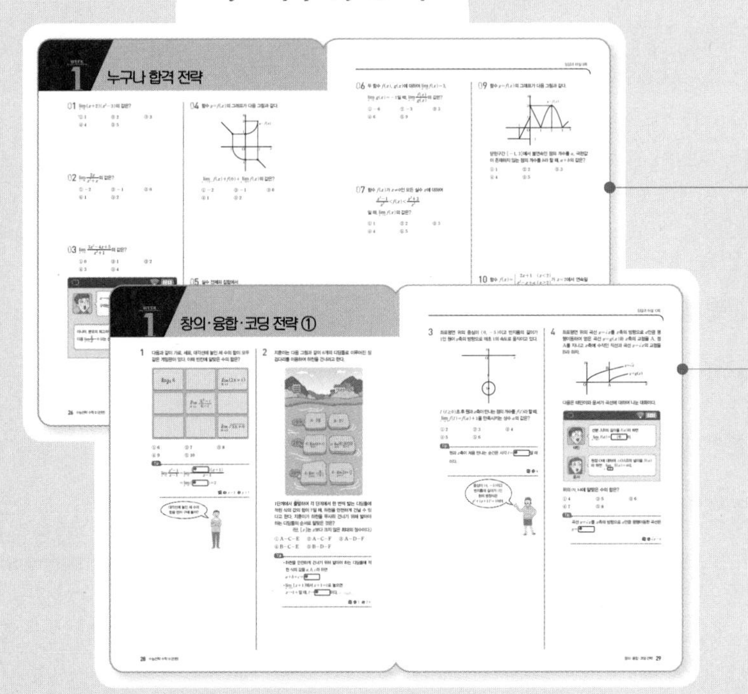

**누구나 합격 전략**
수능 유형에 맞춘 기초 연습 문제를 풀며 학습 자신감을 높일 수 있습니다.

**창의 · 융합 · 코딩 전략**
수능에서 요구하는 융복합적 사고력과 문제 해결력을 기를 수 있습니다.

## 권 마무리 코너

**수능 마무리 전략**
학습 내용을 도식으로 정리하여 앞에서 공부한 내용을 한눈에 파악할 수 있습니다.

**신유형 · 신경향 전략**
신유형·신경향 문제를 집중적으로 풀며 문제 적응력을 높일 수 있습니다.

**1 · 2등급 확보 전략**
실제 수능과 같이 구성한 모의고사를 풀며 고난도 문제에 대비할 수 있습니다.

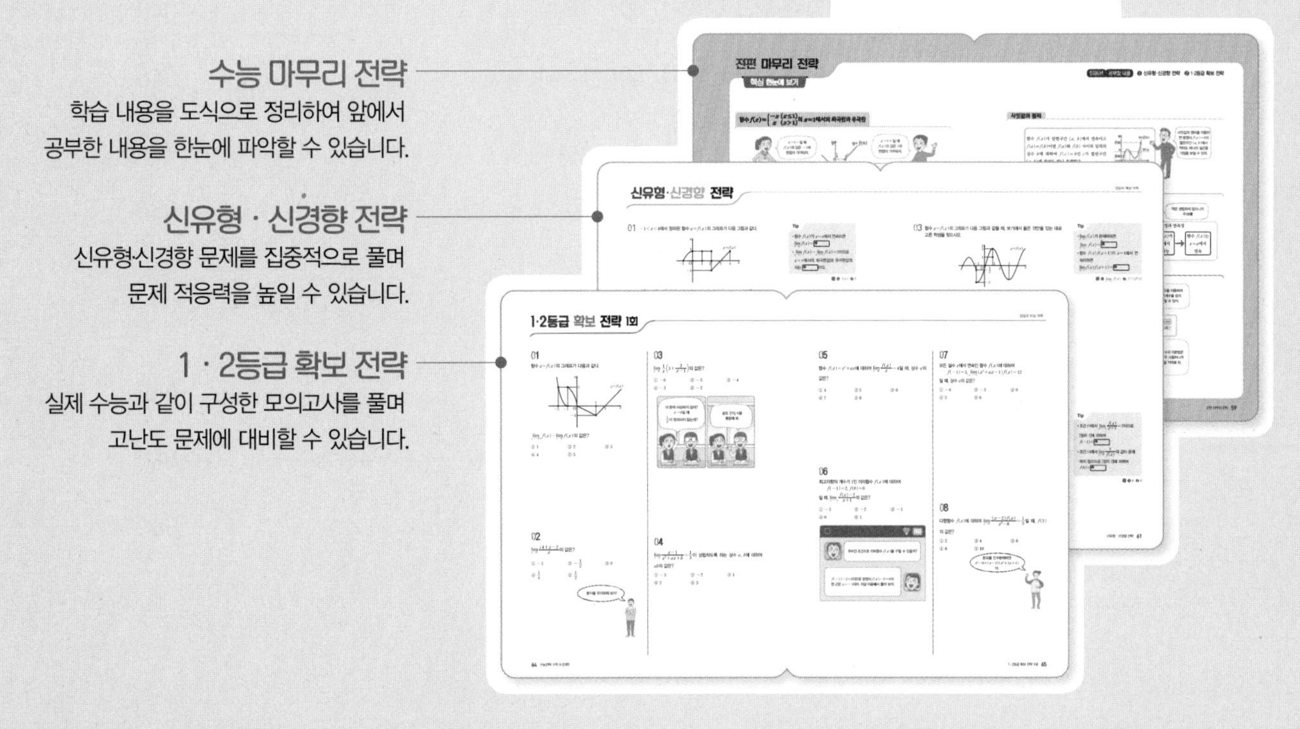

# 이 책의 차례

## BOOK 1

### WEEK 1



### WEEK 2

BOOK 2

WEEK 1

도함수의 활용



WEEK 2

적분

WEEK

# 1 함수의 극한과 연속

**공부할 내용** 1. 함수의 극한 2. 함수의 극한의 성질 3. 함수의 극한값의 계산 4. 함수의 연속

WEEK 1 DAY 1

# 개념 돌파 전략 ①

## 개념 01 함수의 극한과 수렴

함수 $f(x)$에서 $x$의 값이 $a$가 아니면서 $a$에 한없이 가까워질 때, $f(x)$의 값이 일정한 값 $L$에 한없이 가까워지면 함수 $f(x)$는 $L$에 ❶ [ ] 한다고 한다. 이때 $L$을 $x=a$에서의 함수 $f(x)$의 극한값 또는 극한이라 한다.

$\lim_{x \to a} f(x)=L$ 또는 $x \to a$일 때 $f(x) \to$ ❷ [ ]

답 ❶ 수렴 ❷ $L$

### 확인 01

$f(x)=\dfrac{x^2+x-2}{x-1}$라 하면 $x \neq 1$일 때

$f(x)=\dfrac{(x+2)(x-1)}{x-1}=$ ❶ [ ]

즉 함수 $y=f(x)$의 그래프는 오른쪽 그림과 같다. 이 그래프에서 $x \to 1$일 때, $f(x) \to$ ❷ [ ] 이다.

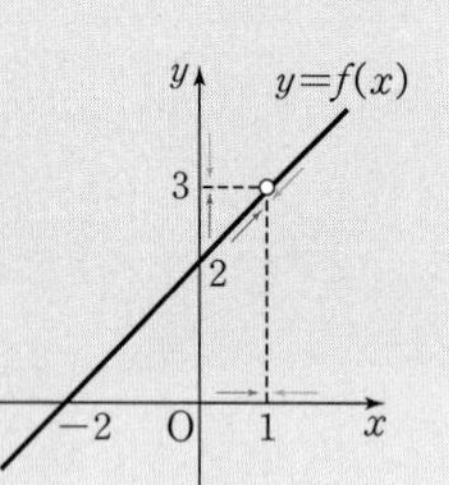


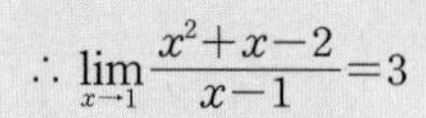

$\therefore \lim_{x \to 1} \dfrac{x^2+x-2}{x-1}=3$

답 ❶ $x+2$ ❷ 3

## 개념 02 함수의 발산

함수 $f(x)$에서 $x$의 값이 $a$가 아니면서 $a$에 한없이 가까워질 때

❶ $f(x)$의 값이 한없이 커지면 함수 $f(x)$는 양의 무한대로 발산한다고 한다.

$\lim_{x \to a} f(x)=$ ❶ [ ] 또는 $x \to a$일 때 $f(x) \to \infty$

❷ $f(x)$의 값이 음수이면서 그 절댓값이 한없이 커지면 함수 $f(x)$는 음의 무한대로 발산한다고 한다.

$\lim_{x \to a} f(x)=-\infty$ 또는 $x \to a$일 때 $f(x) \to$ ❷ [ ]

답 ❶ $\infty$ ❷ $-\infty$

### 확인 02

$f(x)=x^2+1$일 때, $y=f(x)$의 그래프는 오른쪽 그림과 같다. 이 그래프에서 $x$의 값이 음수이면서 그 절댓값이 한없이 커질 때, $f(x)$의 값은 한없이 커지므로

$\lim_{x \to -\infty} (x^2+1)=$ ❶ [ ]

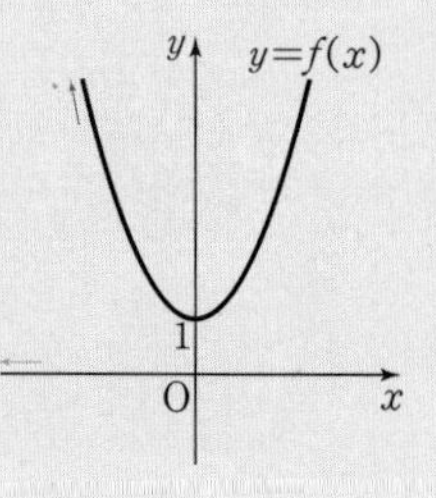


답 ❶ $\infty$

## 개념 03 함수의 좌극한과 우극한

❶ **좌극한**: 함수 $f(x)$에서 $x$의 값이 $a$보다 작으면서 $a$에 한없이 가까워질 때, $f(x)$의 값이 일정한 값 $L$에 한없이 가까워지면 $L$을 $x=a$에서의 함수 $f(x)$의 좌극한이라 한다.

$\lim_{x \to a-} f(x)=L$ 또는 $x \to$ ❶ [ ] 일 때 $f(x) \to L$

❷ **우극한**: 함수 $f(x)$에서 $x$의 값이 $a$보다 크면서 $a$에 한없이 가까워질 때, $f(x)$의 값이 일정한 값 $M$에 한없이 가까워지면 $M$을 $x=a$에서의 함수 $f(x)$의 ❷ [ ] 이라 한다.

$\lim_{x \to a+} f(x)=M$ 또는 $x \to a+$일 때 $f(x) \to M$

답 ❶ $a-$ ❷ 우극한

### 확인 03

함수 $y=f(x)$의 그래프가 오른쪽 그림과 같을 때

$\lim_{x \to 1-} f(x)=$ ❶ [ ]

$\lim_{x \to 1+} f(x)=$ ❷ [ ]

답 ❶ 3 ❷ 1

## 개념 04 극한값이 존재하기 위한 조건

함수 $f(x)$의 $x=a$에서의 ❶ [ ] 과 우극한이 모두 존재하고 그 값이 $\alpha$로 같으면 $\lim_{x \to a} f(x)$가 존재하고 그 극한값은 $\alpha$이다. 또 그 역도 성립한다.

$\lim_{x \to a-} f(x)=\lim_{x \to a+} f(x)=\alpha \Longleftrightarrow \lim_{x \to a} f(x)=$ ❷ [ ]

답 ❶ 좌극한 ❷ $\alpha$

### 확인 04

함수 $y=f(x)$의 그래프가 오른쪽 그림과 같을 때

$\lim_{x \to 0-} f(x)=-1$,

$\lim_{x \to 0+} f(x)=$ ❶ [ ]

즉 $\lim_{x \to 0-} f(x)$ ❷ [ ] $\lim_{x \to 0+} f(x)$

이므로 $\lim_{x \to 0} f(x)$는 존재하지 않는다.

답 ❶ 1 ❷ $\neq$

## 개념 05 함수의 극한의 성질

$\lim_{x\to a} f(x)=\alpha$, $\lim_{x\to a} g(x)=\beta$ ($\alpha$, $\beta$는 실수)일 때

❶ $\lim_{x\to a}\{cf(x)\}=c\lim_{x\to a}f(x)=$ ❶ ☐ ($c$는 상수)

❷ $\lim_{x\to a}\{f(x)+g(x)\}=\lim_{x\to a}f(x)+\lim_{x\to a}g(x)=\alpha+\beta$

❸ $\lim_{x\to a}\{f(x)-g(x)\}=\lim_{x\to a}f(x)-\lim_{x\to a}g(x)=\alpha-\beta$

❹ $\lim_{x\to a}\{f(x)g(x)\}=\lim_{x\to a}f(x)\lim_{x\to a}g(x)=\alpha\beta$

❺ $\lim_{x\to a}\dfrac{f(x)}{g(x)}=\dfrac{\lim_{x\to a}f(x)}{\lim_{x\to a}g(x)}=\dfrac{❷ \square}{\beta}$ ($\beta\neq0$)

답 ❶ $c\alpha$ ❷ $\alpha$

### 확인 05

① $\lim_{x\to2}(3x-2)=\lim_{x\to2}3x$ ❶ ☐ $\lim_{x\to2}2=3\lim_{x\to2}x-\lim_{x\to2}2$
$=3\times2-2=4$

② $\lim_{x\to1}\dfrac{x^2}{x-2}=\dfrac{\lim_{x\to1}x^2}{\lim_{x\to1}(x-2)}=\dfrac{\lim_{x\to1}x\times ❷ \square}{\lim_{x\to1}x-\lim_{x\to1}2}$
$=\dfrac{1\times1}{1-2}=-1$

답 ❶ $-$ ❷ $\lim_{x\to1}x$

## 개념 06 함수의 극한값의 계산: $\dfrac{0}{0}$ 꼴의 극한

$\lim_{x\to a}f(x)=0$, $\lim_{x\to a}g(x)=0$일 때,

$\lim_{x\to a}\dfrac{f(x)}{g(x)}$의 극한값은

❶ 분모, 분자가 모두 다항식인 경우
⇨ 분모, 분자를 각각 ❶ ☐ 하여 약분한다.

❷ 분모, 분자 중 무리식이 있는 경우
⇨ 근호가 있는 쪽을 ❷ ☐ 한다.

답 ❶ 인수분해 ❷ 유리화

### 확인 06

① $\lim_{x\to1}\dfrac{x^2-6x+5}{x-1}=\lim_{x\to1}\dfrac{(x-1)(x-5)}{x-1}$
$=\lim_{x\to1}($❶ ☐$)=-4$

② $\lim_{x\to0}\dfrac{\sqrt{x+1}-1}{x}=\lim_{x\to0}\dfrac{(\sqrt{x+1}-1)(\sqrt{x+1}+1)}{x(\sqrt{x+1}+1)}$
$=\lim_{x\to0}\dfrac{❷ \square}{x(\sqrt{x+1}+1)}=\lim_{x\to0}\dfrac{1}{\sqrt{x+1}+1}$
$=\dfrac{1}{1+1}=\dfrac{1}{2}$

답 ❶ $x-5$ ❷ $x$

## 개념 07 함수의 극한값의 계산: $\dfrac{\infty}{\infty}$ 꼴의 극한

$\lim_{x\to\infty}f(x)=\infty$, $\lim_{x\to\infty}g(x)=\infty$일 때,

$\lim_{x\to\infty}\dfrac{f(x)}{g(x)}$의 극한값은

❶ ❶ ☐ 의 최고차항으로 분모, 분자를 각각 나눈다.

❷ $\lim_{x\to\infty}\dfrac{c}{x^n}=$ ❷ ☐ ($n$은 자연수, $c$는 상수)

임을 이용한다.

답 ❶ 분모 ❷ 0

### 확인 07

$\lim_{x\to\infty}\dfrac{3x^2-2x+1}{x^2+4}=\lim_{x\to\infty}\dfrac{3-\dfrac{2}{x}+\dfrac{1}{x^2}}{❶ \square+\dfrac{4}{x^2}}=\dfrac{3-0+❷ \square}{1+0}=3$

답 ❶ 1 ❷ 0

## 개념 08 함수의 극한값의 계산: $\infty-\infty$ 꼴의 극한

$\lim_{x\to\infty}f(x)=\infty$, $\lim_{x\to\infty}g(x)=\infty$일 때,

$\lim_{x\to\infty}\{f(x)-g(x)\}$의 극한값은

❶ 다항식인 경우
⇨ ❶ ☐ 으로 묶는다.

❷ 무리식이 있는 경우
⇨ 분모를 ❷ ☐ 로 보고 분자를 유리화하여
$\dfrac{\infty}{\infty}$ 꼴로 변형한다.

답 ❶ 최고차항 ❷ 1

### 확인 08

$\lim_{x\to\infty}(\sqrt{x^2+5x}-x)$
$=\lim_{x\to\infty}\dfrac{(\sqrt{x^2+5x}-x)(\sqrt{x^2+5x}+x)}{\sqrt{x^2+5x}+x}$
$=\lim_{x\to\infty}\dfrac{5x}{\sqrt{x^2+5x}+x}=\lim_{x\to\infty}\dfrac{❶ \square}{\sqrt{1+\dfrac{5}{x}}+1}$
$=\dfrac{5}{1+1}=\dfrac{5}{2}$

답 ❶ 5

# 개념 돌파 전략 ①

## 개념 09 함수의 극한값의 계산: $\infty \times 0$ 꼴의 극한

$\lim_{x\to a} f(x)=\infty$, $\lim_{x\to a} g(x)=0$일 때,

$\lim_{x\to a} f(x)g(x)$의 극한값은

❶ 분모, 분자가 모두 다항식인 경우

⇨ 분수식을 ❶ [ ]하여 $\frac{0}{0}$ 꼴로 고친 후 인수분해한다.

❷ 분모, 분자 중 무리식이 있는 경우

⇨ 무리식을 ❷ [ ]하여 $\frac{\infty}{\infty}$ 꼴로 고친다.

답 ❶ 통분 ❷ 유리화

### 확인 09

$$\lim_{x\to 1}\frac{1}{x-1}\left(\frac{x^2}{x+1}-\frac{1}{2}\right)=\lim_{x\to 1}\left\{\frac{1}{x-1}\times\frac{2x^2-x-1}{2(x+1)}\right\}$$

$$=\lim_{x\to 1}\left\{\frac{1}{x-1}\times\frac{(2x+1)(❶\ \square)}{2(x+1)}\right\}$$

$$=\lim_{x\to 1}\frac{❷\ \square}{2(x+1)}=\frac{3}{4}$$

답 ❶ $x-1$ ❷ $2x+1$

## 개념 10 극한을 이용한 미정계수의 결정 (1)

두 함수 $f(x)$, $g(x)$에 대하여

$\lim_{x\to a}\frac{f(x)}{g(x)}=\alpha$ ($\alpha$는 실수)일 때

❶ $\lim_{x\to a} g(x)=0$이면

⇨ $\lim_{x\to a} f(x)=$ ❶ [ ]

❷ $\lim_{x\to a} f(x)=0$이고 $\alpha\neq 0$이면

⇨ $\lim_{x\to a}$ ❷ [ ] $=0$

답 ❶ 0 ❷ $g(x)$

### 확인 10

$\lim_{x\to -2}\frac{3x^2+ax+b}{x+2}=-5$일 때, 상수 $a$, $b$의 값을 구하여 보자.

$\lim_{x\to -2}(x+2)=0$이므로 $\lim_{x\to -2}(3x^2+ax+b)=$ ❶ [ ]

$12-2a+b=0$에서 $b=2a-12$ ……㉠

주어진 등식에 ㉠을 대입하면

$$\lim_{x\to -2}\frac{3x^2+ax+2a-12}{x+2}=\lim_{x\to -2}\frac{(x+2)(3x+a-6)}{x+2}$$

$$=\lim_{x\to -2}(3x+a-6)$$

$$=❷\ \square=-5$$

$\therefore a=7,\ b=2$

답 ❶ 0 ❷ $a-12$

## 개념 11 극한을 이용한 미정계수의 결정 (2)

두 함수 $f(x)$, $g(x)$에 대하여

❶ $\lim_{x\to\infty}\frac{f(x)}{g(x)}=\alpha$ ($\alpha\neq 0$인 실수)일 때

⇨ $f(x)$와 $g(x)$의 차수가 같고, 최고차항의 ❶ [ ]의 비는 $\alpha$이다.

❷ $\lim_{x\to a}\frac{f(x)}{g(x)}=\beta$ ($\beta$는 실수)일 때, $\lim_{x\to a} g(x)=0$이면

⇨ $\lim_{x\to a} f(x)=$ ❷ [ ]

답 ❶ 계수 ❷ 0

### 확인 11

① $\lim_{x\to\infty}\frac{ax^2+x-7}{2x^2+3}=2$일 때, $\frac{a}{2}=$ ❶ [ ]이므로 $a=4$

② $\lim_{x\to 3}\frac{x+b}{(x-2)(x-3)}=1$일 때,

$\lim_{x\to 3}(x+b)=$ ❷ [ ]이므로

$3+b=0 \qquad \therefore b=-3$

답 ❶ 2 ❷ 0

## 개념 12 함수의 극한의 대소 관계

두 함수 $f(x)$, $g(x)$에 대하여

$\lim_{x\to a} f(x)=\alpha$, $\lim_{x\to a} g(x)=\beta$ ($\alpha$, $\beta$는 실수)일 때,

$a$에 가까운 모든 실수 $x$에 대하여

❶ $f(x)\le g(x)$이면 $\alpha$ ❶ [ ] $\beta$

❷ 함수 $h(x)$에 대하여 $f(x)\le h(x)\le g(x)$이고

$\alpha=\beta$이면 $\lim_{x\to a}$ ❷ [ ] $=\alpha$

답 ❶ $\le$ ❷ $h(x)$

### 확인 12

함수 $f(x)$가 모든 양의 실수 $x$에서

$\frac{x^2+3x}{3x^2+2}\le f(x)\le\frac{x^2+4x+2}{3x^2+2}$

를 만족시킬 때, $\lim_{x\to\infty} f(x)$의 값을 구하여 보자.

$\lim_{x\to\infty}\frac{x^2+3x}{3x^2+2}=$ ❶ [ ], $\lim_{x\to\infty}\frac{x^2+4x+2}{3x^2+2}=\frac{1}{3}$

이므로 함수의 극한의 대소 관계에 의하여

$\lim_{x\to\infty} f(x)=$ ❷ [ ]

답 ❶ $\frac{1}{3}$ ❷ $\frac{1}{3}$

## 개념 13 함수의 연속과 불연속

❶ 함수 $f(x)$가 실수 $a$에 대하여 다음 조건을 모두 만족시킬 때, 함수 $f(x)$는 $x=a$에서 연속이라 한다.

① 함수 $f(x)$가 $x=a$에서 정의되어 있다.

② 극한값 $\lim_{x\to a} f(x)$가 존재한다.

③ $\lim_{x\to a} f(x)=$ ( ❶ )

❷ 함수 $f(x)$가 $x=a$에서 연속이 아닐 때, 함수 $f(x)$는 $x=a$에서 불연속이라 한다. 즉 함수 $f(x)$가 위의 세 조건 중에서 어느 하나라도 만족시키지 않으면 함수 $f(x)$는 $x=a$에서 ( ❷ )이다.

답 ❶ $f(a)$ ❷ 불연속

### 확인 13

함수 $f(x)=2x$에 대하여 $f(0)=0$, $\lim_{x\to 0} 2x=$ ( ❶ )이므로 $\lim_{x\to 0} f(x)=f(0)$이다.

따라서 함수 $f(x)$는 $x=0$에서 ( ❷ )이다.

답 ❶ 0 ❷ 연속

## 개념 14 구간

두 실수 $a$, $b\,(a<b)$에 대하여 아래 집합을 구간이라 하고, 각 구간을 기호와 수직선으로 나타내면 다음과 같다.

| $\{x \mid a\le x\le b\}$ | $\{x \mid a$ ( ❶ ) $x<b\}$ |
| --- | --- |
| $[a, b]$ | $(a, b)$ |
| ●—● $a$ $b$ | ○—○ $a$ $b$ |
| $\{x \mid a\le x<b\}$ | $\{x \mid a<x$ ( ❷ ) $b\}$ |
| $[a, b)$ | $(a, b]$ |
| ●—○ $a$ $b$ | ○—● $a$ $b$ |

이때 $[a, b]$를 닫힌구간, $(a, b)$를 열린구간이라 하고, $[a, b)$, $(a, b]$를 반닫힌 구간 또는 반열린 구간이라 한다.

답 ❶ $<$ ❷ $\le$

### 확인 14

① $\{x \mid -3\le x\le 2\}$ ⇨ ( ❶ )

② $\{x \mid 6<x<7\}$ ⇨ $(6, 7)$

③ $\{x \mid -1\le x$ ( ❷ ) $5\}$ ⇨ $[-1, 5)$

④ $\{x \mid 2<x\le 4\}$ ⇨ $(2, 4]$

답 ❶ $[-3, 2]$ ❷ $<$

## 개념 15 연속함수

함수 $f(x)$가 어떤 열린구간에 속하는 모든 점에서 연속일 때, 함수 $f(x)$는 그 열린구간에서 ( ❶ )이라 하며 $f(x)$를 열린구간에서의 연속함수라 한다.

한편, 닫힌구간 $[a, b]$에서 정의된 함수 $f(x)$가 열린구간 $(a, b)$에서 연속이고

$$\lim_{x\to a+} f(x)=f(a),\ \lim_{x\to b-} f(x)= (\ ❷\ )$$

일 때, 함수 $f(x)$는 닫힌구간 $[a, b]$에서 연속이라 하며 $f(x)$를 그 닫힌구간에서의 연속함수라 한다.

답 ❶ 연속 ❷ $f(b)$

### 확인 15

① 함수 $f(x)=2x$는 열린구간 (( ❶ ), $\infty$)에서 연속이다.

② 함수 $f(x)=\frac{1}{x}$은 열린구간 $(-\infty, 0)$, (( ❷ ), $\infty$)에서 연속이다.

답 ❶ $-\infty$ ❷ 0

## 개념 16 함수의 그래프와 연속

❶ 함수 $y=f(x)$의 그래프가 $x=a$에서 끊어져 있으면

⇨ $f(x)$는 $x=a$에서 ( ❶ )이다.

❷ 두 함수 $f(x)$, $g(x)$에 대하여 합성함수 $f(g(x))$가 $x=a$에서 연속이려면

⇨ $\lim_{x\to a-} f(g(x))=\lim_{x\to a+} f(g(x))=f($ ( ❷ ) $)$

답 ❶ 불연속 ❷ $g(a)$

### 확인 16

함수 $y=f(x)$의 그래프가 오른쪽 그림과 같을 때, 함수 $f(x)$는 $x=$ ( ❶ )에서 불연속이다.

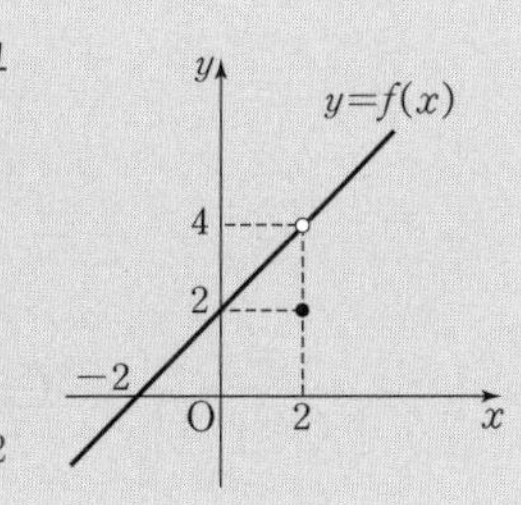


답 ❶ 2

WEEK 1 DAY 1

# 개념 돌파 전략 ②

**1** $\lim_{x \to 2} \sqrt{x^2+5}$의 값은?

① 1　② 2　③ 3
④ 4　⑤ 5

**Tip**

$\lim_{x \to 2} \sqrt{x^2+5} = \sqrt{\boxed{❶\quad}^2+5} = 3$

답 ❶ 2

**2** 실수 전체의 집합에서 정의된 함수 $f(x)$가

$$f(x) = \begin{cases} -x^2+3 & (x \le 1) \\ x^2 & (x > 1) \end{cases}$$

일 때, $\lim_{x \to 2+} f(x)$의 값은?

① 1　② 2　③ 3
④ 4　⑤ 5

**Tip**

$x>1$일 때, $f(x) = \boxed{❶\quad}$이므로

$\lim_{x \to 2+} f(x) = \lim_{x \to 2+} x^2 = \boxed{❷\quad}$

답 ❶ $x^2$ ❷ 4

**3** $\lim_{x \to 1-} \dfrac{x^2-1}{|x-1|}$의 값은?

① $-2$　② $-1$　③ 0
④ 1　⑤ 2

**Tip**

$x<1$일 때, $x-1 \boxed{❶\quad} 0$이므로

$|x-1| = \boxed{❷\quad}$

답 ❶ $<$ ❷ $-(x-1)$

**4** 두 함수 $f(x)$, $g(x)$에 대하여 $\lim_{x \to 1} f(x)=2$, $\lim_{x \to 1} g(x)=3$일 때, $\lim_{x \to 1} \{2f(x)+3g(x)\}$의 값은?

① 7 ② 9 ③ 11
④ 13 ⑤ 15

**Tip**

$\lim_{x \to 1} \{2f(x)+3g(x)\}$
$= \boxed{❶\quad} \lim_{x \to 1} f(x)$
$+ \boxed{❷\quad} \lim_{x \to 1} g(x)$

답 ❶ 2 ❷ 3

**5** $\lim_{x \to 1} \frac{(x-1)(3x-1)}{x-1}$의 값은?

① $-2$ ② $-1$ ③ 0
④ 1 ⑤ 2

**Tip**

다항함수 $h(x)$에 대하여
$\lim_{x \to a} \frac{(x-a)h(x)}{x-a}$
$= \lim_{x \to a} \boxed{❶\quad} = h(a)$

답 ❶ $h(x)$

**6** 함수 $f(x)=\begin{cases} 2x+3 & (x<2) \\ -x+a & (x \ge 2) \end{cases}$가 $x=2$에서 연속일 때, 상수 $a$의 값은?

① 8 ② 9 ③ 10
④ 11 ⑤ 12

**Tip**

함수 $f(x)=\begin{cases} g(x) & (x<a) \\ h(x) & (x \ge a) \end{cases}$가
$x=a$에서 연속이면
$\lim_{x \to a} f(x) = \boxed{❶\quad}$, 즉
$\lim_{x \to a-} \boxed{❷\quad} = h(a)$

답 ❶ $f(a)$ ❷ $g(x)$

WEEK 1 DAY 2

# 필수 체크 전략 ①

## 핵심 예제 01

$\lim_{x \to -1}(2x^2+4x-2)$의 값은?

① $-4$　② $-2$　③ $0$
④ $2$　⑤ $4$

**Tip**

다항함수 $f(x)$에 대하여 $\lim_{x \to a} f(x) =$ ❶ [　　]

답 ❶ $f(a)$

**풀이**

$\lim_{x \to -1}(2x^2+4x-2)=2\times(-1)^2+4\times(-1)-2=-4$

답 ①

## 핵심 예제 02

함수 $y=f(x)$의 그래프가 다음 그림과 같다.

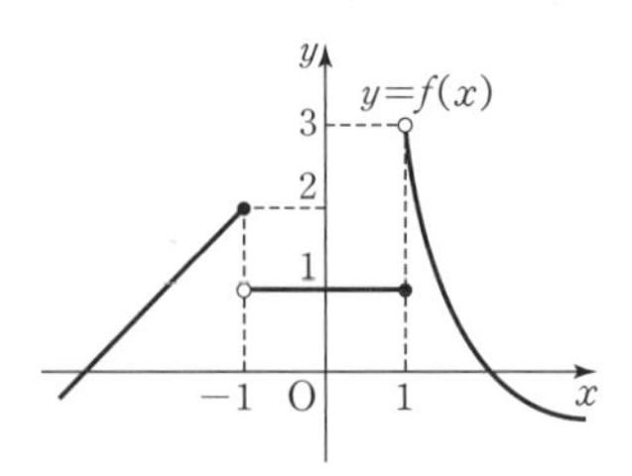


$\lim_{x \to -1+} f(x) + \lim_{x \to -1-} f(-x)$의 값을 구하시오.

**Tip**

❶ [　　]$=t$로 놓으면 $x \to -1-$일 때, $t \to$ ❷ [　　]이므로

$\lim_{x \to -1-} f(-x) = \lim_{t \to 1+} f(t)$

답 ❶ $-x$ ❷ $1+$

**풀이**

$-x=t$로 놓으면 $\lim_{x \to -1-} f(-x) = \lim_{t \to 1+} f(t)$

$\therefore \lim_{x \to -1+} f(x) + \lim_{x \to -1-} f(-x) = \lim_{x \to -1+} f(x) + \lim_{t \to 1+} f(t)$

$=1+3=4$

답 4

### 1-1

$\lim_{x \to 2}(x^2-2)$의 값은?

① $-2$　② $-1$　③ $0$
④ $1$　⑤ $2$

### 1-2

$\lim_{x \to 0}(x^2+1)+\lim_{x \to \infty}\left(2-\frac{1}{x}\right)$의 값은?

① $-1$　② $0$　③ $1$
④ $2$　⑤ $3$

### 2-1

함수 $y=f(x)$의 그래프가 오른쪽 그림과 같을 때, $\lim_{x \to 0-} f(-x) + \lim_{x \to 2+} f(x)$의 값을 구하시오.

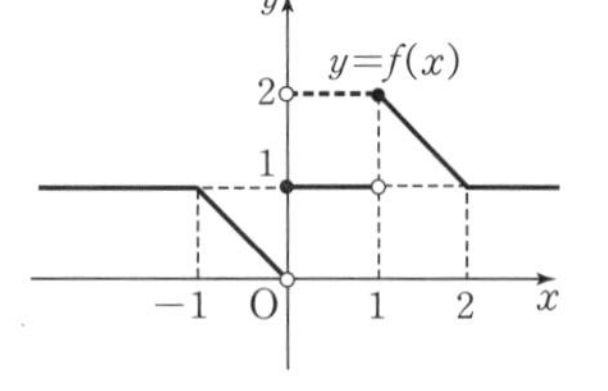


### 2-2

함수 $y=f(x)$의 그래프가 오른쪽 그림과 같을 때, $\lim_{x \to 0+} f(x) + \lim_{x \to 1} f(x)$의 값을 구하시오.

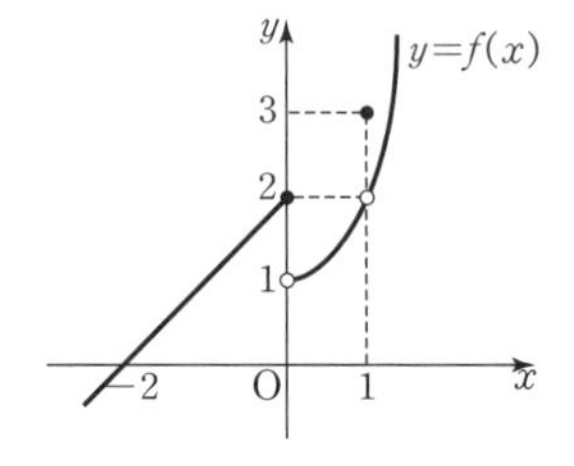

## 핵심 예제 03

$\lim_{x\to -2}\frac{x^2-x-6}{x+2}$의 값은?

① $-5$ ② $-3$ ③ $0$
④ $3$ ⑤ $5$

**Tip**

- 분자를 인수분해한 후 ❶ ☐로 약분하여 극한값을 구한다.
- $x^2-x-6=($❷ ☐$)(x-3)$

답 ❶ 공통인수 ❷ $x+2$

**풀이**

$$\lim_{x\to -2}\frac{x^2-x-6}{x+2}=\lim_{x\to -2}\frac{(x+2)(x-3)}{x+2}=\lim_{x\to -2}(x-3)$$
$$=-2-3=-5$$

답 ①

## 3-1

$\lim_{x\to 3}\frac{(x-3)(3x-5)}{x^2-2x-3}$의 값은?

① $-2$ ② $-1$ ③ $0$
④ $1$ ⑤ $2$

## 3-2

$\lim_{x\to 2}\frac{x^3+x^2-6x}{x^2-5x+6}$의 값은?

① $-10$ ② $-8$ ③ $-6$
④ $-4$ ⑤ $-2$

## 핵심 예제 04

$\lim_{x\to 1}\frac{\sqrt{x^2+x}-\sqrt{x+1}}{x-1}$의 값은?

① $\frac{1}{2}$ ② $\frac{\sqrt{2}}{2}$ ③ $\sqrt{2}$
④ $2$ ⑤ $2\sqrt{2}$

**Tip**

- 무리식이 있는 분자를 ❶ ☐한 후 약분하여 극한값을 구한다.
- 분자를 유리화하려면 분모, 분자에 $\sqrt{x^2+x}$ ❷ ☐ $\sqrt{x+1}$을 곱한다.

답 ❶ 유리화 ❷ $+$

**풀이**

$$\lim_{x\to 1}\frac{\sqrt{x^2+x}-\sqrt{x+1}}{x-1}$$
$$=\lim_{x\to 1}\frac{(\sqrt{x^2+x}-\sqrt{x+1})(\sqrt{x^2+x}+\sqrt{x+1})}{(x-1)(\sqrt{x^2+x}+\sqrt{x+1})}$$
$$=\lim_{x\to 1}\frac{x^2-1}{(x-1)(\sqrt{x^2+x}+\sqrt{x+1})}$$
$$=\lim_{x\to 1}\frac{(x-1)(x+1)}{(x-1)(\sqrt{x^2+x}+\sqrt{x+1})}$$
$$=\lim_{x\to 1}\frac{x+1}{\sqrt{x^2+x}+\sqrt{x+1}}=\frac{2}{\sqrt{2}+\sqrt{2}}=\frac{2}{2\sqrt{2}}=\frac{\sqrt{2}}{2}$$

답 ②

## 4-1

$\lim_{x\to 2}\frac{\sqrt{x^2+5}-3}{x-2}$의 값은?

① $\frac{1}{4}$ ② $\frac{4}{7}$ ③ $\frac{2}{3}$
④ $\frac{3}{4}$ ⑤ $\frac{5}{6}$

## 4-2

$\lim_{x\to 1}\frac{x^2-1}{\sqrt{x+3}-2}$의 값은?

① $4$ ② $5$ ③ $6$
④ $7$ ⑤ $8$

# 필수 체크 전략 ①

## 핵심 예제 05

다항함수 $f(x)$가 다음 조건을 만족시킨다.

> (가) $f(0)=5$
>
> (나) $\lim_{x\to\infty}\dfrac{f(x)-2x^2}{3x+1}=-1$

$\lim_{x\to 1}f(x)$의 값을 구하시오.

**Tip**

$\lim_{x\to\infty}\dfrac{f(x)-2x^2}{3x+1}=-1$에서

$f(x)-2x^2=$ ❶ $\square$ $+k$ ($k$는 상수)

답 ❶ $-3x$

**풀이**

조건 (나)에서

$f(x)-2x^2=-3x+k$ ($k$는 상수)로 놓으면

$f(x)=2x^2-3x+k$

이때 조건 (가)에서 $k=5$

따라서 $f(x)=2x^2-3x+5$이므로

$\lim_{x\to 1}f(x)=\lim_{x\to 1}(2x^2-3x+5)=2-3+5=4$

답 4

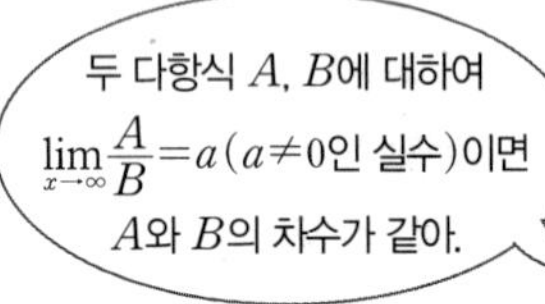

## 5-1

$\lim_{x\to\infty}\dfrac{-3+5x-4x^2}{1+2x^2}$의 값은?

① $-4$　② $-2$　③ $0$　④ $2$　⑤ $4$

## 5-2

최고차항의 계수가 2인 이차함수 $f(x)$가 모든 실수 $x$에 대하여 $f(3-x)=f(3+x)$를 만족시킬 때, $\lim_{x\to\infty}\dfrac{f(x)-2x^2}{3x+1}$의 값을 구하시오.

## 핵심 예제 06

$\lim_{x\to\infty}(\sqrt{4x^2+8x+1}-2x)$의 값은?

① 2　② 3　③ 4　④ 5　⑤ 6

**Tip**

분모를 ❶ $\square$ 로 보고, 분모, 분자에 각각 $\sqrt{4x^2+8x+1}+$ ❷ $\square$ 를 곱하여 분자를 유리화한다.

답 ❶ 1 ❷ $2x$

**풀이**

$$\lim_{x\to\infty}(\sqrt{4x^2+8x+1}-2x)$$
$$=\lim_{x\to\infty}\frac{(\sqrt{4x^2+8x+1}-2x)(\sqrt{4x^2+8x+1}+2x)}{\sqrt{4x^2+8x+1}+2x}$$
$$=\lim_{x\to\infty}\frac{8x+1}{\sqrt{4x^2+8x+1}+2x}$$
$$=\frac{8}{\sqrt{4}+2}=2$$

답 ①

## 6-1

$\lim_{x\to\infty}\dfrac{2x^2+1}{x^2+2}\times\lim_{x\to\infty}(\sqrt{x^2+3x}-x)$의 값은?

① $-3$　② $-1$　③ $3$　④ $5$　⑤ $6$

## 6-2

이차방정식 $x^2+4x-6=0$의 두 근을 $a$, $b$라 할 때,

$\lim_{x\to\infty}\dfrac{\sqrt{x+a^2}-\sqrt{x+b^2}}{\sqrt{2x-a}-\sqrt{2x-b}}$의 값은?

① $\sqrt{2}$　② $2\sqrt{2}$　③ $4\sqrt{2}$　④ $6\sqrt{2}$　⑤ $8\sqrt{2}$

## 핵심 예제 07

함수 $f(x)$에 대하여 $\lim_{x\to0}\frac{f(x)}{x}=12$일 때,

$\lim_{x\to1}\frac{f(x-1)}{x^3-1}$의 값은?

① 2　② 3　③ 4
④ 5　⑤ 6

**Tip**

$\lim_{x\to1}\frac{f(x-1)}{x^3-1}$에서 $x-1=t$로 치환하여 극한값을 구한다.

이때 $x^3-1=(x-1)($❶ $\square$$)$이고, $x\to1$일 때,

$t\to$ ❷ $\square$이다.

답 ❶ $x^2+x+1$ ❷ $0$

**풀이**

$x-1=t$로 놓으면 $x\to1$일 때, $t\to0$이므로

$$\begin{aligned}\lim_{x\to1}\frac{f(x-1)}{x^3-1}&=\lim_{x\to1}\frac{f(x-1)}{(x-1)(x^2+x+1)}\\&=\lim_{x\to1}\left\{\frac{1}{x^2+x+1}\times\frac{f(x-1)}{x-1}\right\}\\&=\lim_{x\to1}\frac{1}{x^2+x+1}\times\lim_{x\to1}\frac{f(x-1)}{x-1}\\&=\frac{1}{3}\lim_{x\to1}\frac{f(x-1)}{x-1}\\&=\frac{1}{3}\lim_{t\to0}\frac{f(t)}{t}=\frac{1}{3}\times12=4\end{aligned}$$

답 ③

## 7-1

함수 $f(x)$에 대하여 $\lim_{x\to0}\frac{f(x)}{x}=2$일 때, $\lim_{x\to3}\frac{f(x-3)}{x^2-9}$의 값은?

① $\frac{1}{6}$　② $\frac{1}{3}$　③ $1$
④ $\frac{3}{2}$　⑤ $\frac{5}{2}$

## 7-2

함수 $f(x)$에 대하여 $\lim_{x\to2}\frac{f(x-2)}{x^2-2x}=4$일 때, $\lim_{x\to0}\frac{f(x)}{x}$의 값을 구하시오.

## 핵심 예제 08

두 함수 $f(x)$, $g(x)$에 대하여 $\lim_{x\to a}\frac{g(x)}{f(x)}=2$일 때,

$\lim_{x\to a}\frac{4f(x)+3g(x)}{g(x)}$의 값을 구하시오.

**Tip**

$\lim_{x\to a}\frac{4f(x)+3g(x)}{g(x)}$의 분자, 분모를 ❶ $\square$로 나눈 후, 극한의 성질을 이용하여 극한값을 구한다.

답 ❶ $f(x)$

**풀이**

$$\begin{aligned}\lim_{x\to a}\frac{4f(x)+3g(x)}{g(x)}&=\lim_{x\to a}\frac{4+3\frac{g(x)}{f(x)}}{\frac{g(x)}{f(x)}}\\&=\frac{4+3\lim_{x\to a}\frac{g(x)}{f(x)}}{\lim_{x\to a}\frac{g(x)}{f(x)}}\\&=\frac{4+3\times2}{2}=5\end{aligned}$$

답 5

## 8-1

두 함수 $f(x)$, $g(x)$에 대하여 $\lim_{x\to2}f(x)=3$, $\lim_{x\to2}g(x)=2$일 때, $\lim_{x\to2}\frac{2f(x)-g(x)}{f(x)+2g(x)}$의 값은?

① $\frac{1}{7}$　② $\frac{2}{7}$　③ $\frac{3}{7}$
④ $\frac{4}{7}$　⑤ $\frac{5}{7}$

## 8-2

두 함수 $f(x)$, $g(x)$에 대하여

$$\lim_{x\to\infty}f(x)=\infty,\ \lim_{x\to\infty}\{3f(x)-g(x)\}=2$$

일 때, $\lim_{x\to\infty}\frac{4f(x)-5g(x)}{2f(x)+3g(x)}$의 값을 구하시오.

WEEK 1 DAY 2

# 필수 체크 전략 ②

**01** $\lim_{x \to \infty} \frac{(2x+1)(3x-5)}{3x^2+x+2}$의 값은?

① $\frac{2}{3}$ ② 1 ③ $\frac{4}{3}$

④ $\frac{5}{3}$ ⑤ 2

**Tip**

분모, 분자의 다항식의 ❶ [ ]가 같으므로 최고차항의 ❷ [ ]의 비를 구한다.

답 ❶ 차수 ❷ 계수

**02** $\lim_{x \to -\infty} \frac{2x-\sqrt{x^2+3}}{1-x}$의 값은?

① $-5$ ② $-3$ ③ $-1$

④ 1 ⑤ 3

**Tip**

❶ [ ]$=t$로 놓으면 $x \to -\infty$일 때, $t \to$ ❷ [ ]이다.

답 ❶ $-x$ ❷ $\infty$

**03** 함수 $f(x)=x^2+ax+b$에 대하여 두 실수 $a$, $b$가 다음 조건을 만족시킨다.

> (가) $\lim_{x \to -\infty} \frac{6-5x-2x^2}{2x^2+x-1}=a$
>
> (나) $\lim_{x \to 2} \frac{x^2-4}{\sqrt{x+2}-2}=b$

$\lim_{x \to 1} \frac{f(x)}{x^2+1}$의 값은?

① 4 ② 5 ③ 6

④ 7 ⑤ 8

**Tip**

$\frac{0}{0}$ 꼴의 무리식은 ❶ [ ]한 다음 극한값을 구한다.

답 ❶ 유리화

**04** 함수 $y=f(x)$의 그래프가 다음 그림과 같다.

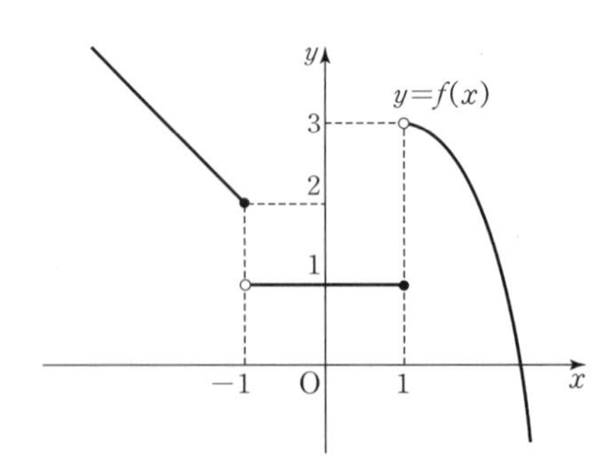


함수 $g(x)=f(x)+f(x-2)$에 대하여 $\lim_{x \to 1+} g(x)$의 값은?

① 1 ② 2 ③ 3

④ 4 ⑤ 5

**Tip**

❶ [ ]$=t$로 놓으면 $x \to 1+$일 때, $t \to$ ❷ [ ]이다.

답 ❶ $x-2$ ❷ $-1+$

**05** 함수 $y=f(x)$의 그래프가 다음 그림과 같다.

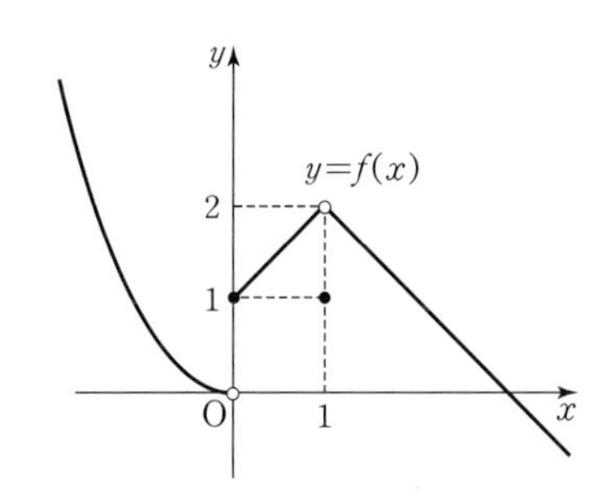


함수 $h(x)=(x+a)f(x)$가 $x=0$에서 극한값이 존재할 때, 상수 $a$의 값은?

① $-2$ ② $-1$ ③ $0$
④ $1$ ⑤ $2$

**Tip**

함수 $h(x)$가 $x=0$에서 극한값이 존재하려면
$\lim_{x\to 0-}h(x)=$ ❶ ☐ 가 성립해야 한다.

답 ❶ $\lim_{x\to 0+}h(x)$

**06** 두 다항함수 $f(x)$, $g(x)$에 대하여

$$\lim_{x\to 2}f(x)=4,\ \lim_{x\to 2}\{f(x)-g(x)\}=2$$

일 때, $\lim_{x\to 2}\{5g(x)+f(x)g(x)\}$의 값은?

① 15 ② 16 ③ 17
④ 18 ⑤ 19

**Tip**

$\lim_{x\to 2}\{f(x)-g(x)\}=\lim_{x\to 2}f(x)-$ ❶ ☐
$=$ ❷ ☐ $-\lim_{x\to 2}g(x)$
$=2$

답 ❶ $\lim_{x\to 2}g(x)$ ❷ 4

**07** 실수 $a$에 대하여 직선 $y=ax+a$와 이차함수 $y=x^2+k$의 그래프가 접할 때의 실수 $k$의 값을 $f(a)$라 하자. 이때 $\lim_{a\to -4}\frac{f(a)}{a+4}$의 값은?

① $-1$ ② $-2$ ③ $-3$
④ $-4$ ⑤ $-5$

**Tip**

방정식 $ax+a=x^2+k$가 ❶ ☐ 을 가질 때의 실수 $k$를 $a$에 대한 식으로 나타낸다.

답 ❶ 중근

**08** 실수 전체의 집합에서 정의된 함수 $y=f(x)$의 그래프가 다음 그림과 같다.

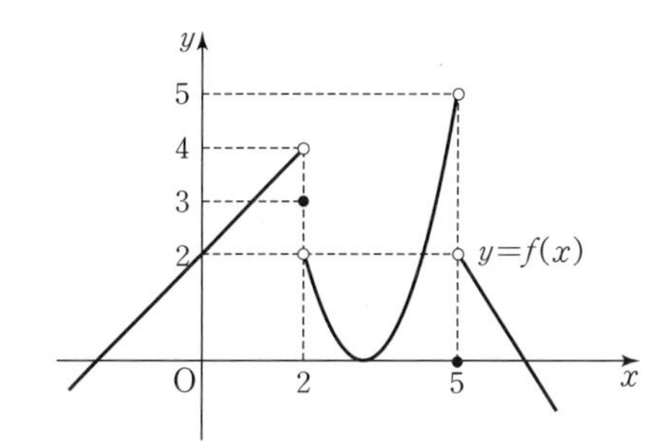


함수 $g(x)=\frac{2x+2}{x-1}$에 대하여

$\lim_{x\to\infty}f(g(x))-\lim_{x\to -\infty}f(g(x))$의 값은?

① $-4$ ② $-2$ ③ $0$
④ $2$ ⑤ $4$

**Tip**

함수 $g(x)=\frac{2x+2}{x-1}=\frac{4}{x-1}+2$의 그래프에서
$x\to\infty$일 때, $g(x)\to$ ❶ ☐ 이고,
$x\to -\infty$일 때, $g(x)\to$ ❷ ☐ 이다.

답 ❶ $2+$ ❷ $2-$

WEEK 1 DAY 3

# 필수 체크 전략 ①

## 핵심 예제 01

$\lim_{x\to1}\frac{x^2+ax+b}{x-1}=4$가 성립하도록 하는 상수 $a$, $b$에 대하여 $a-b$의 값은?

① 1 ② 2 ③ 3

④ 4 ⑤ 5

**Tip**

$\lim_{x\to a}\frac{g(x)}{f(x)}=k$ ($k$는 실수)일 때,

$f(a)=0$이면 $g(a)=$ ❶ ☐ 이다.

답 ❶ 0

**풀이**

$\lim_{x\to1}\frac{x^2+ax+b}{x-1}=4$에서 $x\to1$일 때, (분모)→0이므로

(분자)→0이다.

즉 $1+a+b=0$이므로 $b=-a-1$

주어진 식에 $b=-a-1$을 대입하면

$$\lim_{x\to1}\frac{x^2+ax+b}{x-1}=\lim_{x\to1}\frac{x^2+ax-a-1}{x-1}$$

$$=\lim_{x\to1}\frac{(x-1)(x+a+1)}{x-1}$$

$$=\lim_{x\to1}(x+a+1)=a+2=4$$

이므로 $a=2$, $b=-3$

$\therefore a-b=2-(-3)=5$

답 ⑤

## 핵심 예제 02

함수 $f(x)$가

$$f(x)=\begin{cases}2x+a & (x<1)\\ -ax+8 & (x\geq1)\end{cases}$$

일 때, $\lim_{x\to1}f(x)$가 존재하도록 하는 상수 $a$의 값은?

① 0 ② 1 ③ 2

④ 3 ⑤ 4

**Tip**

함수 $f(x)=\begin{cases}g(x) & (x<a)\\ h(x) & (x\geq a)\end{cases}$가 $x=a$에서 극한값이 존재하려면

$\lim_{x\to a-}g(x)=\lim_{x\to a+}$ ❶ ☐

답 ❶ $h(x)$

**풀이**

$f(x)=\begin{cases}2x+a & (x<1)\\ -ax+8 & (x\geq1)\end{cases}$에서 $\lim_{x\to1}f(x)$가 존재하므로

$\lim_{x\to1-}f(x)=\lim_{x\to1+}f(x)$

즉 $\lim_{x\to1-}(2x+a)=\lim_{x\to1+}(-ax+8)$이므로

$2+a=-a+8$

$2a=6$ $\therefore a=3$

답 ④

## 1-1

$\lim_{x\to2}\frac{x^2-4}{x^2+ax}=b$ $(b\neq0)$가 성립하도록 하는 상수 $a$, $b$에 대하여 $a+b$의 값을 구하시오.

## 1-2

$\lim_{x\to4}\frac{\sqrt{x+a}-b}{x-4}=\frac{1}{6}$이 성립하도록 하는 상수 $a$, $b$에 대하여 $a+b$의 값을 구하시오.

## 2-1

함수 $f(x)=x^2+ax+b$에 대하여 함수

$$g(x)=\begin{cases}f(x) & (|x|<1)\\ 3 & (|x|\geq1)\end{cases}$$

이다. 함수 $g(x)$가 모든 실수 $x$에 대하여 극한이 존재할 때, $2a+b$의 값을 구하시오. (단, $a$, $b$는 상수이다.)

## 핵심 예제 03

다항함수 $f(x)$에 대하여

$$\lim_{x\to\infty}\frac{f(x)}{x^2-3x+2}=2,\ \lim_{x\to1}\frac{f(x)}{x-1}=5$$

일 때, $f(5)$의 값을 구하시오.

**Tip**

두 다항함수 $f(x)$, $g(x)$에 대하여 $\lim_{x\to\infty}\frac{g(x)}{f(x)}=k\ (k\neq0)$이면

$f(x)$, $g(x)$는 같은 ❶ [ ]의 다항식이고, $k=$ ❷ [ ]이다.

답 ❶ 차수 ❷ $\frac{\{g(x)\text{의 최고차항의 계수}\}}{\{f(x)\text{의 최고차항의 계수}\}}$

**풀이**

$\lim_{x\to\infty}\frac{f(x)}{x^2-3x+2}=2$이므로

$f(x)=2x^2+ax+b$ ($a$, $b$는 상수) ……㉠

로 놓을 수 있다.

$\lim_{x\to1}\frac{f(x)}{x-1}=5$에서 $x\to1$일 때, (분모)$\to0$이므로 (분자)$\to0$이다.

즉 $2+a+b=0$이므로 $b=-a-2$ ……㉡

㉠에 ㉡을 대입하면 $f(x)=2x^2+ax-a-2$

이때

$$\lim_{x\to1}\frac{f(x)}{x-1}=\lim_{x\to1}\frac{2x^2+ax-a-2}{x-1}$$
$$=\lim_{x\to1}\frac{(x-1)(2x+a+2)}{x-1}$$
$$=\lim_{x\to1}(2x+a+2)=a+4=5$$

이므로 $a=1$, $b=-3$

따라서 $f(x)=2x^2+x-3$이므로 $f(5)=50+5-3=52$

답 52

## 3-1

다항함수 $f(x)$가 다음 조건을 만족시킨다.

| (가) $f(1)=3$ | (나) $\lim_{x\to\infty}\frac{f(x)-2x^2}{3x}=1$ |
|---|---|

$\lim_{x\to k}f(x)=0$을 만족시키는 모든 상수 $k$의 값의 곱을 구하시오.

## 핵심 예제 04

함수 $f(x)$가 모든 양의 실수 $x$에 대하여

$$\frac{3x}{x^2+x+3}\le f(x)\le\frac{3x}{x^2+x+1}$$

일 때, $\lim_{x\to\infty}(x+1)f(x)$의 값은?

① 0 ② 1 ③ 2 ④ 3 ⑤ 4

**Tip**

$f(x)\le g(x)\le h(x)$일 때, $\lim_{x\to a}f(x)=\lim_{x\to a}h(x)=\alpha$이면

$\lim_{x\to a}g(x)=$ ❶ [ ]

답 ❶ $\alpha$

**풀이**

함수 $f(x)$가 모든 양의 실수 $x$에 대하여

$\frac{3x}{x^2+x+3}\le f(x)\le\frac{3x}{x^2+x+1}$이므로

$$\frac{3x(x+1)}{x^2+x+3}\le(x+1)f(x)\le\frac{3x(x+1)}{x^2+x+1}$$

이때 $\lim_{x\to\infty}\frac{3x(x+1)}{x^2+x+3}=3$, $\lim_{x\to\infty}\frac{3x(x+1)}{x^2+x+1}=3$

이므로 함수의 극한의 대소 관계에 의하여

$\lim_{x\to\infty}(x+1)f(x)=3$

답 ④

함수의 극한의 대소 관계는 $x\to a+$, $x\to a-$ $x\to\infty$, $x\to-\infty$ 일 때도 성립해.

## 4-1

함수 $f(x)$가 모든 실수 $x$에 대하여

$$-x^2-x-1\le f(x)\le x^2+3x+1$$

일 때, $\lim_{x\to-1}f(x)$의 값은?

① $-2$ ② $-1$ ③ 0 ④ 1 ⑤ 2

## 4-2

함수 $f(x)$가 모든 실수 $x$에 대하여

$$2x+1\le f(x)\le 2x+4$$

일 때, $\lim_{x\to\infty}\frac{\{f(x)\}^2}{x^2+1}$의 값을 구하시오.

# 필수 체크 전략 ①

## 핵심 예제 05

실수 전체의 집합에서 정의된 함수 $y=f(x)$의 그래프가 오른쪽 그림과 같을 때, 함수 $f(x)$에 대한 설명으로 보기에서 옳은 것만을 있는 대로 고르시오.

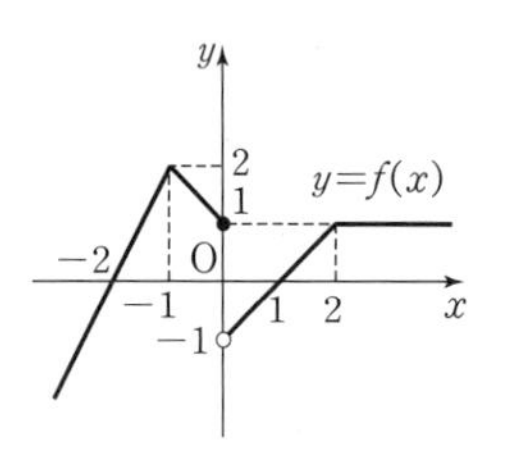


보기

ㄱ. $\lim_{x \to -1} f(x)=2$

ㄴ. $\lim_{x \to -1-} f(-x)=0$

ㄷ. 함수 $f(x)f(x+1)$은 $x=0$에서 연속이다.

**Tip**

함수 $f(x)$가 $x=a$에서 연속이면 $x=a$에서의 좌극한, 우극한, ❶ [　　]이 서로 같다.

답 ❶ 함숫값

**풀이**

ㄱ. $\lim_{x \to -1-} f(x)=\lim_{x \to -1+} f(x)=2$이므로 $\lim_{x \to -1} f(x)=2$

ㄴ. $-x=t$로 놓으면 $x \to -1-$일 때, $t \to 1+$이므로

$\lim_{x \to -1-} f(-x)=\lim_{t \to 1+} f(t)=0$

ㄷ. $g(x)=f(x)f(x+1)$이라 하면

$\lim_{x \to 0-} g(x)=1\times 0=0$, $\lim_{x \to 0+} g(x)=-1\times 0=0$,

$g(0)=1\times 0=0$이므로 $\lim_{x \to 0} g(x)=g(0)$

즉 함수 $g(x)=f(x)f(x+1)$은 $x=0$에서 연속이다.

따라서 옳은 것은 ㄱ, ㄴ, ㄷ이다.

답 ㄱ, ㄴ, ㄷ

## 5-1

실수 전체의 집합에서 정의된 함수 $y=f(x)$의 그래프가 오른쪽 그림과 같을 때, 함수 $f(x)$에 대한 설명으로 보기에서 옳은 것만을 있는 대로 고르시오.

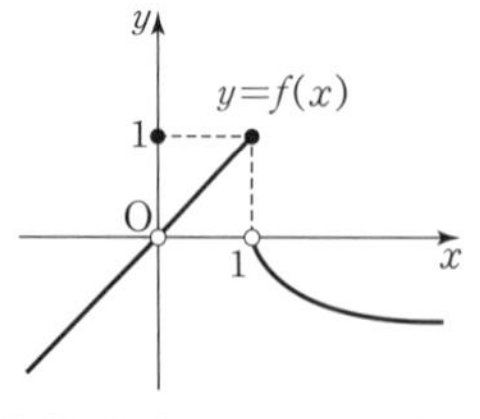


보기

ㄱ. $\lim_{x \to 0} f(x)=0$　　ㄴ. $\lim_{x \to 1+} f(x)=1$

ㄷ. 함수 $(x-1)f(x)$는 $x=1$에서 연속이다.

## 핵심 예제 06

함수 $f(x)=\begin{cases} 2x+1 & (x\le -1) \\ x^2+ax+b & (-1<x\le 2) \\ 3x-1 & (x>2) \end{cases}$이

$x=-1$, $x=2$에서 연속일 때, $f(1)$의 값을 구하시오.

(단, $a$, $b$는 상수이다.)

**Tip**

함수 $f(x)$가 $x=a$에서 연속이면 $\lim_{x \to a} f(x)=$ ❶ [　　]이다.

답 ❶ $f(a)$

**풀이**

함수 $f(x)$가 $x=-1$에서 연속이려면 $\lim_{x \to -1} f(x)=f(-1)$

이때

$\lim_{x \to -1-} f(x)=\lim_{x \to -1-} (2x+1)=-1$

$\lim_{x \to -1+} f(x)=\lim_{x \to -1+} (x^2+ax+b)=1-a+b$, $f(-1)=-1$

이므로 $1-a+b=-1$　　$\therefore a-b=2$　　……㉠

또 함수 $f(x)$가 $x=2$에서 연속이려면 $\lim_{x \to 2} f(x)=f(2)$

$\lim_{x \to 2-} f(x)=\lim_{x \to 2-} (x^2+ax+b)=4+2a+b$

$\lim_{x \to 2+} f(x)=\lim_{x \to 2+} (3x-1)=5$, $f(2)=4+2a+b$

이므로 $4+2a+b=5$　　$\therefore 2a+b=1$　　……㉡

㉠, ㉡을 연립하여 풀면 $a=1$, $b=-1$

따라서 $-1<x\le 2$일 때, $f(x)=x^2+x-1$이므로

$f(1)=1+1-1=1$

답 1

## 6-1

함수 $f(x)=\begin{cases} x^2-1 & (x\le 1) \\ -2x+a & (x>1) \end{cases}$가 $x=1$에서 연속일 때, 상수 $a$의 값을 구하시오.

## 6-2

함수 $f(x)=\begin{cases} \dfrac{x^2+3x-10}{x-2} & (x\ne 2) \\ a & (x=2) \end{cases}$가 $x=2$에서 연속일 때, 상수 $a$의 값을 구하시오.

## 핵심 예제 07

모든 실수 $x$에서 연속인 함수 $f(x)$에 대하여 $(x-1)f(x)=x^2-4x+a$일 때, $f(1)$의 값은? (단, $a$는 상수이다.)

① $-2$ ② $-1$ ③ $0$
④ $1$ ⑤ $2$

**Tip**

함수 $f(x)$가 $x=1$에서 연속이면
$\lim_{x\to1}f(x)=$ ❶ [ ]

답 ❶ $f(1)$

**풀이**

$x\neq1$일 때, $f(x)=\frac{x^2-4x+a}{x-1}$

이때 함수 $f(x)$가 $x=1$에서 연속이므로 $\lim_{x\to1}f(x)=f(1)$

$\lim_{x\to1}\frac{x^2-4x+a}{x-1}=f(1)$에서 $x\to1$일 때, (분모)$\to0$이므로 (분자)$\to0$이다.

즉 $\lim_{x\to1}(x^2-4x+a)=0$이므로 $-3+a=0$ $\therefore a=3$

$\therefore f(1)=\lim_{x\to1}\frac{x^2-4x+3}{x-1}=\lim_{x\to1}\frac{(x-1)(x-3)}{x-1}$
$=\lim_{x\to1}(x-3)=-2$

답 ①

## 7-1

모든 실수 $x$에서 연속인 함수 $f(x)$에 대하여 $(x-3)f(x)=x^2-3x$일 때, $f(3)$의 값은?

① $0$ ② $1$ ③ $2$
④ $3$ ⑤ $4$

## 7-2

$x\geq3$인 모든 실수 $x$에서 연속인 함수 $f(x)$에 대하여 $(x-4)f(x)=\sqrt{x-3}-1$일 때, $f(4)$의 값은?

① $1$ ② $\frac{1}{2}$ ③ $\frac{1}{3}$
④ $\frac{1}{4}$ ⑤ $\frac{1}{5}$

## 핵심 예제 08

닫힌구간 $[0, 3]$에서

$$f(x)=\begin{cases}4x & (0\leq x<1)\\ x^2+ax+b & (1\leq x\leq3)\end{cases}$$

로 정의된 함수 $f(x)$가 모든 실수 $x$에서 연속이고, $f(x+3)=f(x)$일 때, $f(8)$의 값은? (단, $a$, $b$는 상수이다.)

① $-1$ ② $0$ ③ $1$
④ $2$ ⑤ $3$

**Tip**

• 함수 $f(x)$가 $x=1$에서 연속이면 $\lim_{x\to1}f(x)=$ ❶ [ ]
• $f(x+3)=f(x)$에서 $f(3)=$ ❷ [ ]

답 ❶ $f(1)$ ❷ $f(0)$

**풀이**

함수 $f(x)$는 모든 실수 $x$에서 연속이므로 $x=1$에서 연속이다.

$\therefore \lim_{x\to1}f(x)=f(1)$

이때 $\lim_{x\to1-}f(x)=\lim_{x\to1-}4x=4$,

$\lim_{x\to1+}f(x)=\lim_{x\to1+}(x^2+ax+b)=1+a+b$,

$f(1)=1+a+b$이므로 $1+a+b=4$

$\therefore a+b=3$ ……㉠

한편, $f(x+3)=f(x)$에서 $f(3)=f(0)$이므로

$9+3a+b=0$ $\therefore 3a+b=-9$ ……㉡

㉠, ㉡을 연립하여 풀면 $a=-6$, $b=9$

따라서 $1\leq x\leq3$일 때, $f(x)=x^2-6x+9$이고

$f(8)=f(5)=f(2)$이므로

$f(8)=f(2)=4-12+9=1$

답 ③

## 8-1

닫힌구간 $[0, 4]$에서

$$f(x)=\begin{cases}\frac{1}{2}x & (0\leq x<2)\\ ax+b & (2\leq x\leq4)\end{cases}$$

로 정의된 함수 $f(x)$가 모든 실수 $x$에서 연속이고, $f(x+4)=f(x)$일 때, $f(3)$의 값은? (단, $a$, $b$는 상수이다.)

① $-\frac{1}{2}$ ② $-\frac{1}{4}$ ③ $0$
④ $\frac{1}{4}$ ⑤ $\frac{1}{2}$

WEEK 1 DAY 3

# 필수 체크 전략 ②

**01** $\lim_{x\to\infty}\frac{bx+1}{ax^2+2x-3}=2$가 성립하도록 하는 상수 $a$, $b$에 대하여 $a+b$의 값은?

① 4　② 5　③ 6
④ 7　⑤ 8

**Tip**

두 다항함수 $f(x)$, $g(x)$에 대하여

$\lim_{x\to\infty}\frac{g(x)}{f(x)}=k\ (k\neq0)$이면 $f(x)$, $g(x)$는

같은 ❶ ☐ 의 다항식이고, $k=$ ❷ ☐ 이다.

답 ❶ 차수 ❷ $\frac{\{g(x)\text{의 최고차항의 계수}\}}{\{f(x)\text{의 최고차항의 계수}\}}$

**02** $\lim_{x\to\infty}(\sqrt{x^2+ax}-\sqrt{x^2-ax})=6$이 성립하도록 하는 상수 $a$의 값은?

① 2　② 4　③ 6
④ 8　⑤ 10

**Tip**

분모를 ❶ ☐ 로 보고, 분모, 분자에 각각 ❷ ☐ 를 곱하여 분자를 유리화한다.

답 ❶ 1 ❷ $\sqrt{x^2+ax}+\sqrt{x^2-ax}$

**03** 삼차함수 $f(x)$가 다음 조건을 만족시킨다.

> (가) 모든 실수 $x$에 대하여 $f(-x)=-f(x)$이다.
> (나) $\lim_{x\to-2}\frac{f(x)}{x+2}=8$

$f(1)$의 값은?

① 0　② $-1$　③ $-2$
④ $-3$　⑤ $-4$

**Tip**

삼차함수 $f(x)$가 모든 실수 $x$에 대하여

$f(-x)=-$ ❶ ☐ 이면

$f(x)=ax^3+bx$ ($a$, $b$는 상수)이다.

답 ❶ $f(x)$

**04** 양의 실수 전체의 집합에서 정의된 함수 $f(x)$가 다음 조건을 만족시킨다.

> (가) $2x^2+ax\le f(x)\le 3x^2+ax$
> (나) $\lim_{x\to0+}\frac{f(x)}{2x}=3$

상수 $a$의 값은?

① 2　② 3　③ 6
④ 9　⑤ 12

**Tip**

$x>0$일 때, $\frac{2x^2+ax}{2x}\le\frac{f(x)}{2x}\le$ ❶ ☐ 이며 함수의 극한의 대소 관계에 의하여

$\lim_{x\to0+}\frac{2x^2+ax}{2x}\le\lim_{x\to0+}\frac{f(x)}{2x}$ ❷ ☐ $\lim_{x\to0+}\frac{3x^2+ax}{2x}$

가 성립한다.

답 ❶ $\frac{3x^2+ax}{2x}$ ❷ $\le$

**05** 함수 $f(x)=\begin{cases} \dfrac{x^2-ax-2}{x-1} & (x\neq1) \\ b & (x=1) \end{cases}$ 가 모든 실수 $x$에서 연속일 때, 상수 $a$, $b$에 대하여 $a+b$의 값은?

① $-2$　② $-1$　③ $0$
④ $1$　⑤ $2$

**Tip**

함수 $f(x)$가 $x=1$에서 연속이면
$\lim_{x\to1}f(x)=$ ❶ ☐

답 ❶ $f(1)$

**06** 실수 전체의 집합에서 정의된 두 함수 $y=f(x)$, $y=g(x)$의 그래프가 다음 그림과 같을 때, 보기에서 옳은 것만을 있는 대로 고른 것은?

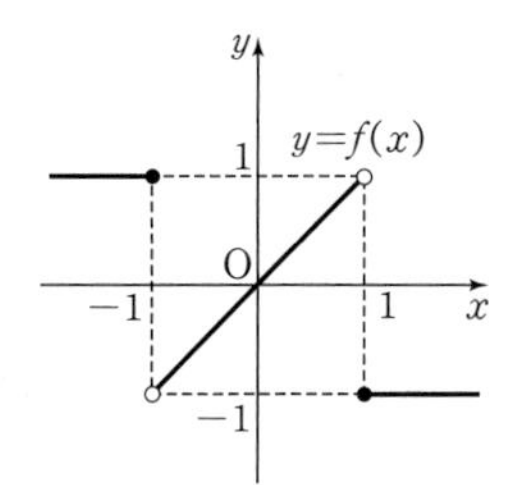


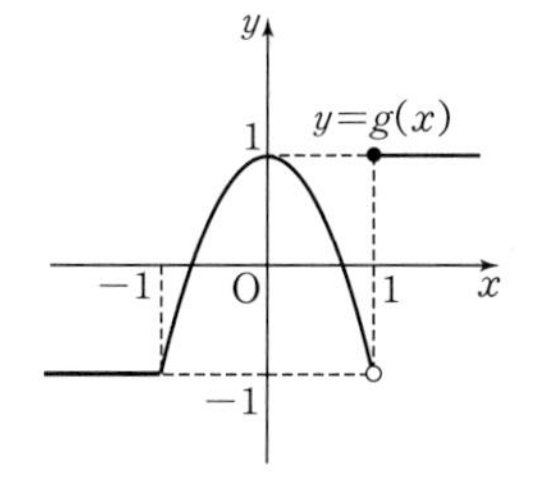


보기
ㄱ. $\lim_{x\to-1}f(x)=f(-1)$
ㄴ. $\lim_{x\to1}f(x)g(x)=-1$
ㄷ. 함수 $y=f(x)g(x)$는 $x=1$에서 연속이다.

① ㄱ　② ㄴ　③ ㄱ, ㄴ
④ ㄴ, ㄷ　⑤ ㄱ, ㄴ, ㄷ

**Tip**

함수 $f(x)$가 $x=a$에서 연속이면 $x=a$에서의 좌극한, ❶ ☐, 함숫값이 서로 같다.

답 ❶ 우극한

**07** 삼차함수 $f(x)$에 대하여

$$\lim_{x\to1}\frac{f(x)}{x-1}=-8,\ \lim_{x\to-1}\frac{f(x)}{x+1}=16$$

일 때, 방정식 $f(x)=0$의 모든 실근의 합은?

① $-5$　② $-3$　③ $0$
④ $3$　⑤ $5$

**Tip**

$\lim_{x\to a}\frac{f(x)}{x-a}=k$ ($k$는 상수)에서
$x\to a$일 때, (❶ ☐)$\to0$이므로 $f(a)=$ ❷ ☐

답 ❶ $x-a$ ❷ $0$

**08** 다항함수 $f(x)$에 대하여 실수 전체의 집합에서

$$g(x)=\begin{cases} \dfrac{f(x)-2x^2}{x-2} & (x\neq2) \\ a & (x=2) \end{cases}$$

로 정의된 함수 $g(x)$가 모든 실수 $x$에서 연속이다.
$\lim_{x\to\infty}g(x)=3$일 때, $a+f(1)$의 값은? (단, $a$는 상수이다.)

① 1　② 2　③ 3
④ 4　⑤ 5

**Tip**

함수 $f(x)=\begin{cases} g(x) & (x<a) \\ h(x) & (x\geq a) \end{cases}$가 $x=a$에서 연속이면

$\lim_{x\to a}f(x)=$ ❶ ☐, 즉 $\lim_{x\to a-}$ ❷ ☐ $=h(a)$

답 ❶ $f(a)$ ❷ $g(x)$

# 누구나 합격 전략

**01** $\lim\limits_{x \to 2}(x+2)(x^2-3)$의 값은?

① 1　② 2　③ 3　④ 4　⑤ 5

**02** $\lim\limits_{x \to 0}\dfrac{2x}{x^2+x}$의 값은?

① $-2$　② $-1$　③ 0　④ 1　⑤ 2

**03** $\lim\limits_{x \to \infty}\dfrac{3x^2-4x+5}{x^2+1}$의 값은?

① 0　② 1　③ 2　④ 3　⑤ 4

$x \to \infty$일 때, (분자)$\to \infty$, (분모)$\to \infty$이니까 구하는 값은 $\dfrac{\infty}{\infty}=1$이야.

아니야. 분모의 최고차항으로 분자, 분모를 나눈 다음 $\lim\limits_{x \to \infty}\dfrac{k}{x}=0$ ($k$는 상수)임을 이용해 봐.

**04** 함수 $y=f(x)$의 그래프가 다음 그림과 같다.

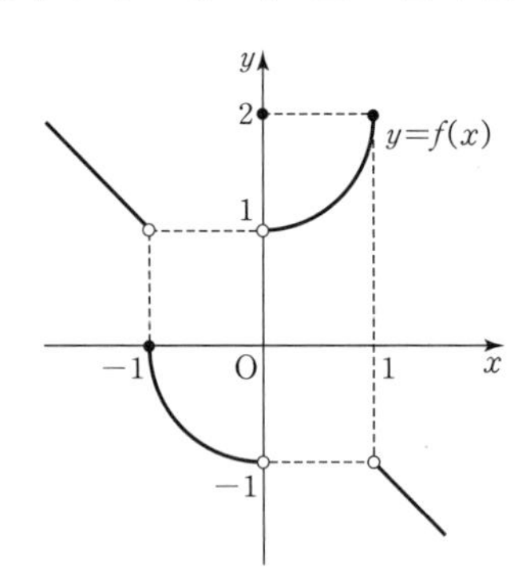


$\lim\limits_{x \to -1-}f(x)+f(0)+\lim\limits_{x \to 1+}f(x)$의 값은?

① $-2$　② $-1$　③ 0　④ 1　⑤ 2

**05** 실수 전체의 집합에서

$$f(x)=\begin{cases} -x^2+3 & (x \le 1) \\ x^2 & (x>1) \end{cases}$$

으로 정의된 함수 $f(x)$에 대하여 $\lim\limits_{x \to 1+}f(x)-\lim\limits_{x \to 1-}f(x)$의 값은?

① $-3$　② $-2$　③ $-1$　④ 0　⑤ 1

**06** 두 함수 $f(x)$, $g(x)$에 대하여 $\lim_{x\to2}f(x)=3$, $\lim_{x\to2}g(x)=-1$일 때, $\lim_{x\to2}\frac{f(x)}{g(x)}$의 값은?

① $-6$ ② $-3$ ③ $3$
④ $6$ ⑤ $9$

**07** 함수 $f(x)$가 $x\neq0$인 모든 실수 $x$에 대하여

$$\frac{x^2-1}{x^2}<f(x)<\frac{x^2+3}{x^2}$$

일 때, $\lim_{x\to\infty}f(x)$의 값은?

① 1 ② 2 ③ 3
④ 4 ⑤ 5

**08** $\lim_{x\to-1}\frac{2x^2+ax+b}{x+1}=5$를 만족시킬 때, 상수 $a$, $b$에 대하여 $a+b$의 값은?

① 8 ② 10 ③ 12
④ 14 ⑤ 16

**09** 함수 $y=f(x)$의 그래프가 다음 그림과 같다.

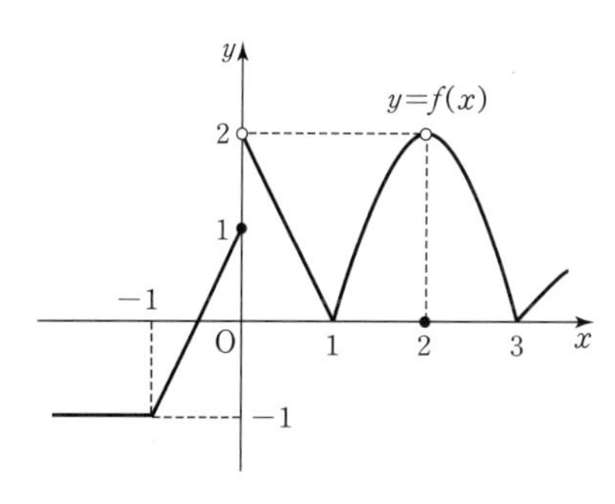


닫힌구간 $[-1, 3]$에서 불연속인 점의 개수를 $a$, 극한값이 존재하지 않는 점의 개수를 $b$라 할 때, $a+b$의 값은?

① 1 ② 2 ③ 3
④ 4 ⑤ 5

**10** 함수 $f(x)=\begin{cases}2x+1 & (x<2)\\ x^2-x+a & (x\geq2)\end{cases}$가 $x=2$에서 연속일 때, 상수 $a$의 값은?

① 3 ② 4 ③ 5
④ 6 ⑤ 7

# 창의·융합·코딩 전략 ①

**1** 다음과 같이 가로, 세로, 대각선에 놓인 세 수의 합이 모두 같은 게임판이 있다. 이때 빈칸에 알맞은 수의 합은?

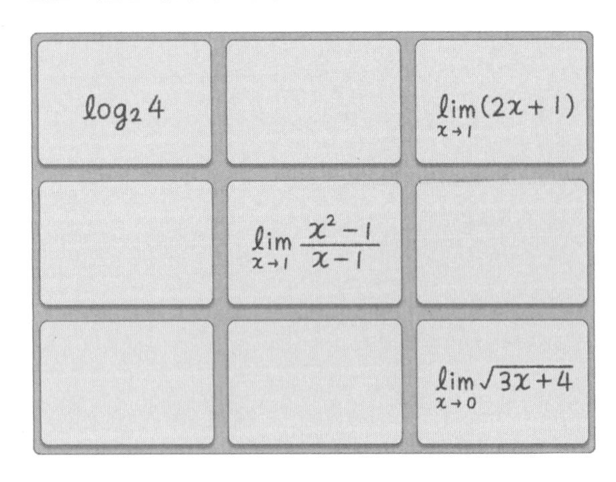


① 6 ② 7 ③ 8
④ 9 ⑤ 10

**Tip**

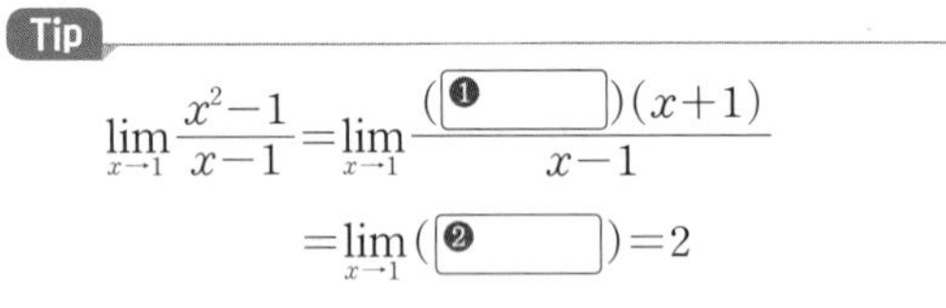

$$\lim_{x\to1}\frac{x^2-1}{x-1}=\lim_{x\to1}\frac{(\text{❶}\ \square)(x+1)}{x-1}$$
$$=\lim_{x\to1}(\text{❷}\ \square)=2$$

답 ❶ $x-1$ ❷ $x+1$

**2** 지훈이는 다음 그림과 같이 6개의 디딤돌로 이루어진 징검다리를 이용하여 하천을 건너려고 한다.

1단계에서 출발하여 각 단계에서 한 번씩 밟는 디딤돌에 적힌 식의 값의 합이 7일 때, 하천을 안전하게 건널 수 있다고 한다. 지훈이가 하천을 무사히 건너기 위해 밟아야 하는 디딤돌의 순서로 알맞은 것은?

(단, $[x]$는 $x$보다 크지 않은 최대의 정수이다.)

① A−C−E ② A−C−F ③ A−D−F
④ B−C−E ⑤ B−D−F

**Tip**

- 하천을 안전하게 건너기 위해 밟아야 하는 디딤돌에 적힌 식의 값을 $a$, $b$, $c$라 하면
  $a+b+c=$ ❶ $\square$
- $\lim_{x\to1+}[x+1]$에서 $x+1=t$로 놓으면
  $x\to1+$일 때, $t\to$ ❷ $\square$이다.

답 ❶ 7 ❷ 2+

**3** 좌표평면 위의 중심이 $(0,\ -5)$이고 반지름의 길이가 1인 원이 $y$축의 방향으로 매초 1의 속도로 움직이고 있다.

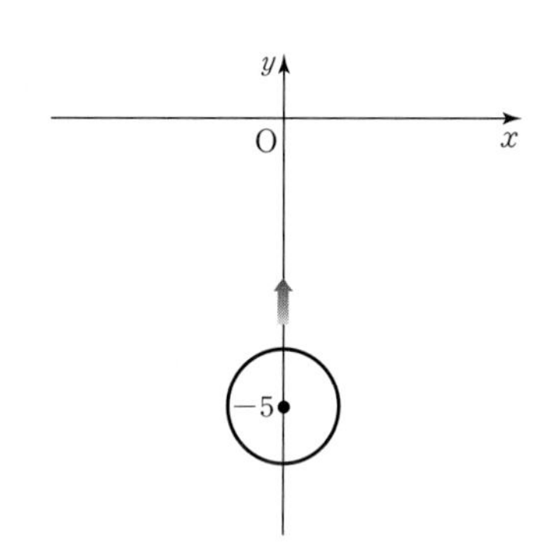


$t\ (t\geq0)$초 후 원과 $x$축이 만나는 점의 개수를 $f(t)$라 할 때, $\lim_{t\to a+} f(t)=f(a)+1$을 만족시키는 상수 $a$의 값은?

① 2 ② 3 ③ 4
④ 5 ⑤ 6

**Tip**
원과 $x$축이 처음 만나는 순간은 시각 $t=$ ❶ [ ] 일 때이다.

답 ❶ 4

중심이 $(0,\ -5)$이고 반지름의 길이가 1인 원의 방정식은 $x^2+(y+5)^2=1$이야.

**4** 좌표평면 위의 곡선 $y=\sqrt{x}$를 $x$축의 방향으로 $a$만큼 평행이동하여 얻은 곡선 $y=g(x)$와 $x$축의 교점을 A, 점 A를 지나고 $x$축에 수직인 직선과 곡선 $y=\sqrt{x}$의 교점을 B라 하자.

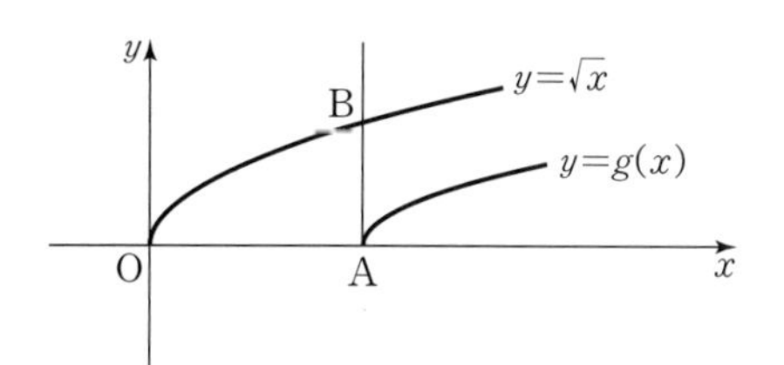


다음은 태민이와 윤서가 곡선에 대하여 나눈 대화이다.

위의 (가), (나)에 알맞은 수의 합은?

① 4 ② 5 ③ 6
④ 7 ⑤ 8

**Tip**
곡선 $y=\sqrt{x}$를 $x$축의 방향으로 $a$만큼 평행이동한 곡선은 $y=$ ❶ [ ]

답 ❶ $\sqrt{x-a}$

# 창의·융합·코딩 전략 ②

**5** 다음은 어느 공원의 자전거 대여에 대한 안내문이다.

자전거 한 대를 $x$시간 동안 대여하는 데 드는 비용을 $f(x)$원이라 할 때, $0<x\le10$에서 함수 $f(x)$가 불연속이 되는 $x$의 값의 개수는?

① 5 ② 6 ③ 7
④ 8 ⑤ 9

**Tip**

하루 최대 대여 금액이 20000원이므로 대여 시간이 ❶ [　　] 을 초과한 이후부터 자전거 대여 금액은 20000원으로 동일하다.

답 ❶ 3시간 30분

**6** 다음 그림은 세 점 $A(1, 4)$, $B(1, 1)$, $C(4, 1)$을 선분으로 이어 L자 모양의 도형을 만든 것이다.

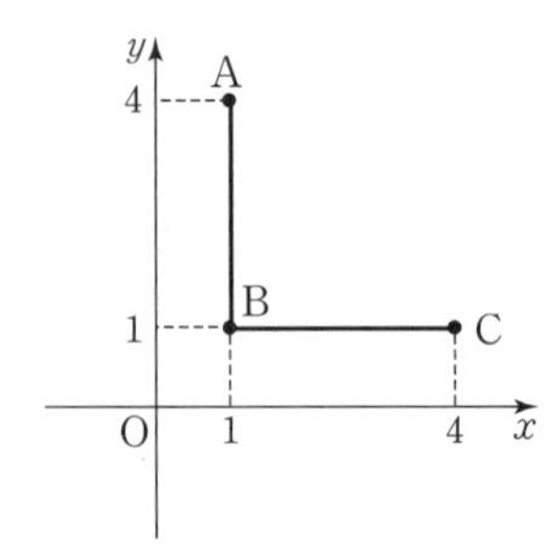


세 점 A, B, C를 이어 만든 L자 모양의 도형과 직선 $y=mx+2$의 교점의 개수를 $g(m)$이라 할 때, 함수 $g(m)$이 불연속이 되는 모든 $m$의 값의 곱은? (단, $m$은 실수이다.)

① $-2$ ② $-1$ ③ $-\frac{1}{2}$
④ $\frac{1}{2}$ ⑤ $2$

**Tip**

- 직선 $y=mx+2$가 점 $A(1, 4)$를 지날 때 $m=2$
- 직선 $y=mx+2$가 점 $B(1, 1)$을 지날 때 $m=-1$
- 직선 $y=mx+2$가 점 $C(4, 1)$을 지날 때 $m=$ ❶ [　　]
- 직선 $y=mx+2$는 $m$의 값에 관계없이 점 ❷ [　　] 를 지난다.

답 ❶ $-\frac{1}{4}$ ❷ $(0, 2)$

**7** 다음 표는 우체국 소포 우편의 무게에 따른 요금이다.

소포 우편 요금표

| | 동일 지역 | 타 지역 |
|---|---|---|
| 2 kg까지 | 2200원 | 2700원 |
| 5 kg까지 | 2700원 | 3200원 |
| 10 kg까지 | 4200원 | 4700원 |
| 20 kg까지 | 5700원 | 6200원 |
| 30 kg까지 | 7200원 | 8200원 |

소포 우편의 무게가 $x$ kg일 때, 동일 지역 우편 요금을 $f(x)$백 원, 타 지역 우편 요금을 $g(x)$백 원이라 할 때, $\lim_{x\to 4} f(x)+\lim_{x\to 10+} f(x)-\lim_{x\to 10-} g(x)$의 값은?

① 35 ② 36 ③ 37
④ 38 ⑤ 39

- 소포 우편의 무게가 4 kg일 때 동일 지역의 우편 요금은 ❶ ______ 원이므로 $f(4)=27$이다.
- 소포 우편의 무게가 10 kg일 때 타 지역의 우편 요금은 4700원이므로 $g(10)=$ ❷ ______ 이다.

**8** 태선이의 작업용 컴퓨터는 전원을 켜 놓은 채 아무런 작업도 하지 않고 10분이 지나면 자동으로 컴퓨터가 절전 모드로 전환되도록 설정되어 있다. 다음은 태선이가 작업을 중단한 지 $x$ $(0\le x\le 20)$분 후의 모니터의 전력 사용량 $f(x)$W를 나타낸 그래프이다.

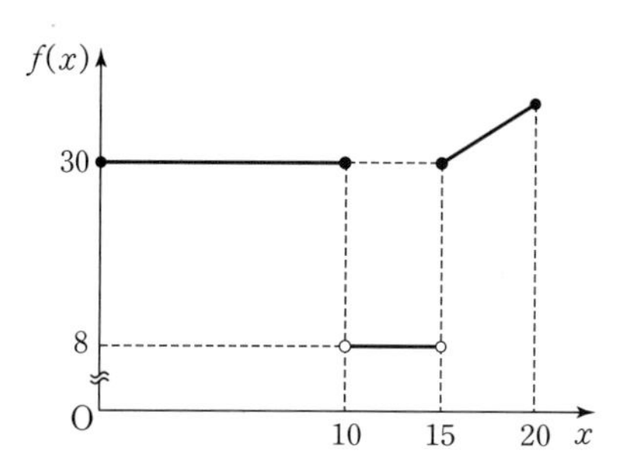


보기에서 옳은 것만을 있는 대로 고른 것은?

보기
ㄱ. $\lim_{x\to 5} f(x)=30$
ㄴ. $\lim_{x\to a-} f(x)>\lim_{x\to a+} f(x)$이면 $a=10$이다.
ㄷ. 태선이는 15분 후 컴퓨터를 다시 사용하기 시작하였다.

① ㄱ ② ㄴ ③ ㄱ, ㄴ
④ ㄴ, ㄷ ⑤ ㄱ, ㄴ, ㄷ

Tip

- 함수 $f(x)$가 $x=a$에서 연속이면 $\lim_{x\to a} f(x)=$ ❶ ______
- $\lim_{x\to a-} f(x)\ne\lim_{x\to a+} f(x)$이면 함수 $f(x)$가 $x=a$에서 ❷ ______ 이다.

답 ❶ $f(a)$ ❷ 불연속

WEEK

# 2 연속함수의 성질과 미분

**공부할 내용** 1. 연속함수의 성질 2. 최대·최소 정리와 사잇값의 정리 3. 미분계수 4. 도함수

# WEEK 2 DAY 1 개념 돌파 전략 ①

## 개념 01 연속함수의 성질

두 함수 $f(x)$, $g(x)$가 $x=a$에서 연속이면 다음 함수도 $x=a$에서 ❶ ☐ 이다.

❶ $cf(x)$ ($c$는 상수)

❷ $f(x)+g(x)$, $f(x)-g(x)$

❸ $f(x)g(x)$

❹ $\dfrac{f(x)}{g(x)}$ ($g(a)$ ❷ ☐ $0$)

답 ❶ 연속 ❷ $\neq$

### 확인 01

두 함수 $f(x)=x^2-1$, $g(x)=x+1$은 $x=1$에서 연속이므로

① 함수 $f(x)+g(x)$는 $x=1$에서 ❶ ☐ 이다.

② 함수 $f(x)g(x)$는 $x=1$에서 연속이다.

③ 함수 $\dfrac{f(x)}{g(x)}$ ($x\neq$ ❷ ☐ )는 $x=1$에서 연속이다.

답 ❶ 연속 ❷ $-1$

## 개념 02 최대 · 최소 정리

함수 $f(x)$가 닫힌구간 $[a, b]$에서 연속이면 함수 $f(x)$는 이 닫힌구간에서 반드시 ❶ ☐ 과 최솟값을 갖는다.

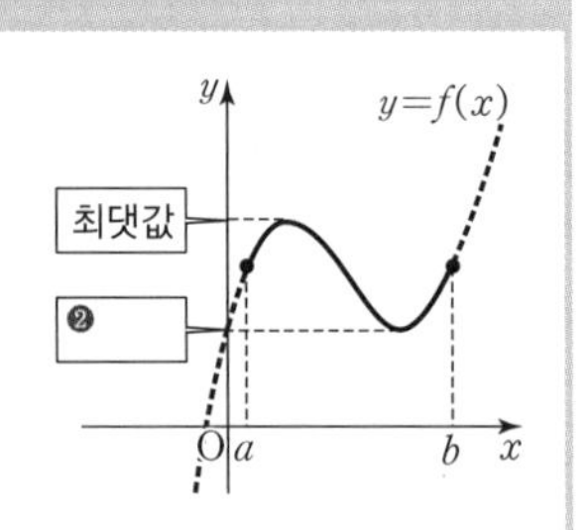


답 ❶ 최댓값 ❷ 최솟값

### 확인 02

닫힌구간 $[-1, 2]$에서 함수 $f(x)=x^2-4x-1=(x-2)^2-5$는 연속이고, 이 구간에서 함수 $y=f(x)$의 그래프는 오른쪽 그림과 같다. 따라서 함수 $f(x)$는 닫힌구간 $[-1, 2]$에서 $x=$ ❶ ☐ 일 때 최댓값 4, $x=2$일 때 최솟값 ❷ ☐ 를 갖는다.

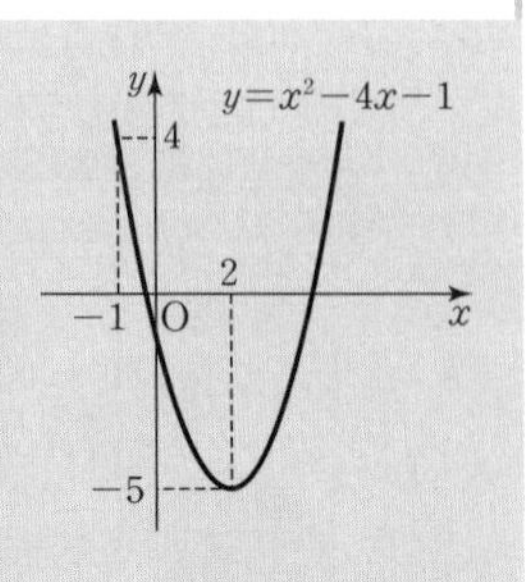


답 ❶ $-1$ ❷ $-5$

## 개념 03 사잇값의 정리

함수 $f(x)$가

❶ 닫힌구간 $[a, b]$에서 ❶ ☐ 이고

❷ $f(a)\neq f(b)$이면

$f(a)$와 $f(b)$ 사이의 임의의 실수 $k$에 대하여

$f(c)=$ ❷ ☐ 인 $c$가 열린구간 $(a, b)$에 적어도 하나 존재한다.

답 ❶ 연속 ❷ $k$

### 확인 03

함수 $f(x)=x^2-2$는 닫힌구간 $[1, 2]$에서 연속이고 $f(1)=-1$, $f(2)=$ ❶ ☐ 에서 $f(1)\neq f(2)$이다.

이때 $f(1)<\sqrt{3}<f(2)$이므로 사잇값의 정리에 의하여

$f(c)=$ ❷ ☐ 인 $c$가 열린구간 $(1, 2)$에 적어도 하나 존재한다.

답 ❶ 2 ❷ $\sqrt{3}$

## 개념 04 사잇값의 정리와 방정식의 실근

함수 $f(x)$가 닫힌구간 $[a, b]$에서 연속이고 $f(a)f(b)$ ❶ ☐ $0$이면 $f(c)=0$인 $c$가 열린구간 $(a, b)$에 적어도 하나 존재한다. 즉 방정식 $f(x)=0$은 열린구간 $(a, b)$에서 적어도 하나의 ❷ ☐ 을 갖는다.

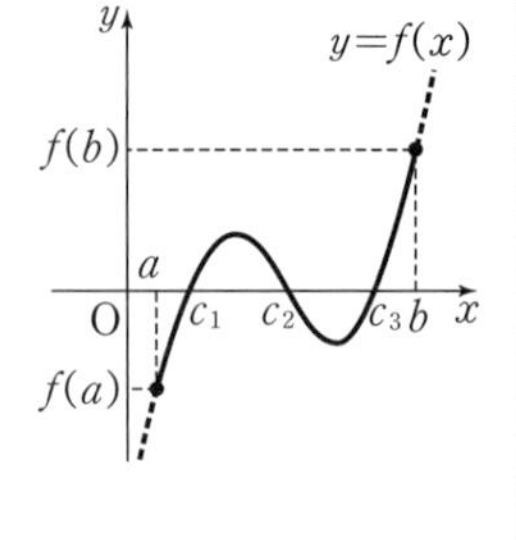


답 ❶ $<$ ❷ 실근

### 확인 04

방정식 $x^3+3x-1=0$에서 $f(x)=x^3+3x-1$이라 하면 함수 $f(x)$는 닫힌구간 $[0, 1]$에서 연속이고, $f(0)f(1)=-1\times3<0$이므로 ❶ ☐ 에 의하여 $f(c)=0$인 $c$가 열린구간 $(0, 1)$에 적어도 하나 존재한다.

즉 방정식 $x^3+3x-1=0$은 열린구간 $(0, 1)$에서 적어도 하나의 ❷ ☐ 을 갖는다.

답 ❶ 사잇값의 정리 ❷ 실근

## 개념 05 평균변화율

함수 $y=f(x)$에서 $x$의 값이 $a$에서 $b$까지 변할 때의 평균변화율은

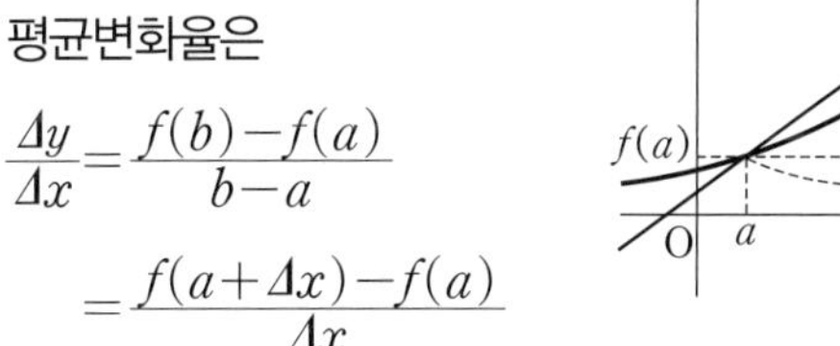

$$\frac{\Delta y}{\Delta x}=\frac{f(b)-f(a)}{b-a}$$
$$=\frac{f(a+\Delta x)-f(a)}{\Delta x}$$

이다. 이때 $x$의 값의 변화량 $b-a$를 $x$의 증분, $y$의 값의 변화량 $f(b)-f(a)$를 $y$의 ❶ [ ]이라 하며, 이것을 기호로 각각 ❷ [ ], $\Delta y$와 같이 나타낸다.

답 ❶ 증분 ❷ $\Delta x$

### 확인 05

함수 $f(x)=2x+1$에서 $x$의 값이 0에서 ❶ [ ]까지 변할 때의 평균변화율은

$$\frac{\Delta y}{\Delta x}=\frac{f(4)-f(0)}{4-0}=\frac{9-1}{4}=❷ [\ ]$$

답 ❶ 4 ❷ 2

## 개념 06 미분계수

함수 $y=f(x)$의 $x=a$에서의 순간변화율 또는 ❶ [ ] $f'(a)$는

$$f'(a)=\lim_{\Delta x\to 0}\frac{\Delta y}{\Delta x}=\lim_{h\to 0}\frac{f(a+h)-f(a)}{h}$$
$$=\lim_{x\to a}\frac{f(x)-f(a)}{x-a}$$

이때 함수 $y=f(x)$의 $x=a$에서의 미분계수 $f'(a)$가 존재하면 함수 $f(x)$는 $x=a$에서 ❷ [ ]하다고 한다.

답 ❶ 미분계수 ❷ 미분가능

### 확인 06

함수 $f(x)=3x^2$의 $x=2$에서의 미분계수는

$$f'(2)=\lim_{\Delta x\to 0}\frac{f(2+\Delta x)-f(2)}{\Delta x}=\lim_{\Delta x\to 0}\frac{3(2+\Delta x)^2-❶[\ ]}{\Delta x}$$
$$=\lim_{\Delta x\to 0}\frac{3(\Delta x)^2+12\Delta x}{\Delta x}=\lim_{\Delta x\to 0}(3❷[\ ]+12)$$
$$=12$$

답 ❶ 12 ❷ $\Delta x$

## 개념 07 미분계수를 이용한 극한값의 계산 (1)

❶ 주어진 식을 $\lim_{■\to 0}\frac{f(a+■)-f(a)}{■}$의 꼴로 변형한다.

❷ ❶ [ ]의 값을 이용하여 극한값을 구한다.

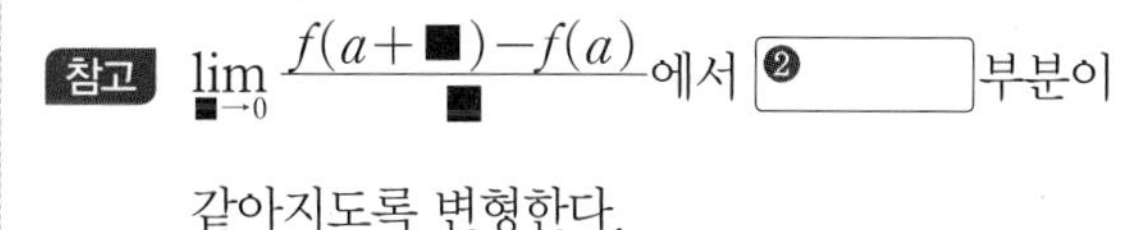

참고 $\lim_{■\to 0}\frac{f(a+■)-f(a)}{■}$에서 ❷ [ ]부분이 같아지도록 변형한다.

답 ❶ $f'(a)$ ❷ ■

### 확인 07

다항함수 $f(x)$에 대하여 $f'(1)=2$일 때

$$\lim_{h\to 0}\frac{f(1+h)-f(1-h)}{h}$$
$$=\lim_{h\to 0}\frac{\{f(1+h)-f(1)\}-\{f(1-h)-❶[\ ]\}}{h}$$
$$=\lim_{h\to 0}\frac{f(1+h)-f(1)}{h}+\lim_{h\to 0}\frac{f(1-h)-f(1)}{❷[\ ]}$$
$$=f'(1)+f'(1)=2f'(1)=2\times 2=4$$

답 ❶ $f(1)$ ❷ $-h$

## 개념 08 미분계수를 이용한 극한값의 계산 (2)

❶ 주어진 식을 $\lim_{▲\to a}\frac{f(▲)-❶[\ ]}{▲-a}$의 꼴로 변형한다.

❷ $f'(a)$의 값을 이용하여 ❷ [ ]을 구한다.

참고 $\lim_{▲\to a}\frac{f(▲)-f(a)}{▲-a}$에서 ▲부분이 같아지도록 변형한다.

답 ❶ $f(a)$ ❷ 극한값

### 확인 08

다항함수 $f(x)$에 대하여 $f(3)=4$, $f'(3)=2$일 때

$$\lim_{x\to 3}\frac{3f(x)-xf(3)}{x-3}$$
$$=\lim_{x\to 3}\frac{3f(x)-3f(3)+3f(3)-xf(3)}{x-3}$$
$$=3\lim_{x\to 3}\frac{f(x)-f(3)}{x-3}-\lim_{x\to 3}\frac{(x-3)f(3)}{x-3}$$
$$=3❶[\ ]-f(3)$$
$$=3\times 2-4=❷[\ ]$$

답 ❶ $f'(3)$ ❷ 2

## 개념 09 미분가능성과 연속성 (1)

함수 $f(x)$가 $x=a$에서 미분가능하면 $f(x)$는 $x=a$에서 ❶ ☐이다. 그러나 그 역은 성립하지 않는다.

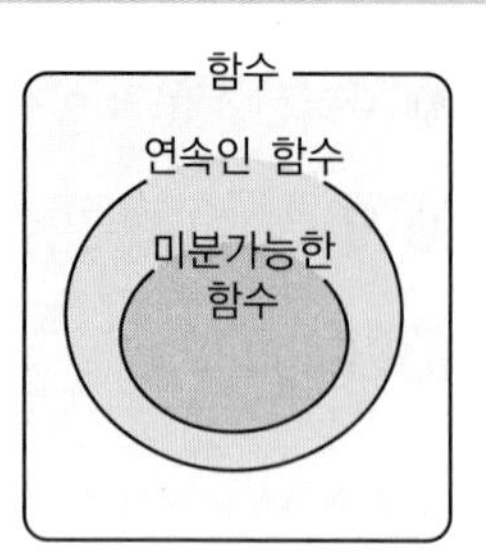


답 ❶ 연속

### 확인 09

① 함수 $f(x)=\begin{cases} 2x+1 & (x<1) \\ x^2+3 & (x\geq 1) \end{cases}$은 $x=1$에서 ❶ ☐이므로 미분가능하지 않다.

② 함수 $f(x)=|x+1|$은 $x=-1$에서 ❷ ☐이지만 미분가능하지 않다.

답 ❶ 불연속 ❷ 연속

## 개념 10 미분가능성과 연속성 (2)

함수 $f(x)$가 실수 $a$에 대하여

❶ 연속성: $\lim_{x\to a} f(x)=$ ❶ ☐이면 $x=a$에서 연속이다.

❷ 미분가능성: $\lim_{h\to 0} \frac{f(a+h)-f(a)}{h}$가 존재하면 $x=a$에서 ❷ ☐하다.

답 ❶ $f(a)$ ❷ 미분가능

### 확인 10

함수 $f(x)=|x|$에 대하여 $x=0$에서의 연속성과 미분가능성을 조사해 보자.

① $\lim_{x\to 0} f(x)=f(0)=0$이므로 함수 $f(x)$는 $x=0$에서 연속이다.

② $\lim_{h\to 0-} \frac{f(0+h)-f(0)}{h}=\lim_{h\to 0-} \frac{|h|-0}{h}=\lim_{h\to 0-} \frac{-h}{h}=-1$

$\lim_{h\to 0+} \frac{f(0+h)-f(0)}{h}=\lim_{h\to 0+} \frac{|h|-0}{h}=\lim_{h\to 0+} \frac{❶ ☐}{h}=1$

이므로 $\lim_{h\to 0-} \frac{f(0+h)-f(0)}{h}\neq \lim_{h\to 0+} \frac{f(0+h)-f(0)}{h}$

즉 $f'(0)$이 존재하지 않으므로 함수 $f(x)$는 $x=0$에서 미분가능하지 않다.

따라서 함수 $f(x)=|x|$는 $x=0$에서 ❷ ☐이지만 미분가능하지 않다.

답 ❶ $h$ ❷ 연속

## 개념 11 도함수

함수 $y=f(x)$가 정의역에 속하는 모든 $x$에서 미분가능할 때, 정의역의 각 원소 $x$에 미분계수 ❶ ☐를 대응시키는 새로운 함수를 얻을 수 있다.

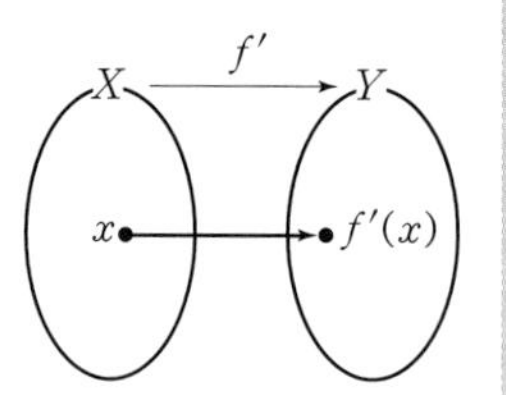


이때 이 함수를 함수 $y=f(x)$의 ❷ ☐라 하고, 기호로 $f'(x)$, $y'$, $\frac{dy}{dx}$, $\frac{d}{dx}f(x)$와 같이 나타낸다. 즉 미분가능한 함수 $f(x)$의 도함수는

$$f'(x)=\lim_{\Delta x\to 0} \frac{f(x+\Delta x)-f(x)}{\Delta x}$$

답 ❶ $f'(x)$ ❷ 도함수

### 확인 11

도함수의 정의를 이용하여 함수 $f(x)=3x-4$의 도함수를 구하면

$$f'(x)=\lim_{\Delta x\to 0} \frac{f(x+\Delta x)-❶ ☐}{\Delta x}$$

$$=\lim_{\Delta x\to 0} \frac{\{3(x+\Delta x)-4\}-(3x-4)}{\Delta x}$$

$$=\lim_{\Delta x\to 0} \frac{❷ ☐}{\Delta x}=3$$

답 ❶ $f(x)$ ❷ $3\Delta x$

## 개념 12 함수 $f(x)=x^n$과 상수함수의 도함수

❶ 함수 $f(x)=x^n$ ($n$은 양의 정수)의 도함수는

$f'(x)=$ ❶ ☐ $x^{n-1}$

❷ 상수함수 $f(x)=c$ ($c$는 상수)의 도함수는 $f'(x)=0$

참고 도함수의 정의를 이용하여 상수함수 $f(x)=c$ ($c$는 상수)의 도함수를 구하면

$$f'(x)=\lim_{h\to 0} \frac{f(x+h)-f(x)}{h}$$

$$=\lim_{h\to 0} \frac{c-c}{h}=❷ ☐$$

답 ❶ $n$ ❷ 0

### 확인 12

① 함수 $f(x)=x^5$의 도함수는 $f'(x)=$ ❶ ☐ $x^4$

② 함수 $f(x)=12$의 도함수는 $f'(x)=$ ❷ ☐

답 ❶ 5 ❷ 0

## 개념 13 함수의 실수배, 합, 차의 미분법

두 함수 $f(x)$, $g(x)$가 미분가능할 때

❶ $\{cf(x)\}'=c$ [❶ ] ($c$는 상수)

❷ $\{f(x)+g(x)\}'=f'(x)+g'(x)$

❸ $\{f(x)-g(x)\}'=f'(x)-$ [❷ ]

답 ❶ $f'(x)$ ❷ $g'(x)$

### 확인 13

함수 $y=2x^3-4x^2+3x+1$을 미분하면

$y'=(2x^3-4x^2+3x+1)'$
$=(2x^3)'-(4x^2)'+(3x)'+(1)'$
$=2(x^3)'-4(x^2)'+3(x)'+(1)'$
$=2\times$ [❶ ] $-4\times 2x+3\times$ [❷ ] $+0$
$=6x^2-8x+3$

답 ❶ $3x^2$ ❷ 1

## 개념 14 함수의 곱의 미분법

두 함수 $f(x)$, $g(x)$가 미분가능할 때

$\{f(x)g(x)\}'=f'(x)g(x)+$ [❶ ] $g'(x)$

참고 세 함수 $f(x)$, $g(x)$, $h(x)$가 미분가능할 때

$\{f(x)g(x)h(x)\}'$
$=f'(x)g(x)h(x)+f(x)g'(x)h(x)$
$+f(x)g(x)$ [❷ ]

답 ❶ $f(x)$ ❷ $h'(x)$

### 확인 14

함수 $y=(2x+5)(x^2-4x)$를 미분하면

$y'=\{(2x+5)(x^2-4x)\}'$
$=(2x+5)'(x^2-4x)+(2x+5)(x^2-4x)'$
$=$ [❶ ] $(x^2-4x)+(2x+5)($ [❷ ] $)$
$=(2x^2-8x)+(4x^2+2x-20)$
$=6x^2-6x-20$

답 ❶ 2 ❷ $2x-4$

## 개념 15 미분계수를 이용한 미정계수의 결정

다항함수 $f(x)$가 $\lim_{x \to a} \frac{f(x)-A}{x-a}=B$를 만족시키면 $A=f(a)$, $B=$ [❶ ] 임을 이용하여 함수 $f(x)$의 미정계수를 구한다.

답 ❶ $f'(a)$

### 확인 15

$\lim_{x \to 1} \frac{x^2+ax+2b}{x-1}=1$에서 $f(x)=x^2+ax+2b$라 하면

$\lim_{x \to 1}(x-1)=0$이므로 $\lim_{x \to 1} f(x)=0$, $f($ [❶ ] $)=0$

즉 $\lim_{x \to 1} \frac{f(x)}{x-1}=\lim_{x \to 1} \frac{f(x)-f(1)}{x-1}=f'(1)=1$

이때 $f'(x)=2x+a$이므로

$f(1)=1+a+2b=0$에서 $a+2b=-1$ ······㉠

$f'(1)=2+a=1$에서 $a=$ [❷ ]

㉠에 $a=-1$을 대입하면 $b=0$

답 ❶ 1 ❷ $-1$

## 개념 16 미분가능할 조건

함수 $f(x)$가 $x=a$에서 미분가능하면

❶ $x=a$에서 [❶ ] 이므로 $\lim_{x \to a} f(x)=f(a)$

❷ 미분계수 $f'(a)$가 존재하므로

$$\lim_{h \to 0-} \frac{f(a+h)-f(a)}{h} \ [❷\ ]\ \lim_{h \to 0+} \frac{f(a+h)-f(a)}{h}$$

답 ❶ 연속 ❷ $=$

### 확인 16

$x=1$에서 미분가능한 함수 $f(x)=\begin{cases} 3x+b & (x<1) \\ ax^2+x & (x \ge 1) \end{cases}$는 $x=1$에서 [❶ ] 이다.

즉 $\lim_{x \to 1-} f(x)=f(1)$이므로 $3+b=a+1$, $b=a-2$ ······㉠

또 $f'(1)$이 존재하므로

$\lim_{h \to 0-} \frac{f(1+h)-f(1)}{h}=\lim_{h \to 0-} \frac{\{3(1+h)+b\}-(3+b)}{h}$
$=\lim_{h \to 0-} \frac{3h}{h}=$ [❷ ]

$\lim_{h \to 0+} \frac{f(1+h)-f(1)}{h}=\lim_{h \to 0+} \frac{\{a(1+h)^2+(1+h)\}-(a+1)}{h}$
$=\lim_{h \to 0+} \frac{h(ah+2a+1)}{h}=2a+1$

에서 $3=2a+1$, $a=1$

㉠에 $a=1$을 대입하면 $b=-1$

답 ❶ 연속 ❷ 3

WEEK 2 DAY 1

# 개념 돌파 전략 ②

**1** 실수 전체의 집합에서 연속인 함수 $f(x)$에 대하여 $f(2)=3$일 때, $\lim_{x \to 2}(x^2+x)f(x)$의 값은?

① 16　② 17　③ 18　④ 19　⑤ 20

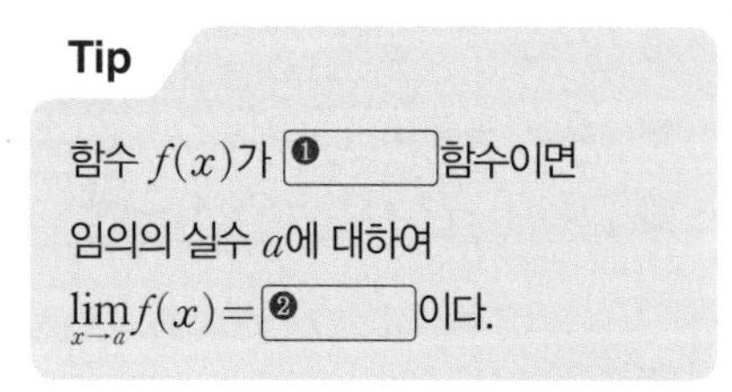

**Tip**

함수 $f(x)$가 ❶ ☐ 함수이면 임의의 실수 $a$에 대하여 $\lim_{x \to a} f(x)=$ ❷ ☐ 이다.

답 ❶ 연속 ❷ $f(a)$

**2** 함수 $y=f(x)$의 그래프가 다음과 같다.

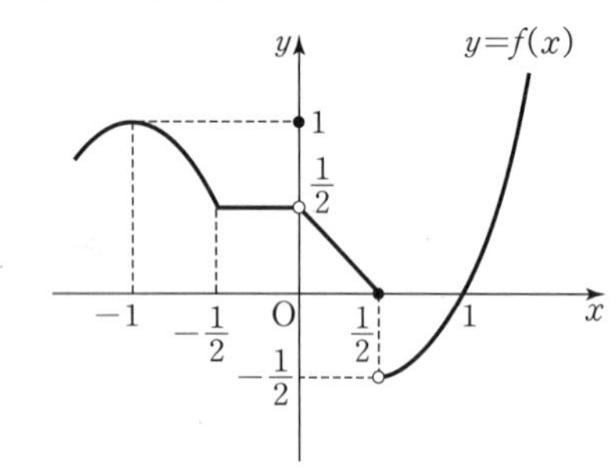


다음 중 함수 $y=f(x)$의 최댓값과 최솟값이 항상 존재하는 구간은?

① $(-\infty, 0)$　② $[0, 1]$　③ $[-1, 1]$　④ $\left(-1, \frac{1}{2}\right)$　⑤ $\left[-1, -\frac{1}{2}\right]$

**Tip**

함수 $f(x)$가 닫힌구간 $[a, b]$에서 ❶ ☐ 함수이면 이 구간에서 반드시 최댓값과 ❷ ☐ 을 갖는다.

답 ❶ 연속 ❷ 최솟값

**3** 실수 전체의 집합에서 연속인 함수 $f(x)$에 대하여 $f(0)=a+2$, $f(2)=a-1$일 때, 방정식 $f(x)=0$은 열린구간 $(0, 2)$에서 오직 하나의 실근을 갖는다. 모든 정수 $a$의 값의 합은?

① $-2$　② $-1$　③ 0　④ 1　⑤ 2

**Tip**

연속함수 $f(x)$에 대하여 방정식 $f(x)=0$이 열린구간 $(a, b)$에서 오직 하나의 실근을 가지면 $f(a)f(b)$ ❶ ☐ 0

답 ❶ $<$

**4** 함수 $f(x)=x^2-ax+1$에 대하여 $x$의 값이 1에서 3까지 변할 때의 평균변화율이 1일 때, 상수 $a$의 값은?

① 1　② 3　③ 5
④ 7　⑤ 9

**Tip**

함수 $y=f(x)$에 대하여 $x$의 값이 $a$에서 $b$까지 변할 때의 평균변화율은

$\dfrac{f(b)-f(a)}{❶\ \square}$

이때 $x$의 값의 변화량 $b-a$를 $x$의 증분, $y$의 값의 변화량 $f(b)-f(a)$를 $y$의 ❷ □이라 한다.

답 ❶ $b-a$ ❷ 증분

**5** 함수 $f(x)=x^2+x$에 대하여 $\lim_{h \to 0} \dfrac{f(1+h)-f(1)}{h}$의 값은?

① 1　② 2　③ 3
④ 4　⑤ 5

**Tip**

평균변화율의 극한값을 ❶ □라 하며 함수 $y=f(x)$의 $x=a$에서의 미분계수는

❷ □ $=\lim_{h \to 0} \dfrac{f(a+h)-f(a)}{h}$

답 ❶ 미분계수 ❷ $f'(a)$

**6** 함수 $f(x)=x^2+x+3$에 대하여 $f'(7)$의 값은?

① 11　② 12　③ 13
④ 14　⑤ 15

**Tip**

함수 $f(x)=x^n$의 도함수는

$f'(x)=$ ❶ □ (단, $n$은 양의 정수)

답 ❶ $nx^{n-1}$

WEEK 2 DAY 2

# 필수 체크 전략 ①

## 핵심 예제 01

함수 $f(x)=x^2-2x+a$에 대하여

함수 $g(x)=\frac{1}{f(x)}$이 모든 실수 $x$에서 연속이 되도록 하는 정수 $a$의 최솟값은?

① $-2$ ② $-1$ ③ $0$
④ $1$ ⑤ $2$

**Tip**

함수 $g(x)=\frac{1}{f(x)}$이 모든 실수 $x$에서 [❶ ] 이려면 모든 실수 $x$에서 (분모)$\neq 0$, 즉 [❷ ] $\neq 0$이어야 한다.

답 ❶ 연속 ❷ $f(x)$

**풀이**

함수 $g(x)=\frac{1}{f(x)}$이 모든 실수 $x$에서 연속이려면 모든 실수 $x$에 대하여 $f(x)\neq 0$이어야 한다.

즉 이차방정식 $x^2-2x+a=0$이 실근을 갖지 않아야 하므로 이 이차방정식의 판별식을 $D$라 하면

$\frac{D}{4}=1-a<0 \quad \therefore a>1$

따라서 구하는 정수 $a$의 최솟값은 2이다.

답 ⑤

## 1-1

두 함수 $f(x)=x^2+5$, $g(x)=x+1$에 대하여 다음 중 실수 전체의 집합에서 항상 연속인 함수가 아닌 것은?

① $f(x)+g(x)$ ② $f(x)g(x)$ ③ $\sqrt{f(x)}$
④ $\frac{1}{f(x)}$ ⑤ $\frac{f(x)}{g(x)}$

## 1-2

함수 $g(x)=\frac{3}{(x-1)^2+a}$이 실수 전체의 집합에서 연속이 되도록 하는 정수 $a$의 최솟값은?

① $-2$ ② $-1$ ③ $0$
④ $1$ ⑤ $2$

## 핵심 예제 02

다음 중 함수 $f(x)=\frac{1}{2}x^2+2$의 최댓값과 최솟값이 항상 존재하는 구간은?

① $(-\infty, \infty)$ ② $(-2, 2)$ ③ $(0, 2)$
④ $(0, 3)$ ⑤ $[-1, 3]$

**Tip**

함수 $f(x)$가 닫힌구간 $[a, b]$에서 [❶ ] 함수이면 이 구간에서 반드시 최댓값과 [❷ ] 을 갖는다.

답 ❶ 연속 ❷ 최솟값

**풀이**

함수 $f(x)=\frac{1}{2}x^2+2$는 실수 전체의 집합에서 연속이므로 최대·최소 정리에 의하여 닫힌구간에서 반드시 최댓값과 최솟값을 갖는다. 따라서 닫힌구간 $[-1, 3]$에서 함수 $f(x)$의 최댓값과 최솟값은 항상 존재한다.

답 ⑤

## 2-1

닫힌구간 $[k-1, k+1]$에서 함수 $f(x)=\begin{cases} x & (x<1) \\ a-x & (x\geq 1) \end{cases}$가 항상 최댓값과 최솟값을 가질 때, 상수 $a$의 값은? (단, $k$는 실수이다.)

① $0$ ② $1$ ③ $2$
④ $3$ ⑤ $4$

## 핵심 예제 03

다음 중 방정식 $x^3-2x^2-5x+8=0$의 실근이 존재하는 구간은?

① $(-4, -3)$ ② $(-3, -2)$ ③ $(-2, -1)$
④ $(-1, 0)$ ⑤ $(0, 1)$

**Tip**

연속함수 $f(x)$에 대하여 $f(a)f(b)<$ ❶ 이면 열린구간 $(a, b)$에서 방정식 $f(x)=0$은 적어도 하나의 ❷ 을 갖는다.

답 ❶ 0 ❷ 실근

**풀이**

$f(x)=x^3-2x^2-5x+8$이라 하면 함수 $f(x)$는 모든 실수 $x$에서 연속이다. 이때
$f(-4)=-68<0$, $f(-3)=-22<0$, $f(-2)=2>0$
$f(-1)=10>0$, $f(0)=8>0$, $f(1)=2>0$
이므로 $f(-3)f(-2)<0$
따라서 사잇값의 정리에 의하여 주어진 방정식의 실근이 존재하는 구간은 $(-3, -2)$이다.

답 ②

## 핵심 예제 04

방정식 $x^3-2x^2+3x+a=0$이 열린구간 $(0, 3)$에서 오직 하나의 실근을 갖도록 하는 정수 $a$의 개수는?

① 13 ② 15 ③ 17
④ 19 ⑤ 21

**Tip**

$f(x)=x^3-2x^2+3x+a$라 하면 $f(x)$는 ❶ 함수이다.
이때 방정식 $f(x)=0$이 열린구간 $(a, b)$에서 오직 하나의 실근을 가지려면 ❷ $<0$

답 ❶ 연속 ❷ $f(a)f(b)$

**풀이**

$f(x)=x^3-2x^2+3x+a$라 하면 함수 $f(x)$는 모든 실수 $x$에서 연속이다.
이때 방정식 $f(x)=0$이 열린구간 $(0, 3)$에서 오직 하나의 실근을 가지려면 $f(0)f(3)<0$이어야 한다.
즉 $a(a+18)<0$이므로 $-18<a<0$
따라서 구하는 정수 $a$의 개수는 17이다.

답 ③

## 3-1

방정식 $2x^3-x^2-x+1=0$이 오직 하나의 실근을 가질 때, 다음 중 이 방정식의 실근이 존재하는 구간은?

① $(-2, -1)$ ② $(-1, 0)$ ③ $(0, 1)$
④ $(1, 2)$ ⑤ $(2, 3)$

## 3-2

연속함수 $f(x)$가
$f(0)=2$, $f(1)=5$, $f(2)=4$,
$f(3)=10$, $f(4)=0$, $f(5)=4$
를 만족시킨다. 열린구간 $(0, 5)$에서 방정식 $f(x)=2x$가 두 개의 실근을 가질 때, 다음 중 이 방정식의 실근이 존재하는 구간은?

① $(0, 1)$ ② $(1, 2)$ ③ $(2, 3)$
④ $(3, 4)$ ⑤ $(4, 5)$

## 4-1

방정식 $x^3+2x+k-1=0$이 열린구간 $(0, 2)$에서 오직 하나의 실근을 갖도록 하는 정수 $k$의 개수는?

① 10 ② 11 ③ 12
④ 13 ⑤ 14

## 4-2

$f(0)=k+3$, $f(1)=k-3$인 연속함수 $f(x)$에 대하여 방정식 $f(x)=1$이 열린구간 $(0, 1)$에서 오직 하나의 실근을 갖도록 하는 정수 $k$의 개수는?

① 1 ② 2 ③ 3
④ 4 ⑤ 5

# 필수 체크 전략 ①

## 핵심 예제 05

함수 $f(x)=x^2+kx$에 대하여 $x$의 값이 1에서 3까지 변할 때의 평균변화율이 6일 때, 상수 $k$의 값은?

① 1　② 2　③ 3　④ 4　⑤ 5

**Tip**

함수 $f(x)$에 대하여 $x$의 값이 $a$에서 $b$까지 변할 때의 평균변화율은 $\dfrac{❶\square-f(a)}{b-❷\square}$

답 ❶ $f(b)$ ❷ $a$

**풀이**

함수 $f(x)=x^2+kx$에 대하여 $x$의 값이 1에서 3까지 변할 때의 평균변화율은

$$\frac{f(3)-f(1)}{3-1}=\frac{(3^2+3k)-(1^2+k)}{3-1}$$
$$=\frac{8+2k}{2}$$
$$=4+k=6$$

$\therefore k=2$

답 ②

## 핵심 예제 06

함수 $f(x)=x^3+4x-2$에 대하여

$\lim\limits_{h\to0}\dfrac{f(1+2h)-f(1)}{h}$의 값은?

① 10　② 12　③ 14　④ 16　⑤ 18

**Tip**

❶ $\square$ 가능한 함수 $f(x)$에 대하여

$f'(a)=\lim\limits_{h\to0}\dfrac{f(a+h)-❷\square}{h}$

답 ❶ 미분 ❷ $f(a)$

**풀이**

$$\lim_{h\to0}\frac{f(1+2h)-f(1)}{h}$$
$$=\lim_{h\to0}\frac{\{(1+2h)^3+4(1+2h)-2\}-(1^3+4\times1-2)}{h}$$
$$=\lim_{h\to0}\frac{8h^3+12h^2+14h}{h}$$
$$=\lim_{h\to0}(8h^2+12h+14)=14$$

답 ③

### 5-1

함수 $f(x)=2x^2-3$에 대하여 $x$의 값이 $-2$에서 1까지 변할 때의 평균변화율은?

① $-4$　② $-2$　③ 2　④ 3　⑤ 4

### 5-2

함수 $f(x)=x^3+ax$에 대하여 $x$의 값이 $-1$에서 2까지 변할 때의 평균변화율이 5일 때, 상수 $a$의 값을 구하시오.

### 6-1

함수 $f(x)=x^2+x$에 대하여

$\lim\limits_{h\to0}\dfrac{f(3+h)-f(3)}{h}$의 값을 구하시오.

### 6-2

함수 $f(x)=x^3+x^2-2x$에 대하여

$\lim\limits_{h\to0}\dfrac{f(2-h)-f(2)}{h}$의 값은?

① $-17$　② $-16$　③ $-15$　④ $-14$　⑤ $-13$

## 핵심 예제 07

함수 $f(x)=x^2+3x$의 그래프 위의 두 점 $A(1, f(1))$, $B(3, f(3))$을 지나는 직선의 기울기와 $x=c$에서의 미분계수가 같을 때, 상수 $c$의 값은?

① 1 ② $\frac{4}{3}$ ③ $\frac{3}{2}$
④ $\frac{5}{3}$ ⑤ 2

**Tip**

함수 $f(x)$의 그래프 위의 두 점 $A(1, f(1))$, $B(3, f(3))$을 지나는 직선의 ❶ [ ]는 $x$의 값이 1에서 3까지 변할 때의 ❷ [ ]이다.

답 ❶ 기울기 ❷ 평균변화율

**풀이**

두 점 A, B를 지나는 직선의 기울기는

$$\frac{f(3)-f(1)}{3-1}=\frac{(3^2+3\times3)-(1^2+3\times1)}{3-1}=\frac{18-4}{2}=7$$

$x=c$에서의 미분계수는

$$f'(c)=\lim_{x\to c}\frac{f(x)-f(c)}{x-c}=\lim_{x\to c}\frac{(x^2+3x)-(c^2+3c)}{x-c}$$
$$=\lim_{x\to c}\frac{(x-c)(x+c+3)}{x-c}=\lim_{x\to c}(x+c+3)=2c+3$$

이므로 $2c+3=7$ $\therefore c=2$

답 ⑤

## 7-1

함수 $f(x)=x^2-3x$에 대하여 $x$의 값이 0에서 4까지 변할 때의 평균변화율과 $f'(c)$가 같을 때, 상수 $c$의 값은?

① $-3$ ② $-2$ ③ $-1$
④ 1 ⑤ 2

## 7-2

함수 $f(x)=x^2+ax$에 대하여 $x$의 값이 0에서 4까지 변할 때의 평균변화율이 5일 때, $\lim_{x\to a}\frac{f(x)-f(a)}{x-a}$의 값은?

(단, $a$는 상수이다.)

① 1 ② 2 ③ 3
④ 4 ⑤ 5

## 핵심 예제 08

다항함수 $f(x)$에 대하여 $\lim_{x\to2}\frac{f(x)}{x-2}=3$일 때, $\lim_{h\to0}\frac{f(2+3h)}{h}$의 값은?

① 1 ② 2 ③ 3
④ 6 ⑤ 9

**Tip**

- $\lim_{x\to a}\frac{f(x)}{x-a}=k$이면 (분모)→0이므로 $f(a)=$ ❶ [ ]
- 미분가능한 함수 $f(x)$에 대하여
  ❷ [ ] $=\lim_{h\to0}\frac{f(a+h)-f(a)}{h}$

답 ❶ 0 ❷ $f'(a)$

**풀이**

$\lim_{x\to2}\frac{f(x)}{x-2}=3$에서 $x\to2$일 때, (분모)→0이므로 (분자)→0이다. 즉 $\lim_{x\to2}f(x)=0$이므로 $f(2)=0$

주어진 식에 $f(2)=0$을 대입하면

$$\lim_{x\to2}\frac{f(x)}{x-2}=\lim_{x\to2}\frac{f(x)-f(2)}{x-2}=f'(2)=3$$

$$\therefore \lim_{h\to0}\frac{f(2+3h)}{h}=\lim_{h\to0}\frac{f(2+3h)-f(2)}{h}$$
$$=3\lim_{h\to0}\frac{f(2+3h)-f(2)}{3h}$$
$$=3f'(2)=9$$

답 ⑤

## 8-1

미분가능한 함수 $f(x)$에 대하여 $f(1)=2$, $f'(1)=2$일 때, $\lim_{x\to1}\frac{\{f(x)\}^2-4}{x-1}$의 값을 구하시오.

## 8-2

다항함수 $f(x)$에 대하여 $\lim_{x\to2}\frac{f(x)}{x^2-4}=\frac{1}{2}$일 때, $\lim_{h\to0}\frac{f(2+2h)}{h}$의 값은?

① 2 ② 4 ③ 6
④ 8 ⑤ 10

WEEK 2 DAY 2

# 필수 체크 전략 ②

**01** 함수 $f(x)=\begin{cases} -x+1 & (x<0) \\ x-k & (x\ge 0) \end{cases}$에 대하여

함수 $g(x)=|f(x)|$가 실수 전체의 집합에서 연속이 되도록 하는 양수 $k$의 값을 구하시오.

**Tip**

함수 $f(x)$가 연속함수이면 임의의 실수 $a$에 대하여

$\lim_{x\to a-}f(x)=\lim_{x\to a+}f(x)=$ ❶ , 즉 ❷ $=f(a)$

답 ❶ $f(a)$ ❷ $\lim_{x\to a}f(x)$

**02** 두 함수 $f(x)=x+k$, $g(x)=\begin{cases} 3 & (x<2) \\ x-2 & (x\ge 2) \end{cases}$에 대하여

함수 $f(x)g(x)$가 모든 실수 $x$에서 연속이 되도록 하는 상수 $k$의 값은?

① $-2$　② $-1$　③ $0$
④ $1$　⑤ $2$

**Tip**

함수 $g(x)$가 ❶ 에서 불연속이므로

함수 $f(x)g(x)$가 모든 실수 $x$에서 연속이려면

$\lim_{x\to 2-}f(x)g(x)=\lim_{x\to 2+}f(x)g(x)=$ ❷

답 ❶ $x=2$ ❷ $f(2)g(2)$

**03** 실수 전체의 집합에서 연속인 두 함수 $f(x)$, $g(x)$에 대하여 다음 중 실수 전체의 집합에서 항상 연속인 함수가 아닌 것은?

① $f(x)+g(x)$　② $2f(x)-g(x)$　③ $f(x)g(x)$
④ $\dfrac{f(x)-3}{g(x)+1}$　⑤ $\dfrac{f(x)}{\{g(x)\}^2+1}$

**Tip**

함수 $\dfrac{f(x)-3}{g(x)+1}$은 $g(x)+1=$ ❶ , 즉 $g(x)=-1$인 $x$에서 ❷ 이다.

답 ❶ 0 ❷ 불연속

**04** 두 다항함수 $f(x)=x^2+5$, $g(x)=ax+b$가 다음 조건을 만족시킨다.

> (가) 이차방정식 $x^2-2x-24=0$의 두 근이 $f(1)$, $g(2)$이다.
> (나) 함수 $\dfrac{f(x)}{g(x)}$는 $x=1$에서 불연속이다.

$g\left(\dfrac{1}{2}\right)$의 값은? (단, $a$, $b$는 상수이다.)

① 1　② 2　③ 3
④ 4　⑤ 5

**Tip**

- 연속함수 $g(x)$에 대하여 함수 $\dfrac{1}{g(x)}$이 $x=a$에서 불연속이면 $g(a)=$ ❶
- 이차방정식 $ax^2+bx+c=0$의 두 근을 $\alpha$, $\beta$라 하면 $\alpha+\beta=$ ❷

답 ❶ 0 ❷ $-\dfrac{b}{a}$

**05** 방정식 $x^3-2x+k-1=0$이 열린구간 $(0, 2)$에서 오직 하나의 실근을 갖도록 하는 정수 $k$의 개수는?

① 1　② 2　③ 3
④ 4　⑤ 5

**Tip**

연속함수 $f(x)$에 대하여 $f(a)f(b)<$ ❶ 이면 열린구간 $(a, b)$에서 방정식 $f(x)=0$은 적어도 하나의 ❷ 을 갖는다.

답 ❶ 0 ❷ 실근

## 06 함수 $f(x)=2x^2-x$에 대하여 $x$의 값이 $a$에서 $a+1$까지 변할 때의 평균변화율이 $-3$일 때, 상수 $a$의 값은?

① $-2$　　② $-1$　　③ $1$

④ $2$　　⑤ $3$

**Tip**

함수 $f(x)$에 대하여 $x$의 값이 $a$에서 $b$까지 변할 때의 평균변화율은 $\dfrac{f(b)-f(a)}{\boxed{❶\quad}}$

이때 $x$의 값의 변화량 $b-a$를 $x$의 증분, $y$의 값의 변화량 $f(b)-f(a)$를 $y$의 ❷☐이라 한다.

답 ❶ $b-a$ ❷ 증분

## 07 미분가능한 함수 $f(x)$에 대하여 $f(1)=3$, $f'(1)=6$일 때, $\lim_{x\to1}\dfrac{f(x^2)-3}{x-1}$의 값을 구하시오.

**Tip**

$\lim_{x\to1}\dfrac{f(x^2)-f(1)}{x-1}$

$=\lim_{x\to1}\dfrac{f(x^2)-f(1)}{x^2-1}\times(\boxed{❶\quad})=\boxed{❷\quad}$

답 ❶ $x+1$ ❷ $2f'(1)$

## 08 미분가능한 함수 $f(x)$가 다음 조건을 만족시킨다.

(가) $f(-x)=f(x)$
(나) $f'(1)=4$

$\lim_{h\to0}\dfrac{f(-1-2h)-f(-1)}{h}$의 값은?

① $-8$　　② $-4$　　③ $2$

④ $4$　　⑤ $8$

**Tip**

• $f(-1)=f(\boxed{❶\quad})$

• $\lim_{h\to0}\dfrac{f(a+2h)-f(a)}{h}$

$=\lim_{h\to0}\dfrac{f(a+2h)-f(a)}{2h}\times\boxed{❷\quad}=2f'(a)$

답 ❶ 1 ❷ 2

## 09 다음 그림은 함수 $y=f(x)$의 그래프와 직선 $y=x$이다. $0<a<1<b$일 때, 보기에서 옳은 것만을 있는 대로 고른 것은?

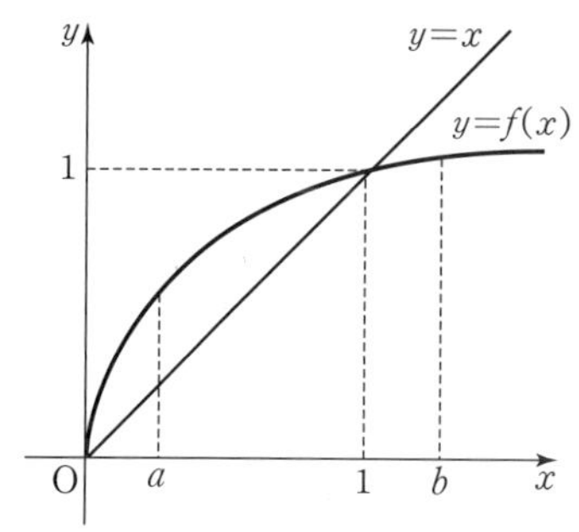


보기

ㄱ. $\dfrac{f(a)}{a}>\dfrac{f(b)}{b}$

ㄴ. $f'(b)<1$

ㄷ. $f(b)-f(a)>b-a$

① ㄱ　　② ㄴ　　③ ㄱ, ㄴ

④ ㄱ, ㄷ　　⑤ ㄱ, ㄴ, ㄷ

**Tip**

두 점 $(a, f(a))$, $(b, \boxed{❶\quad})$를 지나는 직선의 기울기는 $\dfrac{f(b)-f(a)}{b-a}$이며 이를 $x$의 값이 $a$에서 $b$까지 변할 때의 ❷☐이라 한다.

답 ❶ $f(b)$ ❷ 평균변화율

## 10 미분가능한 함수 $f(x)$에 대하여 $f'(3)=6$일 때, $\lim_{n\to\infty}n\left\{f\left(3+\dfrac{1}{n}\right)-f(3)\right\}$의 값을 구하시오.

**Tip**

$\lim_{n\to\infty}n\left\{f\left(3+\dfrac{1}{n}\right)-f(3)\right\}=\lim_{n\to\infty}\dfrac{f\left(3+\dfrac{1}{n}\right)-f(3)}{\boxed{❶\quad}}$

에서 $\dfrac{1}{n}=h$로 ❷☐하여 식을 변형한다.

답 ❶ $\dfrac{1}{n}$ ❷ 치환

WEEK 2 DAY 3

# 필수 체크 전략 ①

## 핵심 예제 01

함수 $f(x)=-\frac{1}{3}x^3+\frac{1}{2}x^2+x-1$에 대하여 $f'(1)$의 값은?

① 0　② 1　③ $\frac{3}{2}$　④ 2　⑤ $\frac{5}{2}$

**Tip**

함수 $f(x)=cx^n$ ($n$은 양의 정수, $c$는 상수)의 도함수는

$f'(x)=cn$ ❶ [　　]

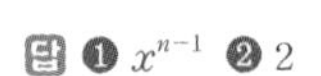

답 ❶ $x^{n-1}$ ❷ 2

**풀이**

$f(x)=-\frac{1}{3}x^3+\frac{1}{2}x^2+x-1$에서

$f'(x)=-x^2+x+1$

$\therefore\ f'(1)=-1+1+1=1$

답 ②

## 핵심 예제 02

함수 $f(x)=ax^3+bx-1$에 대하여

$\lim_{x\to1}\frac{f(x)-2}{x-1}=5$일 때, $f'(2)$의 값을 구하시오.

(단, $a$, $b$는 상수이다.)

**Tip**

$\lim_{x\to a}\frac{f(x)-b}{x-a}=c$ ($a$, $b$, $c$는 상수)이면 $f(a)=$ ❶ [　　] 이므로

$\lim_{x\to a}\frac{f(x)-b}{x-a}=\lim_{x\to a}\frac{f(x)-f(a)}{x-a}=$ ❷ [　　]

답 ❶ $b$ ❷ $f'(a)$

**풀이**

$\lim_{x\to1}\frac{f(x)-2}{x-1}=5$에서 $x\to1$일 때, (분모)$\to0$이므로 (분자)$\to0$

이다. 즉 $\lim_{x\to1}\{f(x)-2\}=0$이므로 $f(1)=2$

주어진 식에 $f(1)=2$를 대입하면

$\lim_{x\to1}\frac{f(x)-2}{x-1}=\lim_{x\to1}\frac{f(x)-f(1)}{x-1}=f'(1)=5$

이때 $f(x)=ax^3+bx-1$에서 $f'(x)=3ax^2+b$이므로

$f(1)=a+b-1=2,\ \ f'(1)=3a+b=5$

위의 두 식을 연립하여 풀면 $a=1$, $b=2$

따라서 $f'(x)=3x^2+2$이므로 $f'(2)=12+2=14$

답 14

## 1-1

함수 $f(x)=x^3-3x^2+4x+10$에 대하여 $f'(1)$의 값은?

① 1　② 2　③ 3　④ 4　⑤ 5

## 1-2

함수 $f(x)=1+\frac{1}{2}x^2+\frac{1}{4}x^4+\cdots+\frac{1}{100}x^{100}$에 대하여

$x=1$에서의 미분계수를 구하시오.

## 2-1

함수 $f(x)=x^3+ax$에 대하여

$\lim_{x\to0}\frac{f(x)}{x}=3$일 때, 상수 $a$의 값은?

① 1　② 2　③ 3　④ 4　⑤ 5

## 2-2

함수 $f(x)=3x^3+ax+2$에 대하여

$\lim_{h\to0}\frac{f(2+h)-f(2)}{5h}=8$일 때, $f(2)$의 값을 구하시오.

(단, $a$는 상수이다.)

## 핵심 예제 03

함수 $f(x)=x(x-1)(x-2)(x-3)$에 대하여 $f'(3)$의 값은?

① $-6$ ② $-3$ ③ 0
④ 3 ⑤ 6

**Tip**

$f(x)=x(x-1)(x-2)(x-3)$에서
$f'(x)=(x)'(x-1)(x-2)(x-3)$
$+x$ ❶ $\square$ $(x-2)(x-3)$
$+x(x-1)(x-2)'(x-3)$
$+x(x-1)(x-2)$ ❷ $\square$

답 ❶ $(x-1)'$ ❷ $(x-3)'$

**풀이**

$f(x)=x(x-1)(x-2)(x-3)$에서
$f'(x)=(x-1)(x-2)(x-3)+x(x-2)(x-3)$
$+x(x-1)(x-3)+x(x-1)(x-2)$
$\therefore f'(3)=0+0+0+3(3-1)(3-2)=6$

답 ⑤

## 3-1

함수 $f(x)=(x+1)(x^2+2)$에 대하여 $f'(-2)$의 값은?

① 4 ② 6 ③ 8
④ 10 ⑤ 12

## 3-2

함수 $f(x)=(x^3+2)(ax^2-3x)$에 대하여 $f'(1)=0$일 때, 상수 $a$의 값을 구하시오.

## 핵심 예제 04

미분가능한 함수 $f(x)$에 대하여 $\lim_{x\to -1}\frac{f(x)-2}{x+1}=1$이고 $g(x)=(2x^3-3x)f(x)$일 때, $g'(-1)$의 값은?

① 7 ② 9 ③ 11
④ 13 ⑤ 15

**Tip**

두 함수 $f(x)$, $g(x)$가 미분가능할 때
$\{f(x)g(x)\}'=f'(x)$ ❶ $\square$ $+f(x)$ ❷ $\square$

답 ❶ $g(x)$ ❷ $g'(x)$

**풀이**

$\lim_{x\to -1}\frac{f(x)-2}{x+1}=1$에서 $x\to -1$일 때, (분모)$\to 0$이므로 (분자)$\to 0$이다. 즉 $\lim_{x\to -1}\{f(x)-2\}=0$이므로 $f(-1)=2$
주어진 식에 $f(-1)=2$를 대입하면
$\lim_{x\to -1}\frac{f(x)-2}{x+1}=\lim_{x\to -1}\frac{f(x)-f(-1)}{x-(-1)}=f'(-1)=1$
이때 $g(x)=(2x^3-3x)f(x)$에서
$g'(x)=(6x^2-3)f(x)+(2x^3-3x)f'(x)$
$\therefore g'(-1)=3f(-1)+f'(-1)=3\times 2+1=7$

답 ①

## 4-1

미분가능한 함수 $f(x)$에 대하여
함수 $g(x)=(x^2+x+1)f(x)$이고, $g(1)=6$, $g'(1)=3$일 때, $f'(1)$의 값은?

① $-3$ ② $-2$ ③ $-1$
④ 0 ⑤ 1

## 4-2

$g(2)=8$, $g'(2)=3$인 다항함수 $g(x)$에 대하여 $(x^2-4)f(x)=g(x)-8$을 만족시키는 함수 $f(x)$가 $x=2$에서 미분가능할 때, $f(2)$의 값은?

① 0 ② $\frac{1}{4}$ ③ $\frac{1}{2}$
④ $\frac{3}{4}$ ⑤ 1

# 필수 체크 전략 ①

## 핵심 예제 05

두 다항함수 $f(x)$, $g(x)$가 다음 조건을 만족시킨다.

(가) $\lim_{x\to 0}\frac{f(x)-1}{x}=3$ (나) $\lim_{x\to 0}\frac{g(x)+3}{x^2+3x}=5$

함수 $h(x)=f(x)g(x)$라 할 때, $h'(0)$의 값은?

① 2 ② 4 ③ 6
④ 8 ⑤ 10

**Tip**

다항함수 $f(x)$에 대하여 $\lim_{x\to a}\frac{f(x)-A}{x-a}=B$를 만족시키면

$A=$ ❶ ☐, $B=$ ❷ ☐

답 ❶ $f(a)$ ❷ $f'(a)$

**풀이**

조건 (가)의 $\lim_{x\to 0}\frac{f(x)-1}{x}=3$에서 $x\to 0$일 때, (분모)$\to 0$이므로 (분자)$\to 0$이다. 즉 $\lim_{x\to 0}\{f(x)-1\}=0$이므로 $f(0)=1$

$\therefore \lim_{x\to 0}\frac{f(x)-1}{x}=\lim_{x\to 0}\frac{f(x)-f(0)}{x-0}=f'(0)=3$

조건 (나)의 $\lim_{x\to 0}\frac{g(x)+3}{x^2+3x}=5$에서 $x\to 0$일 때, (분모)$\to 0$이므로 (분자)$\to 0$이다. 즉 $\lim_{x\to 0}\{g(x)+3\}=0$이므로 $g(0)=-3$

주어진 식에 $g(0)=-3$을 대입하면

$$\lim_{x\to 0}\frac{g(x)+3}{x^2+3x}=\lim_{x\to 0}\frac{g(x)-g(0)}{x(x+3)}=\frac{1}{3}\lim_{x\to 0}\frac{g(x)-g(0)}{x-0}$$
$$=\frac{1}{3}g'(0)=5$$

이므로 $g'(0)=15$

이때 $h(x)=f(x)g(x)$에서 $h'(x)=f'(x)g(x)+f(x)g'(x)$

$\therefore h'(0)=f'(0)g(0)+f(0)g'(0)=3\times(-3)+1\times 15=6$

답 ③

## 5-1

두 다항함수 $f(x)$, $g(x)$가 다음 조건을 만족시킨다.

(가) $\lim_{x\to 2}\frac{f(x)-2}{x-2}=1$ (나) $\lim_{x\to 2}\frac{g(x)-3}{x^2-4}=4$

함수 $h(x)=f(x)g(x)$라 할 때, $h'(2)$의 값을 구하시오.

## 핵심 예제 06

함수 $f(x)=\begin{cases} ax^2 & (x\le 2) \\ 2x+b & (x>2)\end{cases}$가 모든 실수 $x$에서 미분가능할 때, 상수 $a$, $b$에 대하여 $ab$의 값은?

① $-2$ ② $-1$ ③ 0
④ 1 ⑤ 2

**Tip**

함수 $f(x)=\begin{cases} g(x) & (x\le a) \\ h(x) & (x>a)\end{cases}$가 모든 실수 $x$에서 미분가능하면 $x=a$에서 미분가능하다.

즉 $x=a$에서 ❶ ☐이고, $f'(a)$가 ❷ ☐한다.

답 ❶ 연속 ❷ 존재

**풀이**

함수 $f(x)$가 모든 실수 $x$에서 미분가능하므로 $x=2$에서 미분가능하고 연속이다.

$g(x)=ax^2$, $h(x)=2x+b$로 놓으면

$g'(x)=2ax$, $h'(x)=2$

$g(2)=h(2)$에서 $4a=b+4$ ······㉠

$g'(2)=h'(2)$에서 $4a=2$, $a=\frac{1}{2}$

㉠에 $a=\frac{1}{2}$을 대입하면 $b=4\times\frac{1}{2}-4=-2$

$\therefore ab=\frac{1}{2}\times(-2)=-1$

답 ②

## 6-1

함수 $f(x)=\begin{cases} ax^2+2 & (x\le 1) \\ 2x+b & (x>1)\end{cases}$가 $x=1$에서 미분가능할 때, 상수 $a$, $b$에 대하여 $a+b$의 값은?

① 1 ② 2 ③ 3
④ 4 ⑤ 5

## 6-2

함수 $f(x)=\begin{cases} 2 & (x<-1) \\ x^2+ax+b & (x\ge -1)\end{cases}$가 $x=-1$에서 미분가능할 때, 상수 $a$, $b$에 대하여 $a+b$의 값은?

① 1 ② 2 ③ 3
④ 4 ⑤ 5

## 핵심 예제 07

모든 실수 $x$에서 미분가능한 함수 $f(x)$가
$f(x)=f(x+2)$를 만족시킨다. 닫힌구간 $[-1, 1]$에서

$$f(x)=\begin{cases} x^2+x & (-1\le x<0) \\ ax^2+bx & (0\le x\le 1) \end{cases}$$

라 할 때, 상수 $a$, $b$에 대하여 $a^2+b^2$의 값을 구하시오.

**Tip**

모든 실수 $x$에서 미분가능한 함수

$f(x)=\begin{cases} x^2+x & (-1\le x<0) \\ ax^2+bx & (0\le x\le 1) \end{cases}$는 $x=$ ❶ ______ 에서 미분가능하므로 $x=0$에서 ❷ ______ 이다.

답 ❶ 0 ❷ 연속

**풀이**

함수 $f(x)$가 모든 실수 $x$에서 미분가능하므로 $x=0$에서 미분가능하고 연속이다.

$f(x)=\begin{cases} x^2+x & (-1\le x<0) \\ ax^2+bx & (0\le x\le 1) \end{cases}$에서

$f'(x)=\begin{cases} 2x+1 & (-1<x<0) \\ 2ax+b & (0<x<1) \end{cases}$이고, $f'(0)$이 존재하므로

$\lim_{x\to 0-} f'(x)=\lim_{x\to 0+} f'(x)$, $1=b$

한편, $f(x)=f(x+2)$에서 $f(-1)=f(1)$

이므로 $0=a+b$ $\therefore a=-1$ ($\because b=1$)

$\therefore a^2+b^2=(-1)^2+1^2=2$

답 2

## 7-1

모든 실수 $x$에서 미분가능한 함수 $f(x)$가 $f(x)=f(x+3)$을 만족시킨다. $\lim_{x\to 1}\frac{f(x)-2}{x-1}=5$일 때, $f(4)+f'(4)$의 값은?

① 3 ② 4 ③ 5
④ 6 ⑤ 7

## 7-2

모든 실수 $x$에서 미분가능한 함수 $f(x)$가 $f(x)=f(x+2)$를 만족시킨다. 닫힌구간 $[0, 2]$에서 $f(x)=x^3+ax^2+bx$일 때, 상수 $a$, $b$에 대하여 $a^2+b^2$의 값을 구하시오.

## 핵심 예제 08

이차함수 $f(x)$가 모든 실수 $x$에서 다음 조건을 만족시킨다.

(가) $\lim_{x\to 0} f(x)=2$
(나) $(x+1)f'(x)=2f(x)$

$f(-1)$의 값은?

① $-4$ ② $-2$ ③ 0
④ 2 ⑤ 4

**Tip**

함수 $f(x)$가 $n$차함수이면 $f'(x)$는 ❶ ______ 차함수이다.

답 ❶ $n-1$

**풀이**

조건 (가)에서 $f(0)=2$이므로

$f(x)=ax^2+bx+2$ ($a$, $b$는 상수, $a\neq 0$)

조건 (나)의 $(x+1)f'(x)=2f(x)$에서

$(x+1)(2ax+b)=2(ax^2+bx+2)$

$2ax^2+(2a+b)x+b=2ax^2+2bx+4$

양변의 계수를 비교하면

$2a+b=2b$, $b=4$ $\therefore a=2$

따라서 $f(x)=2x^2+4x+2$이므로

$f(-1)=2\times(-1)^2+4\times(-1)+2=0$

답 ③

## 8-1

최고차항의 계수가 1인 다항함수 $f(x)$가 모든 실수 $x$에 대하여 $f(x)f'(x)=2x^3-9x^2+13x-6$을 만족시킬 때, $f(-2)$의 값은?

① $-4$ ② 0 ③ 4
④ 8 ⑤ 12

## 8-2

최고차항의 계수가 $a$인 삼차함수 $f(x)$가 모든 실수 $x$에 대하여 $xf'(x)+af(x)-4x=0$을 만족시킬 때, $f(-1)$의 값은?

① 1 ② 2 ③ 3
④ 4 ⑤ 5

WEEK 2 DAY 3

# 필수 체크 전략 ②

**01** 함수 $f(x)=x^3-5x^2+3x-2$에 대하여 $f'(2)$의 값은?

① $-5$ ② $-4$ ③ $-3$
④ $-2$ ⑤ $-1$

**Tip**

함수 $f(x)=x^n$ ($n$은 양의 정수)의 도함수는
$f'(x)=$ ❶ ☐ $x^{n-1}$

답 ❶ $n$ ❷ 2

**02** 다항함수 $f(x)$에 대하여 $f'(1)=3$일 때,

$\lim_{h\to 0}\frac{f(1+2h)-f(1-2h)}{h}$의 값은?

① 6 ② 9 ③ 12
④ 15 ⑤ 18

**Tip**

$\lim_{h\to 0}\frac{f(1+2h)-f(1)}{❶ ☐}=$ ❷ ☐ 임을 이용하여 극한값을 구한다.

답 ❶ $2h$ ❷ $f'(1)$

**03** 다항함수 $f(x)$에 대하여 $\lim_{x\to\infty}\frac{f(x)-x^2}{x-2}=2$일 때,

$\lim_{x\to 2}\frac{f(x)}{x-2}=a$이다. 상수 $a$의 값을 구하시오.

**Tip**

두 다항함수 $f(x)$, $g(x)$에 대하여

$\lim_{x\to\infty}\frac{f(x)}{g(x)}=L$ ($L\neq 0$인 실수)이면 $f(x)$와 $g(x)$의
❶ ☐ 가 같고, 최고차항의 ❷ ☐ 의 비는 $L$이다.

답 ❶ 차수 ❷ 계수

**04** 함수 $f(x)=x^3+ax+b$에 대하여

$\lim_{x\to 0}\frac{f(x)+2}{x}=5$일 때, $a+b$의 값은?

(단, $a$, $b$는 상수이다.)

① $-1$ ② 0 ③ 1
④ 2 ⑤ 3

**Tip**

다항함수 $f(x)$가 $\lim_{x\to 0}\frac{f(x)+a}{x}=b$를 만족시키면
$a=$ ❶ ☐, $b=$ ❷ ☐

답 ❶ $-f(0)$ ❷ $f'(0)$

**05** 함수 $f(x)=(x-1)(x^2+2x+3)$의 그래프와 $x$축의 교점을 $\mathrm{A}(a, f(a))$라 할 때, $f'(a)$의 값은?

① 3 ② 4 ③ 5
④ 6 ⑤ 7

**Tip**

함수 $f(x)$의 그래프와 $x$축의 교점이 $\mathrm{A}(a, f(a))$이면
$f(a)=$ ❶ ☐

답 ❶ 0

## 06 다항함수 $f(x)$가 $\lim_{x\to1}\frac{f(x)-5}{x-1}=9$를 만족시킨다.

함수 $g(x)=xf(x)$라 할 때, $g'(1)$의 값은?

① 11 ② 12 ③ 13
④ 14 ⑤ 15

**Tip**

다항함수 $f(x)$가 $\lim_{x\to1}\frac{f(x)-5}{x-1}=9$를 만족시키면

$f(1)=$ ❶ ____, ❷ ____ $=9$

답 ❶ 5 ❷ $f'(1)$

## 07 두 다항함수 $f(x)$, $g(x)$에 대하여

$$\lim_{x\to0}\frac{x}{f(x)-1}=2,\ \lim_{x\to1}\frac{g(x-1)-2}{x-1}=5$$

일 때, $\lim_{x\to0}\frac{f(x)g(x)-2}{x}$의 값을 구하시오.

**Tip**

$\lim_{x\to0}\frac{x}{f(x)-1}=2$에서 극한값이 ❶ ____이 아니므로

$x\to0$일 때, (분자)$\to0$이면 (❷ ____)$\to0$이다.

답 ❶ 0 ❷ 분모

## 08 함수 $f(x)=\begin{cases} x^3+1 & (x<1) \\ ax^2-bx+1 & (x\geq1) \end{cases}$이 $x=1$에서 미분가능할 때, 상수 $a$, $b$에 대하여 $a+b$의 값을 구하시오.

**Tip**

함수 $f(x)=\begin{cases} g(x) & (x<1) \\ h(x) & (x\geq1) \end{cases}$가 $x=1$에서 미분가능하면

$x=$ ❶ ____에서 연속이고, ❷ ____이 존재한다.

답 ❶ 1 ❷ $f'(1)$

## 09 미분가능한 함수 $f(x)$에 대하여 함수 $g(x)$가

$$g(x)=\begin{cases} x^2-3x & (x<0) \\ xf(x) & (x\geq0) \end{cases}$$

이고 모든 실수 $x$에서 미분가능할 때, $f(0)$의 값은?

① $-3$ ② $-2$ ③ $-1$
④ 1 ⑤ 2

**Tip**

함수 $g(x)$가 모든 실수 $x$에서 미분가능하므로

$x=$ ❶ ____에서 미분가능하다.

즉 $x=0$에서 좌미분계수와 우미분계수가 ❷ ____.

답 ❶ 0 ❷ 같다

## 10 최고차항의 계수가 1인 삼차함수 $f(x)$가 다음 조건을 만족시킨다.

> (가) $f(1)=f'(1)=0$
> (나) $\lim_{x\to2}\frac{f(x)-f(2)}{x^2-4}=\frac{3}{4}$

$f'(0)+f(0)$의 값은?

① 1 ② 2 ③ 3
④ 4 ⑤ 5

**Tip**

$$\lim_{x\to2}\frac{f(x)-f(2)}{x^2-4}=\lim_{x\to2}\frac{f(x)-f(2)}{x-2}\times\frac{1}{❶\ \_\_\_\_}$$

$$=\frac{1}{4}❷\ \_\_\_\_$$

답 ❶ $x+2$ ❷ $f'(2)$

함수 $f(x)$는 최고차항의 계수가 1인 삼차함수이므로 $f(x)=x^3+ax^2+bx+c$ ($a$, $b$, $c$는 상수)로 놓을 수 있어.

# 누구나 합격 전략

**01** 두 함수 $f(x)=x^2+1$, $g(x)=x+2$에 대하여 다음 중 실수 전체의 집합에서 항상 연속인 함수가 아닌 것은?

① $f(x)$ ② $g(x)$ ③ $f(x)+g(x)$
④ $f(x)g(x)$ ⑤ $\frac{1}{g(x)}$

**02** 함수 $f(x)=x^2-3x-10$에 대하여 함수 $\frac{1}{f(x)}$이 $x=a$, $x=b$에서 불연속일 때, $a+b$의 값은?

① 1 ② 2 ③ 3
④ 4 ⑤ 5

**03** 함수 $y=f(x)$의 그래프가 다음과 같다.

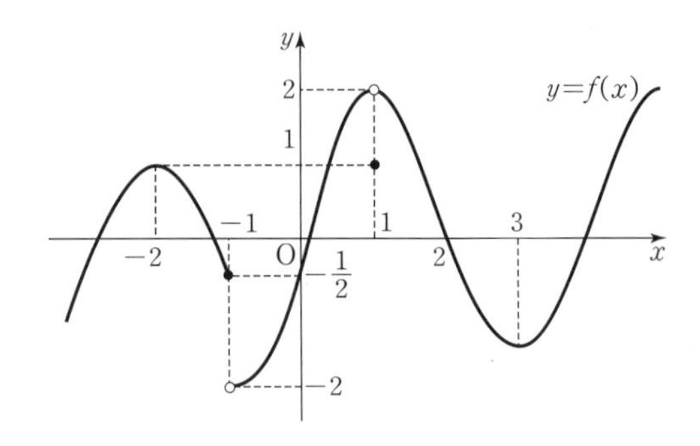

다음 중 함수 $y=f(x)$의 최댓값과 최솟값이 항상 존재하는 구간은?

① $[-2, 0]$ ② $[-1, 1]$ ③ $[-1, 3]$
④ $\left[-\frac{1}{2}, \frac{1}{2}\right]$ ⑤ $[0, 2]$

**04** 방정식 $x^3-3x+4=0$이 오직 하나의 실근을 가질 때, 다음 중 이 방정식의 실근이 존재하는 구간은?

① $(-3, -2)$ ② $(-2, -1)$ ③ $(-1, 0)$
④ $(0, 1)$ ⑤ $(1, 2)$

**05** 함수 $f(x)=-x^2+1$에 대하여 $x$의 값이 0에서 2까지 변할 때의 평균변화율은?

① $-2$ ② $-1$ ③ 0
④ 1 ⑤ 2

**06** 함수 $f(x)=3x^2+1$에 대하여

$\lim_{h \to 0} \frac{f(1+h)-f(1)}{h}$의 값은?

① 2 ② 3 ③ 4
④ 5 ⑤ 6

**07** 함수 $f(x)=3x^2-x+1$의 도함수는?

① $f'(x)=6x$
② $f'(x)=6x-1$
③ $f'(x)=6x+1$
④ $f'(x)=3x^2-x$
⑤ $f'(x)=3x^2-1$

**08** 함수 $f(x)=(x^2+6x)(2x-3)$에 대하여 $f'(3)$의 값은?

① 36 ② 54 ③ 63
④ 90 ⑤ 102

**09** 함수 $f(x)=x^2+ax+b$에 대하여 $f(2)=3$, $f'(0)=2$일 때, $a-b$의 값은? (단, $a$, $b$는 상수이다.)

① $-7$ ② $-3$ ③ 1
④ 5 ⑤ 7

**10** 함수 $f(x)=\begin{cases} ax+b & (x<2) \\ 2x^2 & (x \geq 2) \end{cases}$이 $x=2$에서 미분가능할 때, 상수 $a$, $b$에 대하여 $a+b$의 값은?

① $-8$ ② $-4$ ③ 0
④ 4 ⑤ 8

함수 $f(x)$가 $x=2$에서 미분가능하려면 $x=2$에서 연속이어야 해.

일반적으로 그 역은 성립하지 않으니까 주의해!

# 창의·융합·코딩 전략 ①

**1** 다음 표는 지안이가 집에 머무는 하루 동안 직접 측정한 체온을 기록하여 나타낸 것이다.

| 시각 | 오전 8시 | 오후 12시 | 오후 3시 | 오후 6시 | 오후 9시 |
|---|---|---|---|---|---|
| 체온 | 36.2 °C | 36.5 °C | 36.3 °C | 35.9 °C | 36.2 °C |

오전 8시부터 오후 9시까지의 지안이가 기록한 체온을 보고 세 학생 A, B, C가 나눈 대화에서 항상 옳은 설명을 한 학생만을 있는 대로 고른 것은?

① A ② B ③ C
④ A, B ⑤ A, C

**Tip**

지안이의 체온을 나타내는 함수는 ❶ ☐ 함수이므로 ❷ ☐ 의 정리를 이용할 수 있다.

답 ❶ 연속 ❷ 사잇값

**2** 다음은 섭씨온도와 화씨온도에 대해 설명한 것이다.

- **섭씨온도**: 1기압 하에서 순수한 물이 어는점을 0 °C, 끓는점을 100 °C로 하여 이 두 값 사이를 100등분한 온도
- **화씨온도**: 독일의 파렌하이트(Fahrenheit)가 창안한 온도로 1기압 하에서 물의 어는점을 32 °F, 끓는점을 212 °F로 정하고 이 두 값 사이를 180등분한 온도

위의 자료에 따르면 섭씨온도와 화씨온도는 일대일대응이라 한다. 섭씨온도에 대한 화씨온도의 평균변화율은?

① $-\frac{9}{5}$ ② $-\frac{1}{6}$ ③ $\frac{1}{6}$
④ $\frac{3}{2}$ ⑤ $\frac{9}{5}$

**Tip**

- 0 °C = ❶ ☐ °F, 100 °C = 212 °F
- 섭씨온도와 화씨온도의 관계식은 ❷ ☐ 이다.

답 ❶ 32 ❷ 일차식

**3** 찬혁이는 다음 그림과 같이 네 가지 모양의 종이 조각을 이용하여 좌표평면 위에 색칠한 부분을 내부로 하는 도형을 만들었다.

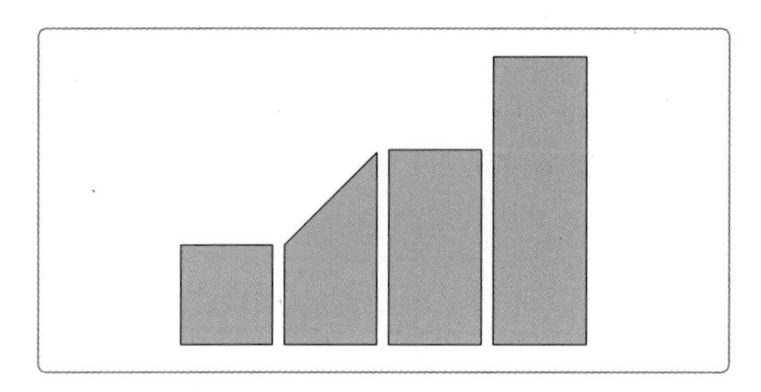

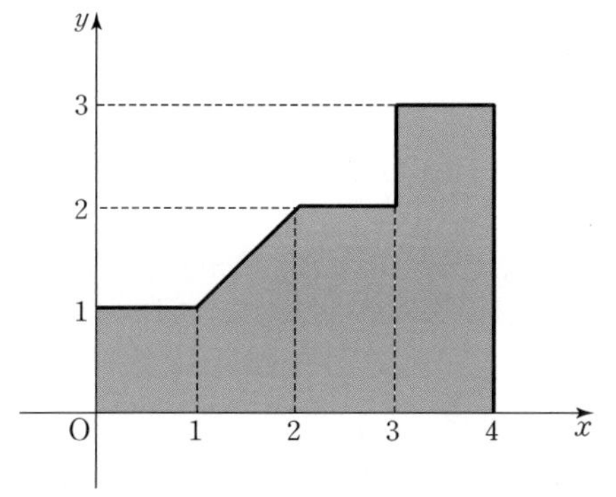


닫힌구간 $[0, t]$에서 이 도형이 나타내는 영역의 넓이를 함수 $f(t)$라 하자. 함수 $f(t)$에서 $t$의 값이 1에서 3까지 변할 때의 평균변화율은?

① 1　② $\frac{5}{4}$　③ $\frac{3}{2}$

④ $\frac{7}{4}$　⑤ 2

**Tip**

함수 $f(x)$에서 $x$의 값이 $a$에서 $b$까지 변할 때의 평균변화율은 $\frac{❶\square-f(a)}{b-❷\square}$

답 ❶ $f(b)$ ❷ $a$

**4** 다음 그림은 스키 점프 트랙의 옆에서 본 모습을 좌표평면 위에 두 함수 $y=-\frac{3}{5}x+1$, $y=-\frac{1}{6}x+\frac{1}{3}$의 그래프의 일부로 나타낸 것이다.

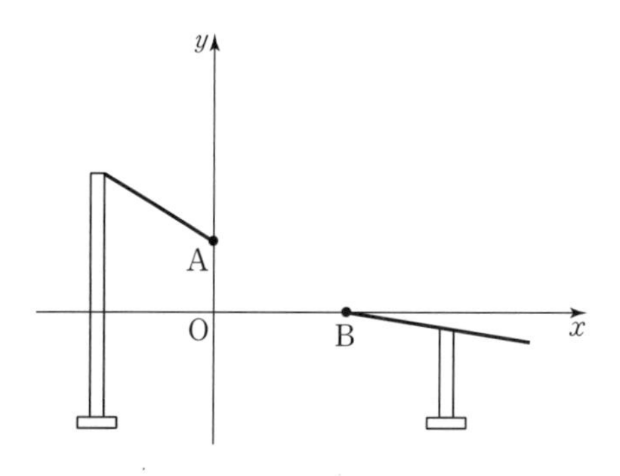


$0\le x\le 2$에서 정의된 함수 $y=ax^3+bx^2+cx+1(a\ne 0)$의 그래프를 이용하여 두 점 $A(0, 1)$, $B(2, 0)$ 사이를 연결하려고 한다. 이때 스키 점프 트랙 전체를 나타내는 그래프에 대응하는 함수가 열린구간 $(-1, 3)$에서 미분가능할 때, $120a+15b+5c$의 값을 구하시오. (단, $a$, $b$, $c$는 상수이다.)

**Tip**

함수 $f(x)=\begin{cases} h(x) & (x<a) \\ g(x) & (x\ge a) \end{cases}$가 $x=a$에서 미분가능하면 $x=$❶____에서 연속이고, ❷____가 존재한다.

답 ❶ $a$ ❷ $f'(a)$

# 창의·융합·코딩 전략 ②

**5** 다음은 구간 단속 카메라에 대한 신문 기사 내용이다.

[○○뉴스]

**구간 단속 카메라 대폭 늘린다**

과속 차량을 감소시켜 교통사고 예방 효과를 보여 주고 있는 구간 단속 카메라 설치가 올해 대폭 확대될 전망이다. 구간 단속 카메라는 단속 시작 구간에서 차량의 번호판을 촬영하고, 단속 종료 구간에서 한 번 더 촬영한 후, 시작 구간에서 종료 구간까지의 평균 속도를 계산하여 제한 속도를 넘어가면 단속한다.

총 10 km이고, 제한 속도가 100 km/h인 단속 구간을 자동차 A가 제한 속도를 초과하지 않고 통과하였다. 자동차 A가 단속 구간을 통과하는 데 걸린 시간의 최솟값은 몇 분인가?

① 5 ② 6 ③ 7
④ 8 ⑤ 9

**Tip**

- 단속 구간을 통과하는 데 걸린 시간을 $t$시간이라 하면
  (단속 구간에서의 평균 속도) $= \dfrac{❶\boxed{\phantom{00}}}{t}$
- $\dfrac{1}{10}$시간 $= \dfrac{6}{❷\boxed{\phantom{00}}}$시간이므로
  $\dfrac{1}{10}$시간 $=$ 6분

답 ❶ 10 ❷ 60

**6** 두 자동차 A, B가 같은 지점에서 동시에 출발하여 4분 동안 달렸다. 아래 그림은 두 자동차 A, B가 $x$분 동안 달린 거리 $y$ km를 나타낸 그래프이다. 다음 대화에서 옳은 것만을 말한 학생을 있는 대로 고른 것은?

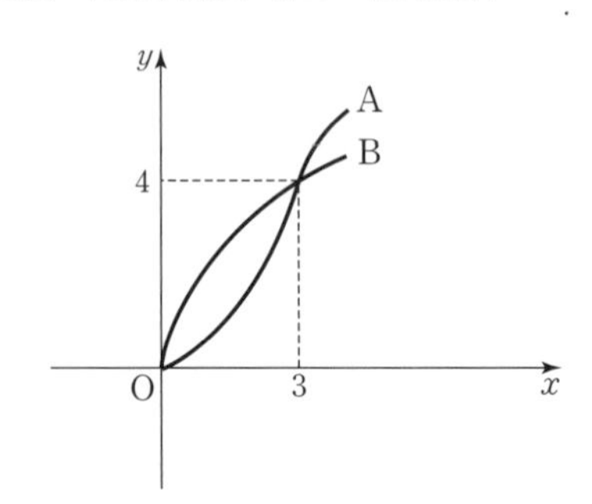

① 지열 ② 예리 ③ 지열, 예리
④ 지열, 나영 ⑤ 예리, 나영

**Tip**

두 자동차 A, B에 대하여 $x=3$에서 ❶ $\boxed{\phantom{00}}$의 값이 서로 같다. 즉 두 자동차 A, B는 닫힌구간 $[0, 3]$에서 같은 시간 동안 같은 거리를 이동하였으므로 ❷ $\boxed{\phantom{00}}$이 서로 같다.

답 ❶ $y$ ❷ 평균변화율

**7** 다음과 같은 두 연산프로그램이 있다.

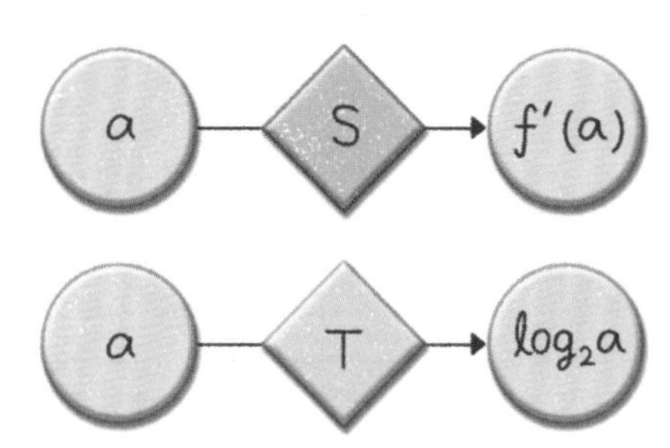


함수 $f(x)=(x-1)(x+3)$에 대하여 아래 연산을 따라 출력한 세 수를 각각 (가), (나), (다)라 하자. 세 수 (가), (나), (다)의 합은?

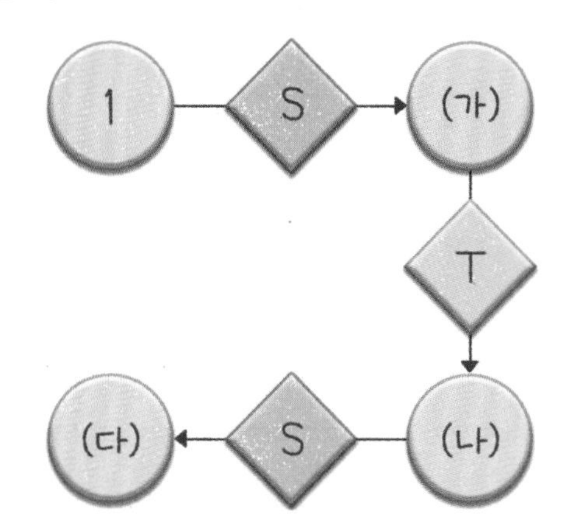


① 10 ② 11 ③ 12
④ 13 ⑤ 14

**Tip**

$f(x)=(x-1)(x+3)$에서

$f'(x)=1\times($ ❶ $)+(x-1)\times 1$

$=2x+$ ❷

답 ❶ $x+3$ ❷ $2$

**8** 전선에 흐르는 전류의 세기는 어떤 시각에서 전하량의 순간변화율을 나타낸다. 어느 전선에 전류가 흐르기 시작하여 $t$초 동안 흐르는 전하량을 $Q(t)$라 할 때,

$$Q(t)=\frac{1}{3}t^3+t^2$$

이 성립한다고 한다. $t=15$일 때, 이 전선에 흐르는 전류의 세기는 몇 A(암페어)인가? (단, 전류의 세기의 단위는 A(암페어)이고, 전하량의 단위는 C(쿨롱)이다.)

① 255 ② 256 ③ 257
④ 258 ⑤ 259

**Tip**

• $Q(t)=\frac{1}{3}t^3+t^2$에서 $Q'(t)=t^2+$ ❶

• $y=x^n$ ($n$은 양의 정수)의 도함수는

$y'=$ ❷ $x^{n-1}$

답 ❶ $2t$ ❷ $n$

# 전편 마무리 전략

## 핵심 한눈에 보기

### 함수 $f(x)=\begin{cases} -x & (x\le 1) \\ x & (x>1) \end{cases}$의 $x=1$에서의 좌극한과 우극한

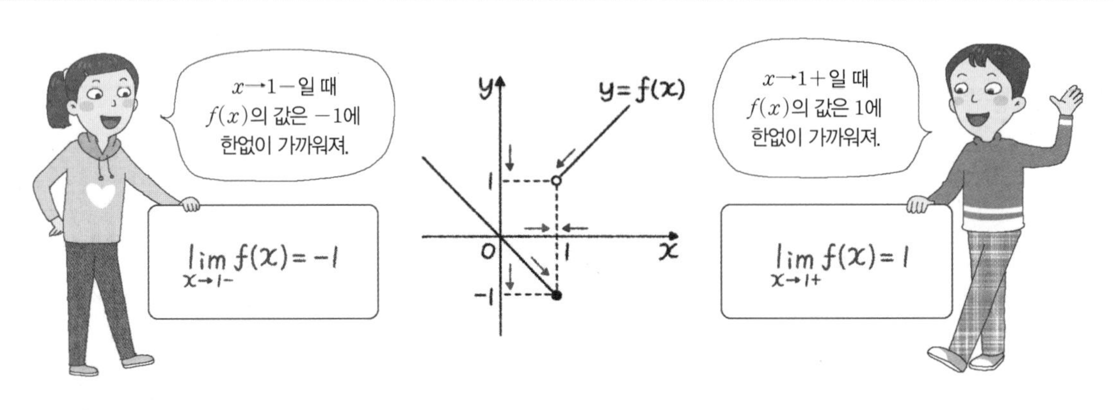


### 함수의 극한의 성질

### 함수의 연속

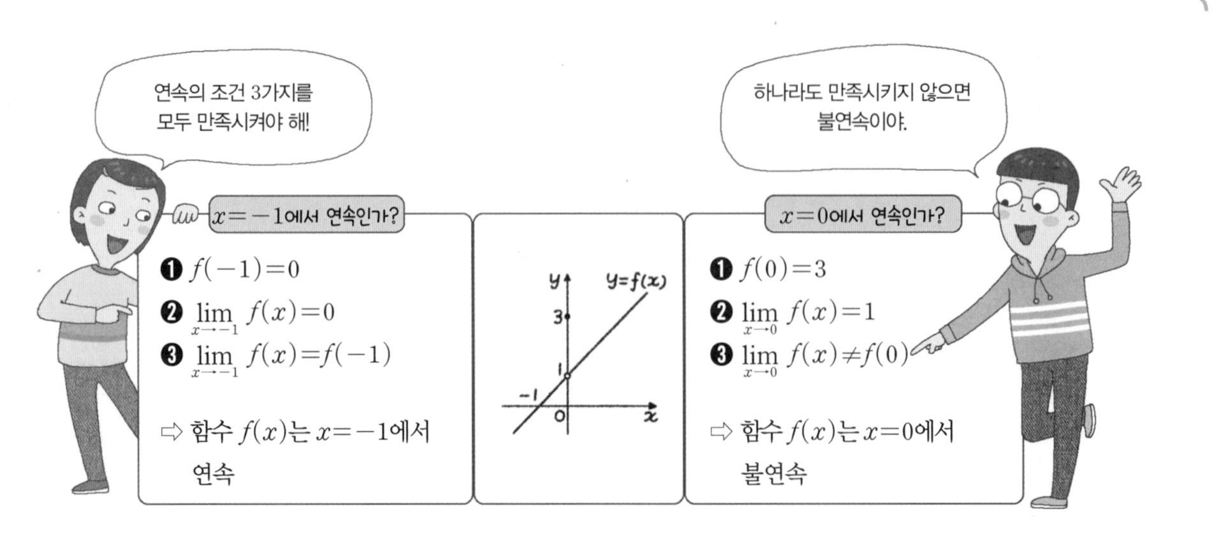

## 사잇값의 정리

함수 $f(x)$가 닫힌구간 $[a,\ b]$에서 연속이고 $f(a) \neq f(b)$이면 $f(a)$와 $f(b)$ 사이의 임의의 실수 $k$에 대하여 $f(c)=k$인 $c$가 열린구간 $(a,\ b)$에 적어도 하나 존재한다.

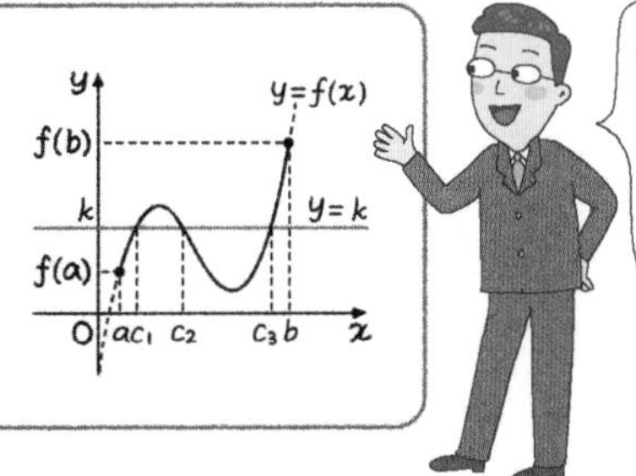


사잇값의 정리를 이용하면 방정식 $f(x)=0$이 열린구간 $(a,\ b)$에서 적어도 하나의 실근을 가짐을 보일 수 있어.

## 평균변화율과 미분계수

미분계수가 존재하면 미분가능하다고 해.

역은 성립하지 않으니까 주의해!

함수 $f(x)$에서 $x$의 값이 $a$에서 $b$까지 변할 때의 평균변화율은

$$\frac{\Delta y}{\Delta x}=\frac{f(b)-f(a)}{b-a}$$

함수 $f(x)$에서 $x=a$에서의 순간변화율 또는 미분계수는

$$f'(a)=\lim_{h \to 0}\frac{f(a+h)-f(a)}{h}=\lim_{x \to a}\frac{f(x)-f(a)}{x-a}$$

◆ 미분가능성과 연속성

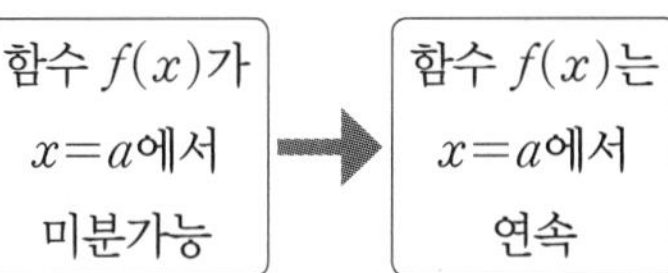


## 도함수

도함수를 이용하여 미분계수를 쉽게 구할 수 있어.

함수 $f(x)=x^n$과 상수함수의 도함수

❶ $f(x)=x^n$ ($n$은 2 이상의 양의 정수) ⇨ $f'(x)=nx^{n-1}$

❷ $f(x)=x$ ⇨ $f'(x)=1$

❸ $f(x)=c$ ($c$는 상수) ⇨ $f'(x)=0$

두 함수 $f(x)$, $g(x)$가 미분가능할 때

❶ $\{cf(x)\}'=cf'(x)$ (단, $c$는 상수)

❷ $\{f(x)+g(x)\}'=f'(x)+g'(x)$

❸ $\{f(x)-g(x)\}'=f'(x)-g'(x)$

❹ $\{f(x)g(x)\}'=f'(x)g(x)-f(x)g'(x)$

함수의 미분법은 자주 사용하니까 잘 기억해 둬.

# 신유형·신경향 전략

**01** $-1<x<4$에서 정의된 함수 $y=f(x)$의 그래프가 다음 그림과 같다.

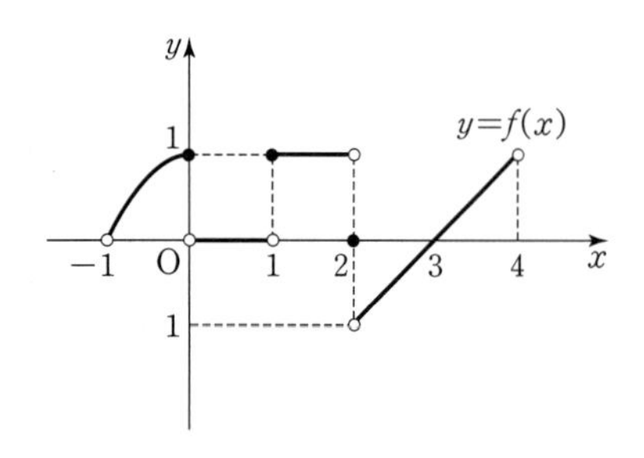


다음 조건을 만족시키는 세 정수 $p$, $q$, $r$에 대하여 $p+q-r$의 값을 구하시오.

**Tip**

- 함수 $f(x)$가 $x=a$에서 연속이면 $\lim_{x \to a} f(x)=$ ❶
- $\lim_{x \to r-} f(x)-\lim_{x \to r+} f(x)=2$이므로 $x=r$에서의 좌극한값과 우극한값의 차는 ❷ 이다.

답 ❶ $f(a)$ ❷ 2

**02** 다음은 어떤 주사위 놀이에 대한 설명이다.

> ① 주사위는 정육면체 모양이다.
> ② 눈의 수는 1, 2, 3, 4, 5, 6이고, 마주 보는 두 면에 적힌 눈의 수의 합이 모두 같다.
> ③ 주사위를 공중에 던져 바닥에 떨어졌을 때, 윗면에 적힌 눈의 수를 결과로 한다.
> ④ 주사위 한 개를 던져 나온 눈의 수가 $\lim_{x \to 1} \frac{x^2+ax}{x-1}$의 값과 같을 때, 바닥에 맞닿아 보이지 않는 면의 눈의 수를 $b$라 한다.

상수 $a$, $b$에 대하여 $a+b$의 값을 구하시오.

**Tip**

주사위를 던져 나온 눈의 수가 $\lim_{x \to 1} \frac{x^2+ax}{x-1}$의 값과 같으므로

$\lim_{x \to 1} \frac{x^2+ax}{x-1}$는 ❶ 한다.

$x \to 1$일 때, $\lim_{x \to 1}(x-1)=0$이므로

$\lim_{x \to 1}(x^2+ax)=$ ❷

답 ❶ 수렴 ❷ 0

**03** 함수 $y=f(x)$의 그래프가 다음 그림과 같을 때, 보기에서 옳은 것만을 있는 대로 고른 학생을 찾으시오.

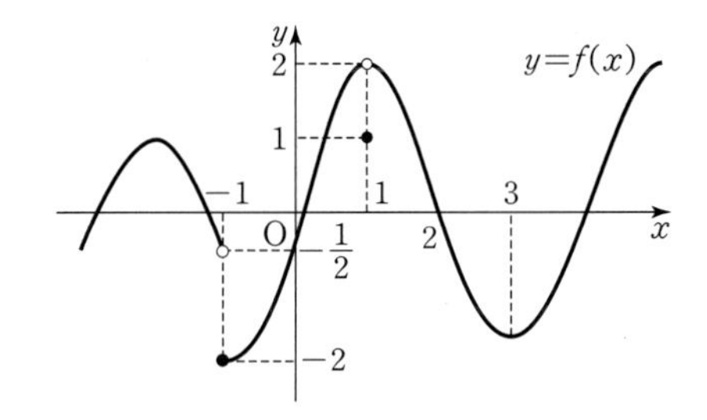


보기

ㄱ. $\lim_{x \to 1} f(x)$가 존재한다.

ㄴ. 함수 $f(x)$는 닫힌구간 $[0, 2]$에서 최댓값이 존재한다.

ㄷ. 함수 $f(x)f(x+1)$은 $x=1$에서 연속이다.

**Tip**

- $\lim_{x \to 1} f(x)$가 존재하려면 $\lim_{x \to 1-} f(x)=$ ❶
- 함수 $f(x)f(x+1)$이 $x=1$에서 연속이려면 $\lim_{x \to 1} f(x)f(x+1)=$ ❷

답 ❶ $\lim_{x \to 1+} f(x)$ ❷ $f(1)f(2)$

**04** 다음은 함수의 극한에 대한 두 가지 정리이다.

[정리 1] $\lim_{x \to a} \frac{f(x)}{x-a}=k$ ($k$는 상수)이면 $f(a)=0$이다.

[정리 2] 유리함수 $\frac{1}{f(x)}$은 $f(a)=0$인 $x=a$에서 발산한다.

위의 [정리 1], [정리 2]를 이용하여 다음 조건을 만족시키는 다항함수 $f(x)$ 중 차수가 가장 낮은 함수를 $g(x)$라 할 때, $g(1)$의 값을 구하시오.

(가) $\lim_{x \to -1} \frac{f(x)}{x+1}=2$

(나) $\lim_{x \to 0} \frac{1}{f(x)}$의 값이 존재하지 않는다.

**Tip**

- 조건 (가)에서 $\lim_{x \to -1} \frac{f(x)}{x+1}=2$이므로 [정리 1]에 의하여 $f(-1)=$ ❶
- 조건 (나)에서 $\lim_{x \to 0} \frac{1}{f(x)}$의 값이 존재하지 않으므로 [정리 2]에 의하여 $f(0)=$ ❷

답 ❶ 0 ❷ 0

**05** 네 점 P(2, 1), Q(2, −1), R(4, −1), S(4, 1)을 꼭짓점으로 하는 정사각형 PQRS와 중심이 $x$축 위에 있고 반지름의 길이가 1인 원 $C$가 있다. 원 $C$의 중심의 좌표가 $(a, 0)$일 때, 원 $C$와 정사각형 PQRS의 교점의 개수를 $f(a)$라 하자. $\lim_{a \to k} f(a) \neq f(k)$를 만족시키는 모든 실수 $k$의 값의 합을 구하시오.

**Tip**

$a$의 값의 범위를 나누어 각 범위에 대한 ❶ [ ]의 값을 구한 다음 그래프를 그려 $a=k$에서 ❷ [ ]인 점을 찾는다.

답 ❶ $f(a)$ ❷ 불연속

**06** A 제품을 $x$ kg 생산하는 데 드는 비용을 $P(x)$원이라 하면

$$P(x)=x^3-30x^2+200x+300$$

이 성립한다고 한다. 생산량을 $\Delta x$만큼 늘릴 때 증가한 생산 비용을 $\Delta y$라 하면 $\Delta x$가 0에 한없이 가까워질 때의 $\frac{\Delta y}{\Delta x}$의 극한값을 $x$ kg을 생산할 때의 한계 비용이라 한다. A 제품을 20 kg 생산할 때의 한계 비용을 구하시오.

기업의 의사결정에서 중요한 것은 한계 수입과 한계 비용이다. 한계 수입은 생산량을 한 단위 증가시켰을 때 총수입이 얼마나 변하는지를 나타내고, 한계 비용은 생산량을 한 단위 증가시켰을 때 총비용이 얼마나 변하는지를 나타낸다.

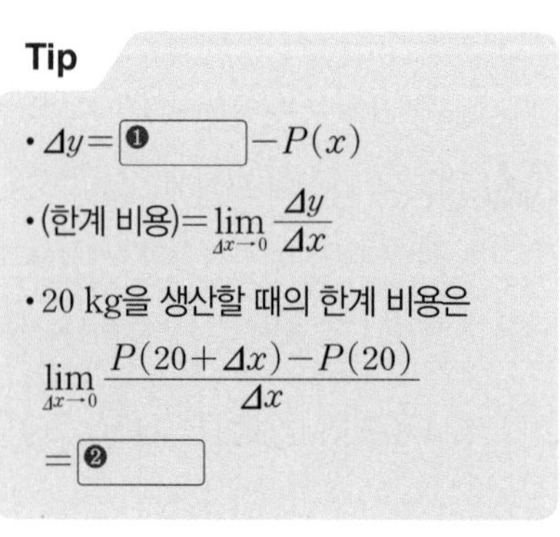
**Tip**

- $\Delta y=$ ❶ [ ] $-P(x)$
- (한계 비용)$=\lim_{\Delta x \to 0} \frac{\Delta y}{\Delta x}$
- 20 kg을 생산할 때의 한계 비용은 $\lim_{\Delta x \to 0} \frac{P(20+\Delta x)-P(20)}{\Delta x}$ $=$ ❷ [ ]

답 ❶ $P(x+\Delta x)$ ❷ $P'(20)$

## 07 모든 실수 $x$에서 미분가능한 함수 $y=f(x)$의 그래프가 다음 그림과 같다.

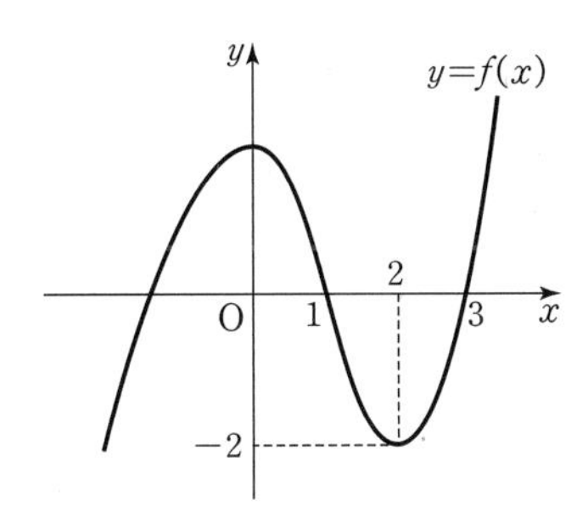


$g(x)=(x-1)f(x)$라 할 때, 보기에서 옳은 것만을 있는 대로 고르시오.

(단, $f'(2)=0$)

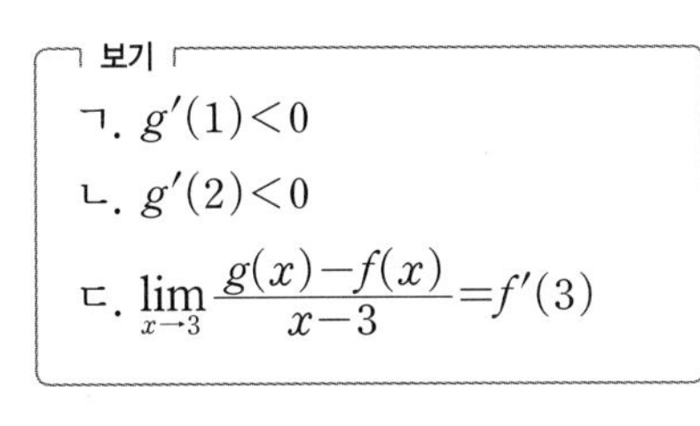
보기

ㄱ. $g'(1)<0$

ㄴ. $g'(2)<0$

ㄷ. $\lim_{x\to 3}\dfrac{g(x)-f(x)}{x-3}=f'(3)$

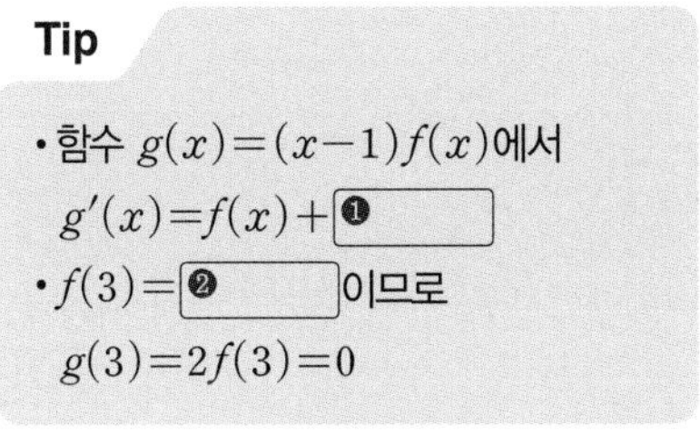
**Tip**

• 함수 $g(x)=(x-1)f(x)$에서
$g'(x)=f(x)+$ ❶ $\square$

• $f(3)=$ ❷ $\square$ 이므로
$g(3)=2f(3)=0$

답 ❶ $(x-1)f'(x)$ ❷ $0$

## 08 어떤 박테리아를 용기에 배양할 때, 배양을 시작한 지 $x$ $(x>0)$시간 후의 박테리아의 밀도를 $f(x)$라 하자. 함수 $f(x)$는 $x>0$인 모든 실수 $x$에서 미분가능하고, 음이 아닌 실수 $x$, $y$에 대하여 다음 조건을 만족시킨다.

(가) $\lim_{h\to 0+}\dfrac{f(h)}{h}=\dfrac{2}{3}$

(나) $f(x+y)=f(x)+f(y)+xy(x+y)$

3시간 후의 박테리아의 밀도의 변화율 $f'(3)$의 값을 구하시오.

**Tip**

조건 (나)의 식에 $y=$ ❶ $\square$ 를 대입하여 정리하면

$\dfrac{f(x+h)-f(x)}{h}=\dfrac{f(h)}{h}+$ ❷ $\square$

답 ❶ $h$ ❷ $x(x+h)$

# 1·2등급 확보 전략 1회

## 01

함수 $y=f(x)$의 그래프가 다음과 같다.

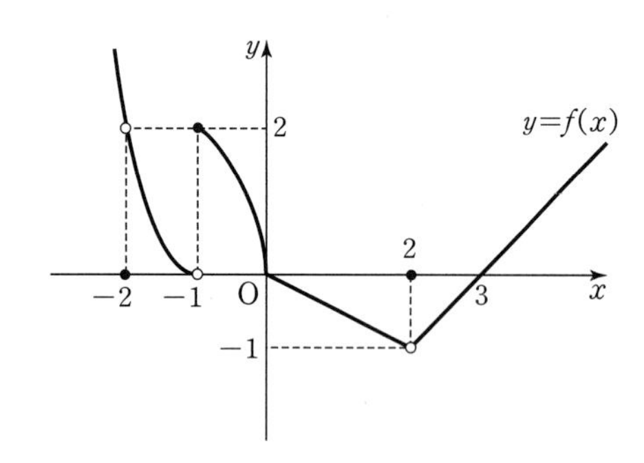


$\lim_{x\to-1+}f(x)-\lim_{x\to2}f(x)$의 값은?

① 1 ② 2 ③ 3 ④ 4 ⑤ 5

## 02

$\lim_{x\to0}\frac{\sqrt{4+x}-2}{x}$의 값은?

① $-1$ ② $-\frac{1}{2}$ ③ 0 ④ $\frac{1}{4}$ ⑤ $\frac{1}{2}$

## 03

$\lim_{x\to0}\frac{1}{x}\left(3+\frac{3}{x-1}\right)$의 값은?

① $-6$ ② $-5$ ③ $-4$ ④ $-3$ ⑤ $-2$

## 04

$\lim_{x\to1}\frac{x-1}{x^2+ax+b}=\frac{1}{3}$이 성립하도록 하는 상수 $a$, $b$에 대하여 $ab$의 값은?

① $-3$ ② $-2$ ③ 1 ④ 2 ⑤ 3

## 05

함수 $f(x)=x^2+ax$에 대하여 $\lim_{x\to 0}\frac{f(x)}{x}=4$일 때, 상수 $a$의 값은?

① 4 ② 5 ③ 6
④ 7 ⑤ 8

## 06

최고차항의 계수가 1인 이차함수 $f(x)$에 대하여

$$f(-1)=2,\ f(0)=0$$

일 때, $\lim_{x\to -1}\frac{f(x)-2}{x+1}$의 값은?

① $-3$ ② $-2$ ③ $-1$
④ 0 ⑤ 1

## 07

모든 실수 $x$에서 연속인 함수 $f(x)$에 대하여

$$f(-1)=3,\ \lim_{x\to -1}(x^3+ax-1)f(x)=12$$

일 때, 상수 $a$의 값은?

① $-6$ ② $-3$ ③ 0
④ 3 ⑤ 6

## 08

다항함수 $f(x)$에 대하여 $\lim_{x\to 2}\frac{(x-2)f(x)}{x^3-8}=\frac{1}{3}$일 때, $f(2)$의 값은?

① 2 ② 4 ③ 6
④ 8 ⑤ 10

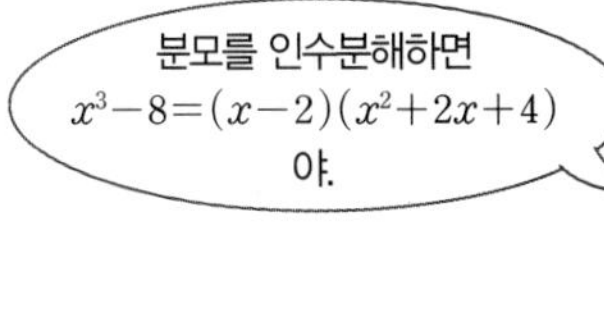

## 09

다항함수 $f(x)$가 다음 조건을 만족시킨다.

(가) $\lim_{x\to\infty}\frac{f(x)}{x^2}=-2$

(나) $\lim_{x\to 0}\frac{f(x)}{x}=4$

함수 $f(x)$의 최댓값은?

① $-2$ ② $-1$ ③ $0$

④ $1$ ⑤ $2$

## 10

실수 전체의 집합에서 정의된 두 함수 $f(x)$, $g(x)$에 대하여

$$\begin{cases} f(x)+g(x)=x^2+4 & (x<0) \\ f(x)-g(x)=x^2+2x+8 & (x>0) \end{cases}$$

이다. 함수 $f(x)$가 $x=0$에서 연속이고 $f(0)=2$일 때, $\lim_{x\to 0-}g(x)-\lim_{x\to 0+}g(x)$의 값은?

① $2$ ② $4$ ③ $6$

④ $8$ ⑤ $10$

## 11

함수 $f(x)=\begin{cases} \frac{x^2-2x-3}{x-3} & (x\neq 3) \\ a & (x=3) \end{cases}$가 모든 실수 $x$에서 연속일 때, 상수 $a$의 값은?

① $4$ ② $5$ ③ $6$

④ $7$ ⑤ $8$

## 12

함수 $f(x)=\begin{cases} x+2 & (x\le a) \\ x-1 & (x>a) \end{cases}$에 대하여 함수 $|f(x)|$가 모든 실수 $x$에서 연속일 때, 함수 $y=|f(x)|$의 그래프와 $x$축으로 둘러싸인 도형의 넓이는? (단, $a$는 상수이다.)

① $\frac{3}{2}$ ② $2$ ③ $\frac{9}{4}$

④ $\frac{5}{2}$ ⑤ $3$

## 13

모든 실수 $x$에서 연속인 함수 $f(x)$가

$$f(x)=f(x+4),\ f(x)=\begin{cases} 3x & (0\le x<1) \\ x^2+ax+b & (1\le x\le 4) \end{cases}$$

를 만족시킬 때, $f(15)$의 값은? (단, $a$, $b$는 상수이다.)

① $-3$ ② $-1$ ③ $1$
④ $3$ ⑤ $5$

## 14

다음 그림과 같이 직선 $y=x$ 위의 점 $\mathrm{P}(t,\ t)(t>0)$에 대하여 점 P를 지나고 $x$축에 평행한 직선이 곡선 $y=\sqrt{2x}$와 만나는 점을 Q라 하자. $\overline{\mathrm{PQ}}$의 길이를 $f(t)$라 할 때, $\lim_{t\to 2-}\frac{f(t)}{t-2}$의 값은?

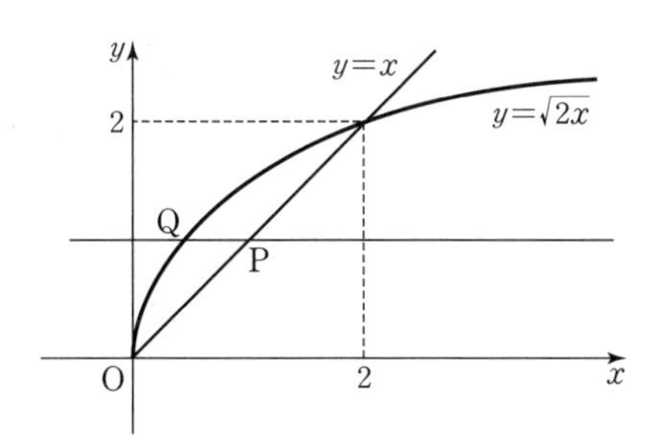


① $-3$ ② $-2$ ③ $-1$
④ $-\frac{1}{2}$ ⑤ $-\frac{1}{4}$

## 15

이차함수 $f(x)$가 다음 조건을 만족시킨다.

> (가) 함수 $\frac{x}{f(x)}$는 $x=1,\ x=2$에서 불연속이다.
>
> (나) $\lim_{x\to 1}\frac{f(x)}{x-1}=-3$

$f(4)$의 값은?

① $10$ ② $12$ ③ $14$
④ $16$ ⑤ $18$

## 16

$x\ge -7$인 모든 실수 $x$에서 연속인 함수 $f(x)$가

$$(x-2)f(x)=\sqrt{x+7}-3$$

을 만족시킬 때, $f(2)$의 값은?

① $\frac{1}{6}$ ② $\frac{1}{3}$ ③ $\frac{1}{2}$
④ $1$ ⑤ $3$

# 1·2등급 확보 전략 2회

## 01

모든 실수 $x$에서 연속인 함수 $f(x)$가

$\lim_{x\to2}(x+1)f(x)=6$을 만족시킬 때, $\lim_{x\to1}\frac{f(x+1)}{x+1}$의 값은?

① $-2$　② $-1$　③ $1$
④ $2$　⑤ $3$

## 02

실수 전체의 집합에서 정의된 두 함수 $y=f(x)$, $y=g(x)$의 그래프가 다음 그림과 같을 때, 보기에서 옳은 것만을 있는 대로 고른 것은?

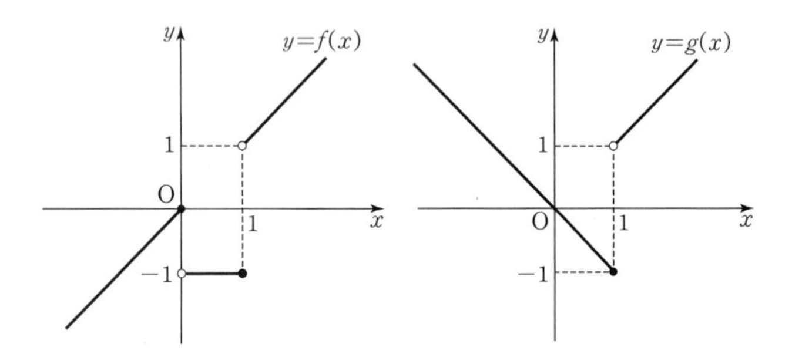


보기

ㄱ. $\lim_{x\to1-}f(x)=f(1)$

ㄴ. $\lim_{x\to1}|g(x)|=|g(1)|$

ㄷ. 함수 $f(x)g(x)$는 모든 실수 $x$에서 연속이다.

① ㄱ　② ㄷ　③ ㄱ, ㄴ
④ ㄱ, ㄷ　⑤ ㄱ, ㄴ, ㄷ

## 03

모든 실수 $x$에서 연속인 함수 $f(x)$가

$$\lim_{x\to0+}f(x)=2,\ \lim_{x\to0}f(x+1)=-1$$

을 만족시킨다. 이차방정식 $x^2+ax+b=0$의 두 근이 $f(0)$, $f(1)$일 때, 상수 $a$, $b$에 대하여 $a+b$의 값은?

① $-3$　② $-2$　③ $-1$
④ $2$　⑤ $3$

## 04

함수 $y=f(x)$의 그래프가 다음 그림과 같다.

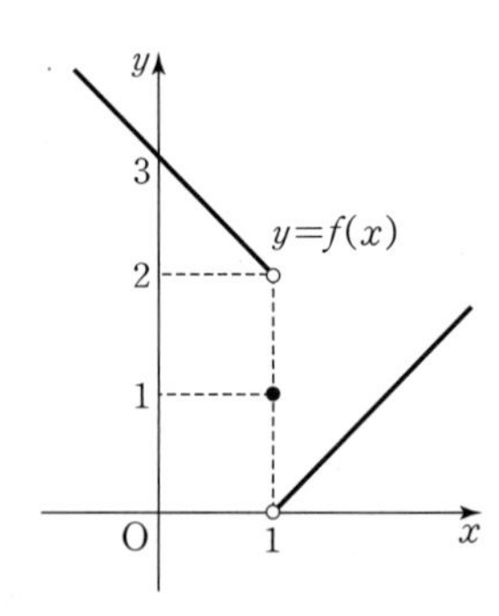


일차함수 $g(x)$에 대하여 두 함수 $f(x)$, $g(x)$의 그래프가 $y$축에서 만나고, 함수 $f(x)g(x)$가 모든 실수 $x$에서 연속일 때, $g(-1)$의 값은?

① $0$　② $2$　③ $4$
④ $6$　⑤ $8$

## 05

실수 전체의 집합에서 정의된 함수 $f(x)$가

$$f(x)=f(-x),\ f(x)=\begin{cases} 1 & (0\le x<1) \\ x-1 & (x\ge 1) \end{cases}$$

을 만족시킨다. 함수 $g(x)=(x^2+ax+b)f(x)$가 모든 실수 $x$에서 연속일 때, 상수 $a$, $b$에 대하여 $a+2b$의 값은?

① $-2$　② $-1$　③ $1$
④ $2$　⑤ $3$

## 06

함수 $f(x)=x^2-2x$에 대하여 $x$의 값이 $0$에서 $a$까지 변할 때의 평균변화율과 $x=2$에서의 순간변화율이 같을 때, 상수 $a$의 값은?

① 2　② 3　③ 4
④ 5　⑤ 6

## 07

다항함수 $f(x)$에 대하여 $x$의 값이 $n$에서 $n+1$까지 변할 때의 평균변화율은 $2n$이다. 함수 $y=f(x)$에 대하여 $x$의 값이 1에서 10까지 변할 때의 평균변화율은? (단, $n$은 자연수이다.)

① 7　② 8　③ 9
④ 10　⑤ 11

## 08

함수 $f(x)=x^4-x^2+3$에 대하여 $\lim_{h\to 0}\frac{f(1+2h)-f(1)}{h}$의 값은?

① 2　② 3　③ 4
④ 5　⑤ 6

## 09

함수 $f(x)$가 모든 실수 $x$에 대하여

$$f(3+x)-f(3)=x^3+6x^2+5x$$

를 만족시킬 때, $f'(3)$의 값은?

① 2 ② 3 ③ 4
④ 5 ⑤ 6

## 10

함수 $f(x)=2x^2-3x+5$에 대하여

$\lim_{n\to\infty}n\left\{f\left(1+\frac{2}{n}\right)-f\left(1-\frac{1}{n}\right)\right\}$의 값은?

① 1 ② 2 ③ 3
④ 4 ⑤ 5

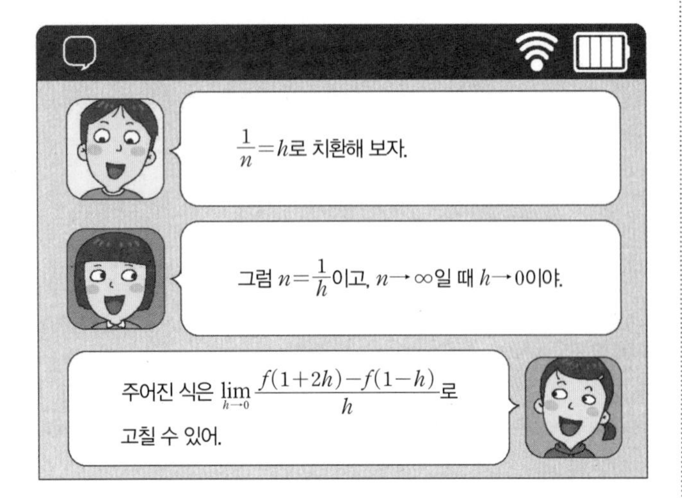


## 11

다항함수 $f(x)$가 $\lim_{x\to1}\frac{f(x+1)-1}{x-1}=5$를 만족시킬 때,

$f(2)+f'(2)$의 값은?

① 2 ② 3 ③ 4
④ 5 ⑤ 6

## 12

다항함수 $y=f(x)$의 그래프와 직선 $y=x-1$이 $x$축에서 만나고, $\lim_{x\to1}\frac{\{f(x)\}^2-f(x)}{x^2-1}=8$을 만족시킬 때, $f'(1)$의 값은?

① $-16$ ② $-8$ ③ $-4$
④ 4 ⑤ 8

## 13

다항함수 $f(x)$가 $\lim_{x \to 3} \frac{f(x)-2}{x-3}=1$을 만족시킬 때,

함수 $g(x)=(x+1)f(x)$의 $x=3$에서의 미분계수는?

① 5 ② 6 ③ 7
④ 8 ⑤ 9

## 14

함수 $f(x)=(x+1)(x-1)(x-a)$가
$f'(a)=f'(-1)+f'(1)$을 만족시킬 때, 상수 $a$에 대하여 $a^2$의 값은?

① 1 ② 2 ③ 3
④ 4 ⑤ 5

## 15

함수 $f(x)=\begin{cases} 2x+1 & (x<1) \\ x^2+ax+b & (x \geq 1) \end{cases}$가 모든 실수 $x$에서 미분가능할 때, 상수 $a$, $b$에 대하여 $a^2+b^2$의 값은?

① 2 ② 3 ③ 4
④ 5 ⑤ 6

## 16

최고차항의 계수가 1인 다항함수 $f(x)$가 모든 실수 $x$에 대하여

$$f(x)f'(x)=2x^3-3x^2+7x-3$$

을 만족시킬 때, 함수 $y=f(x)$의 그래프의 $y$절편은?

① 2 ② 3 ③ 4
④ 5 ⑤ 6

memo
시
험
대
박

**book.chunjae.co.kr**

**교재 내용 문의** ························· 교재 홈페이지 ▸ 고등 ▸ 교재상담
**교재 내용 외 문의** ······················ 교재 홈페이지 ▸ 고객센터 ▸ 1:1문의
**발간 후 발견되는 오류** ··············· 교재 홈페이지 ▸ 고등 ▸ 학습지원 ▸ 학습자료실

수능공략 필승학습!
단기간에 끝장내자!

실전에 강한
# 수능전략

BOOK 2

천재교육

실전에 강한

# 수능전략

# 수능전략

수·학·영·역

## 수학Ⅱ

## BOOK 2

# 이 책의 구성과 활용

본책인 BOOK 1과 BOOK2의 구성은 아래와 같습니다.

BOOK 1
1주, 2주

BOOK 2
1주, 2주

BOOK 3
정답과 해설

## 주 도입

본격적인 학습에 앞서, 재미있는 만화를 살펴보며 이번 주에 학습할 내용을 확인해 봅니다.

## 1일

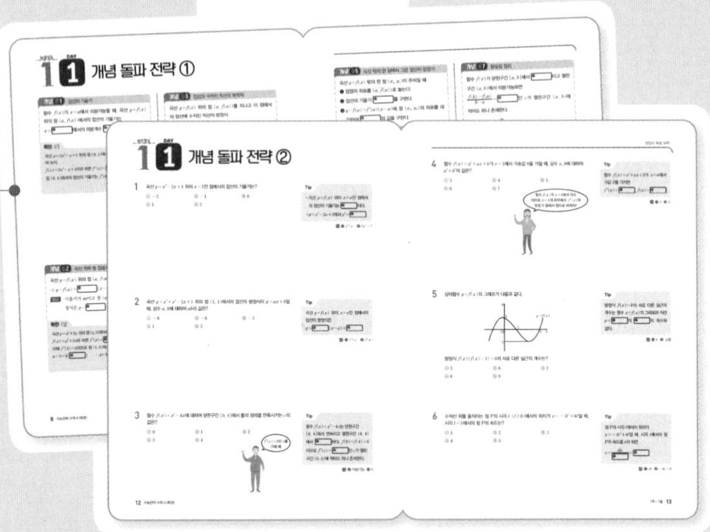


**개념 돌파 전략**
수능을 대비하기 위해 꼭 알아야 할 핵심 개념을 익힌 뒤, 간단한 문제를 풀며 개념을 잘 이해했는지 확인해 봅니다.

## 2일, 3일

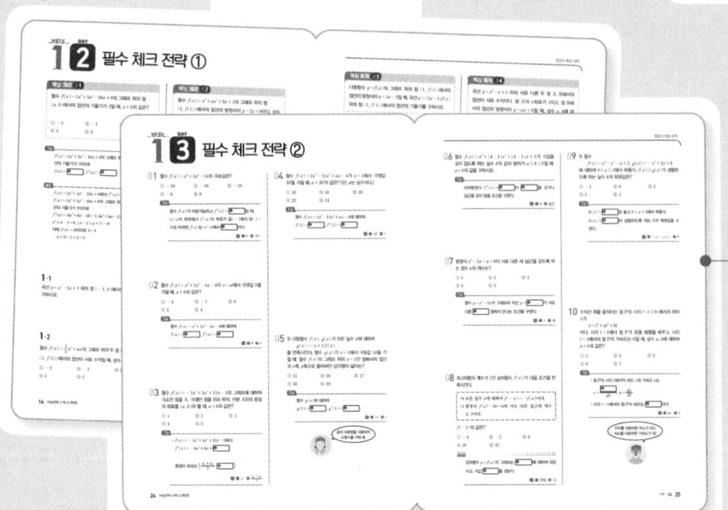


**필수 체크 전략**
기출문제에서 선별한 대표 유형 문제와 쌍둥이 문제를 함께 풀며 문제에 접근하는 과정과 해결 전략을 체계적으로 익혀 봅니다.

본 책에서 다룬 대표 유형과 그 해결 전략을 집중적으로 연습할 수 있도록 권두 부록을 구성했습니다.
부록을 뜯으면 미니북으로 활용할 수 있습니다.

## 주 마무리 코너

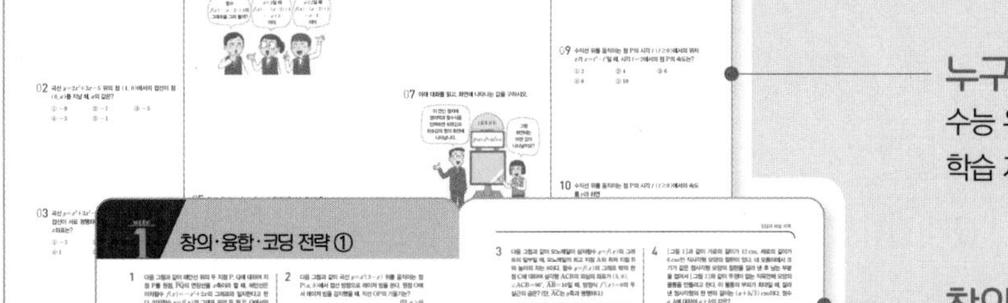


### 누구나 합격 전략

수능 유형에 맞춘 기초 연습 문제를 풀며 학습 자신감을 높일 수 있습니다.

### 창의 · 융합 · 코딩 전략

수능에서 요구하는 융복합적 사고력과 문제 해결력을 기를 수 있습니다.

## 권 마무리 코너

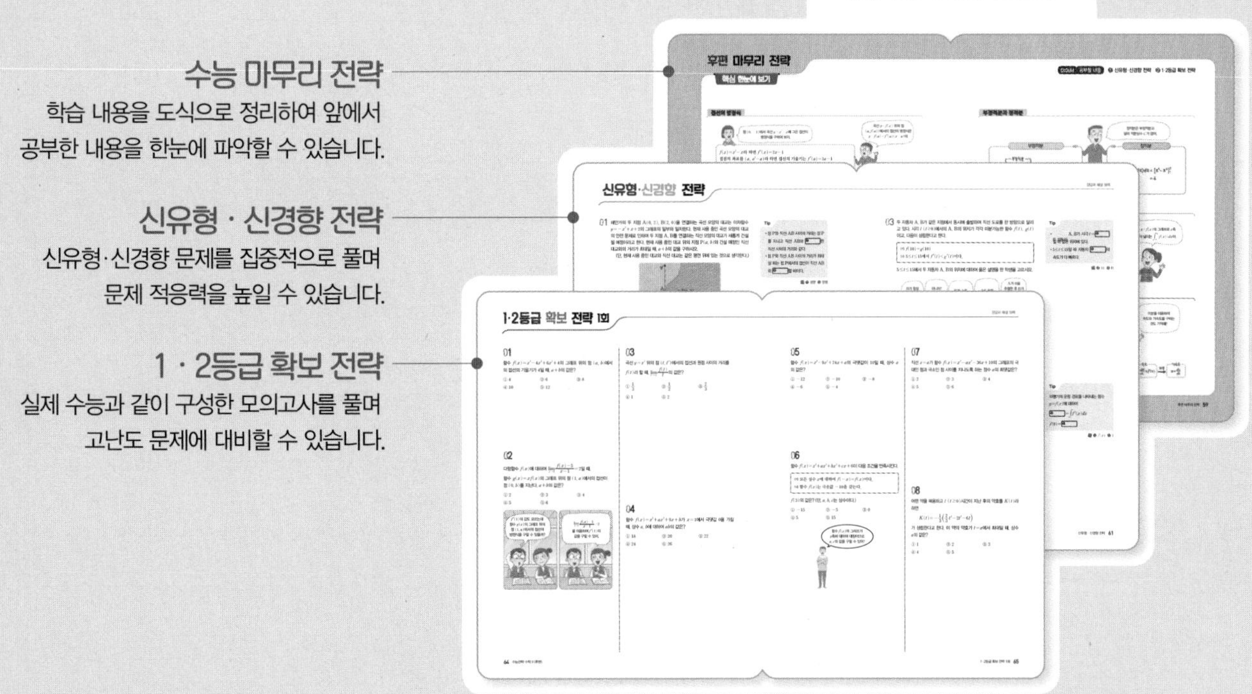


### 수능 마무리 전략

학습 내용을 도식으로 정리하여 앞에서 공부한 내용을 한눈에 파악할 수 있습니다.

### 신유형 · 신경향 전략

신유형·신경향 문제를 집중적으로 풀며 문제 적응력을 높일 수 있습니다.

### 1 · 2등급 확보 전략

실제 수능과 같이 구성한 모의고사를 풀며 고난도 문제에 대비할 수 있습니다.

이 책의 **차례**

BOOK 2

WEEK 1

도함수의 활용



WEEK 2

적분

BOOK 1

WEEK

# 1 도함수의 활용

**공부할 내용** 1. 접선의 방정식 2. 평균값 정리 3. 함수의 증가와 감소, 극대와 극소 4. 속도와 가속도

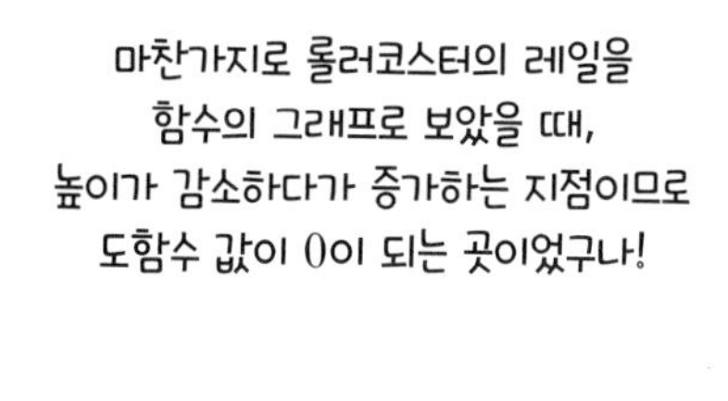

# WEEK 1 DAY 1 개념 돌파 전략 ①

## 개념 01 접선의 기울기

함수 $f(x)$가 $x=a$에서 미분가능할 때, 곡선 $y=f(x)$ 위의 점 $(a, f(a))$에서의 접선의 기울기는

$x=$ ❶ [ ] 에서의 미분계수 ❷ [ ] 와 같다.

답 ❶ $a$ ❷ $f'(a)$

### 확인 01

곡선 $y=2x^3-x+1$ 위의 점 $(0, 1)$에서의 접선의 기울기를 구하여 보자.

$f(x)=2x^3-x+1$이라 하면 $f'(x)=$ ❶ [ ] $-1$이므로

점 $(0, 1)$에서의 접선의 기울기는 $f'(0)=$ ❷ [ ]

답 ❶ $6x^2$ ❷ $-1$

## 개념 02 곡선 위의 한 점에서의 접선의 방정식

곡선 $y=f(x)$ 위의 점 $(a, f(a))$에서의 접선의 방정식

⇨ $y-f(a)=$ ❶ [ ] $(x-a)$

참고 기울기가 $m$이고 점 $(a, b)$를 지나는 직선의 방정식은 $y-$ ❷ [ ] $=m(x-a)$이다.

답 ❶ $f'(a)$ ❷ $b$

### 확인 02

곡선 $y=x^2+2x$ 위의 점 $(1, 3)$에서의 접선의 방정식을 구하여 보자.

$f(x)=x^2+2x$라 하면 $f'(x)=$ ❶ [ ]

이때 $f'(1)=4$이므로 점 $(1, 3)$에서의 접선의 방정식은

$y-3=4($ ❷ [ ] $)$ $\quad \therefore y=4x-1$

답 ❶ $2x+2$ ❷ $x-1$

## 개념 03 접선과 수직인 직선의 방정식

곡선 $y=f(x)$ 위의 점 $(a, f(a))$를 지나고 이 점에서의 접선에 수직인 직선의 방정식

⇨ $y-f(a)=$ ❶ [ ] $(x-a)$ (단, $f'(a)\neq 0$)

참고 기울기의 곱이 ❷ [ ] 인 두 직선은 서로 수직이다.

답 ❶ $-\frac{1}{f'(a)}$ ❷ $-1$

### 확인 03

곡선 $y=x^2-x+2$ 위의 점 $(1, 2)$를 지나고 이 점에서의 접선에 수직인 직선의 방정식을 구하여 보자.

$f(x)=x^2-x+2$라 하면 $f'(x)=2x-1$

$f'(1)=1$이므로 점 $(1, 2)$에서의 접선에 수직인 직선의 기울기는

❶ [ ]

따라서 구하는 직선의 방정식은

$y-2=-(x-1)$ $\quad \therefore y=$ ❷ [ ] $+3$

답 ❶ $-1$ ❷ $-x$

## 개념 04 기울기가 주어진 접선의 방정식

곡선 $y=f(x)$의 접선의 기울기 $m$이 주어질 때

❶ 접점의 좌표를 $(a, f(a))$로 놓는다.

❷ $f'(a)=$ ❶ [ ] 임을 이용하여 접점의 좌표를 구한다.

❸ $y-$ ❷ [ ] $=m(x-a)$를 이용하여 접선의 방정식을 구한다.

답 ❶ $m$ ❷ $f(a)$

### 확인 04

곡선 $y=2x^2+x+3$에 접하고 기울기가 5인 직선의 방정식을 구하여 보자.

$f(x)=2x^2+x+3$이라 하면 $f'(x)=4x+1$

접점의 좌표를 $(a, 2a^2+a+3)$이라 하면 접선의 기울기가 5이므로 $f'(a)=4a+1=5$ $\quad \therefore a=$ ❶ [ ]

따라서 접점의 좌표가 ❷ [ ] 이므로 구하는 접선의 방정식은

$y-6=5(x-1)$ $\quad \therefore y=5x+1$

답 ❶ 1 ❷ $(1, 6)$

## 개념 05 곡선 밖의 한 점에서 그은 접선의 방정식

곡선 $y=f(x)$ 밖의 한 점 $(x_1, y_1)$이 주어질 때

❶ 접점의 좌표를 $(a, f(a))$로 놓는다.

❷ 접선의 기울기 [❶ ] 를 구한다.

❸ $y-f(a)=f'(a)(x-a)$에 점 $(x_1, y_1)$의 좌표를 대입하여 [❷ ] 의 값을 구한다.

❹ $a$의 값을 $y-f(a)=f'(a)(x-a)$에 대입하여 접선의 방정식을 구한다.

답 ❶ $f'(a)$ ❷ $a$

### 확인 05

점 $(-1, -1)$에서 곡선 $y=x^2+2$에 그은 접선의 방정식을 구하여 보자.

$f(x)=x^2+2$라 하면 $f'(x)=$ [❶ ]

접점의 좌표를 $(a, a^2+2)$라 하면 접선의 기울기는 $f'(a)=2a$

즉 접선의 방정식은 $y-(a^2+2)=2a(x-a)$

$\therefore y=2ax-a^2+2$ ……㉠

이 접선이 점 $(-1, -1)$을 지나므로 $-1=-2a-a^2+2$

$(a-1)(a+3)=0$ $\quad\therefore a=1$ 또는 $a=$ [❷ ]

㉠에 $a$의 값을 대입하면 구하는 접선의 방정식은

$y=2x+1$ 또는 $y=-6x-7$

답 ❶ $2x$ ❷ $-3$

## 개념 06 롤의 정리

함수 $f(x)$가 닫힌구간 $[a, b]$에서 연속이고 열린구간 $(a, b)$에서 [❶ ] 할 때,

$f(a)=f(b)$이면

$f'(c)=$ [❷ ] 인

$c$가 열린구간 $(a, b)$에

적어도 하나 존재한다.

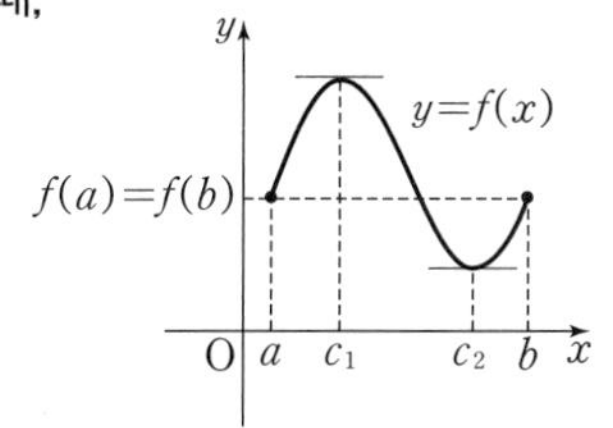


답 ❶ 미분가능 ❷ 0

### 확인 06

함수 $f(x)=(x-1)(x-5)$는 닫힌구간 $[1, 5]$에서 연속이고 열린구간 $(1, 5)$에서 미분가능하며 $f(1)=f(5)=$ [❶ ] 이므로 롤의 정리에 의하여 $f'(c)=0$인 $c$가 열린구간 $(1, 5)$에 적어도 하나 존재한다. 이때 $f'(x)=$ [❷ ] 이므로

$f'(c)=2c-6=0$ $\quad\therefore c=3$

답 ❶ 0 ❷ $2x-6$

## 개념 07 평균값 정리

함수 $f(x)$가 닫힌구간 $[a, b]$에서 [❶ ] 이고 열린구간 $(a, b)$에서 미분가능하면

$\dfrac{f(b)-f(a)}{b-a}=$ [❷ ] 인 $c$가 열린구간 $(a, b)$에 적어도 하나 존재한다.

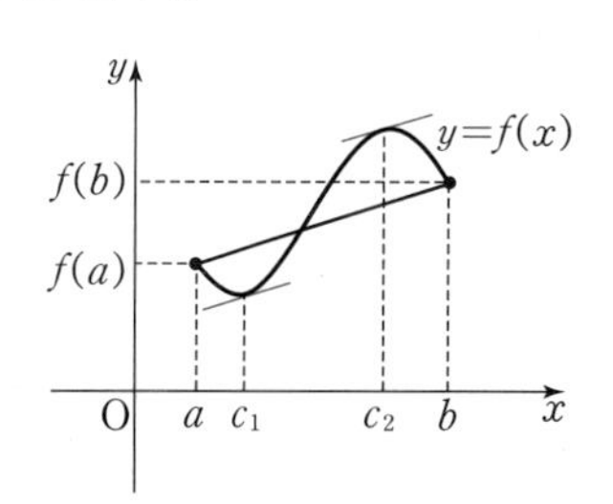


답 ❶ 연속 ❷ $f'(c)$

### 확인 07

함수 $f(x)=x^2-x$는 닫힌구간 $[0, 4]$에서 연속이고 열린구간 $(0, 4)$에서 미분가능하므로 평균값 정리에 의하여

$\dfrac{f(4)-f(0)}{4-0}=\dfrac{12-0}{4}=$ [❶ ] $=f'(c)$인 $c$가 열린구간 $(0, 4)$에 적어도 하나 존재한다. 이때 $f'(x)=2x-1$이므로

$f'(c)=$ [❷ ] $=3$ $\quad\therefore c=2$

답 ❶ 3 ❷ $2c-1$

## 개념 08 함수의 증가와 감소

함수 $f(x)$가 어떤 구간에 속하는 임의의 두 실수 $x_1$, $x_2$에 대하여

❶ $x_1<x_2$일 때 $f(x_1)$ [❶ ] $f(x_2)$이면 $f(x)$는 이 구간에서 증가한다고 한다.

❷ $x_1<x_2$일 때 $f(x_1)>f(x_2)$이면 $f(x)$는 이 구간에서 [❷ ] 한다고 한다.

답 ❶ < ❷ 감소

### 확인 08

[❶ ]

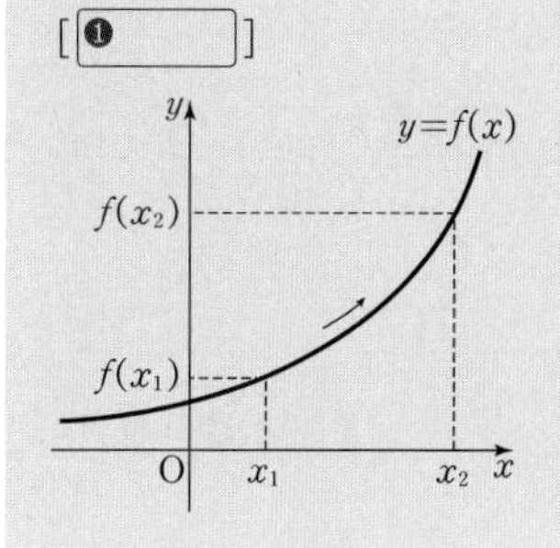


[감소]

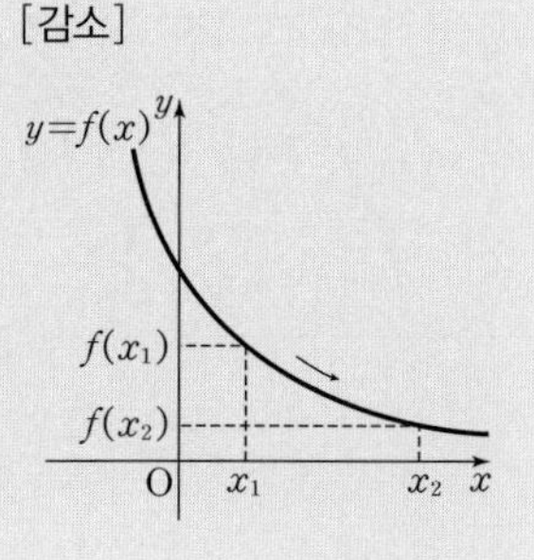


답 ❶ 증가

# 개념 돌파 전략 ①

## 개념 09 함수의 극대와 극소

함수 $f(x)$가 실수 $a$를 포함하는 어떤 열린구간에 속하는 모든 $x$에 대하여

❶ $f(x) \le f(a)$이면 함수 $f(x)$는 $x=a$에서 [❶ ] 라 하고, $f(a)$를 극댓값이라 한다.

❷ $f(x)$ [❷ ] $f(a)$이면 함수 $f(x)$는 $x=a$에서 극소라 하고, $f(a)$를 극솟값이라 한다.

이때 극댓값과 극솟값을 통틀어 극값이라 한다.

답 ❶ 극대 ❷ $\ge$

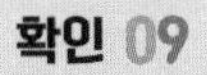

### 확인 09

[극대]

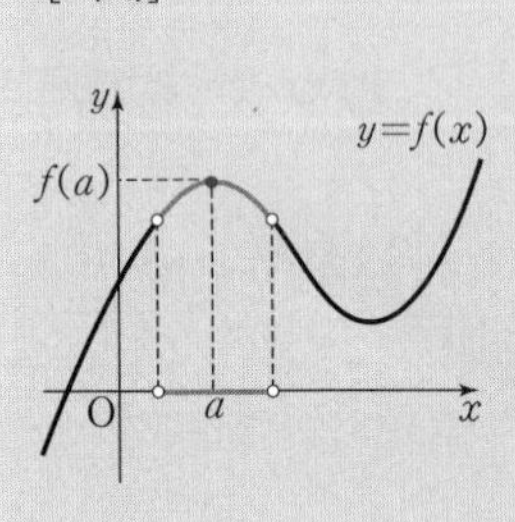


[❶ ]

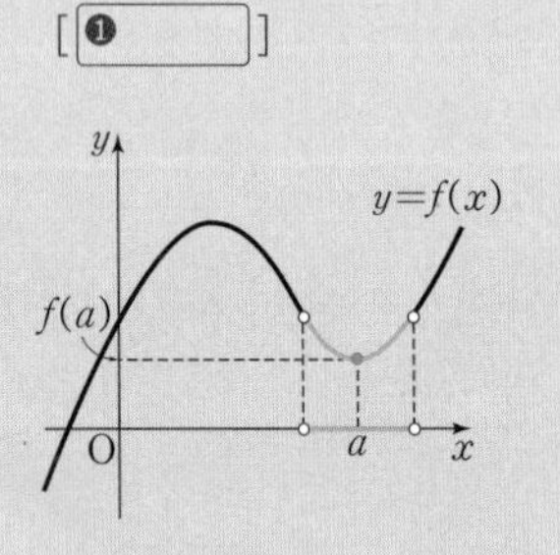


답 ❶ 극소

## 개념 10 함수의 극대, 극소의 판정

함수 $f(x)$가 미분가능하고 $f'(a)=0$일 때, $x=a$의 좌우에서 $f'(x)$의 부호가

❶ 양(+)에서 [❶ ] 으로 바뀌면 $f(x)$는 $x=a$에서 극대이고 극댓값 $f(a)$를 갖는다.

❷ 음(−)에서 양(+)으로 바뀌면 $f(x)$는 $x=a$에서 극소이고 [❷ ] $f(a)$를 갖는다.

답 ❶ 음(−) ❷ 극솟값

### 확인 10

$f'(a)=$ [❶ ], 극대, $f'(x)>0$, $f'(x)<0$, $y=f(x)$, $a$, $x$

$y=f(x)$, $f'(x)<0$, $f'(x)>0$, [❷ ], $f'(a)=0$, $a$, $x$

답 ❶ 0 ❷ 극소

## 개념 11 함수의 그래프

미분가능한 함수 $y=f(x)$에 대하여

❶ 도함수 $f'(x)$를 구한다.

❷ $f'(x)=$ [❶ ] 인 $x$의 값을 구한다.

❸ 함수 $f(x)$의 증가와 감소를 표로 나타내고, [❷ ] 을 구한다.

❹ 함수 $y=f(x)$의 그래프의 개형을 그린다.

답 ❶ 0 ❷ 극값

### 확인 11

$f(x)=x^3-3x$에서 $f'(x)=3x^2-3=3(x+1)(x-1)$

$f'(x)=0$에서 $x=-1$ 또는 $x=$ [❶ ]

| $x$ | $\cdots$ | $-1$ | $\cdots$ | $1$ | $\cdots$ |
|---|---|---|---|---|---|
| $f'(x)$ | $+$ | [❷ ] | $-$ | $0$ | $+$ |
| $f(x)$ | ↗ | $2$ | ↘ | $-2$ | ↗ |

함수 $y=f(x)$의 그래프의 개형을 그리면 오른쪽 그림과 같다.

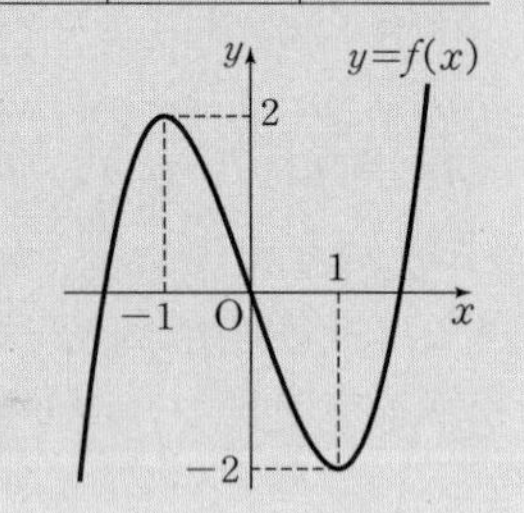


답 ❶ 1 ❷ 0

## 개념 12 함수의 최댓값과 최솟값

함수 $y=f(x)$가 닫힌구간 $[a, b]$에서 연속일 때

❶ 닫힌구간 $[a, b]$에서 $f(x)$의 극값을 구한다.

❷ $f(a)$, [❶ ] 의 값을 구한다.

❸ ❶, ❷에서 구한 [❷ ], $f(a)$, $f(b)$ 중에서 가장 큰 값이 최댓값, 가장 작은 값이 최솟값이다.

답 ❶ $f(b)$ ❷ 극값

### 확인 12

닫힌구간 $[-1, 2]$에서 함수 $f(x)=2x^3-12x^2+7$에 대하여

$f'(x)=6x^2-24x=6x(x-4)$

$f'(x)=0$에서 $x=$ [❶ ] ($\because -1 \le x \le 2$)

| $x$ | $-1$ | $\cdots$ | $0$ | $\cdots$ | $2$ |
|---|---|---|---|---|---|
| $f'(x)$ | | $+$ | $0$ | $-$ | |
| $f(x)$ | $-7$ | ↗ | [❷ ] | ↘ | $-25$ |

따라서 함수 $f(x)$는 닫힌구간 $[-1, 2]$에서 $x=0$일 때 최댓값 7, $x=2$일 때 최솟값 $-25$를 갖는다.

답 ❶ 0 ❷ 7

## 개념 13 방정식의 실근의 개수

❶ 방정식 $f(x)=0$의 서로 다른 실근의 개수는 함수 $y=f(x)$의 그래프와 ❶ ☐ 의 교점의 개수와 같다.

❷ 방정식 $f(x)=g(x)$의 서로 다른 실근의 개수는 두 함수 $y=f(x)$, $y=g(x)$의 그래프의 ❷ ☐ 의 개수와 같다.

답 ❶ $x$축 ❷ 교점

### 확인 13

방정식 $2x^3+3x^2-2=0$의 서로 다른 실근의 개수를 구하여 보자.

$f(x)=2x^3+3x^2-2$라 하면 $f'(x)=6x^2+6x=6x(x+1)$

$f'(x)=0$에서 $x=0$ 또는 $x=$ ❶ ☐

| $x$ | $\cdots$ | $-1$ | $\cdots$ | $0$ | $\cdots$ |
|---|---|---|---|---|---|
| $f'(x)$ | $+$ | $0$ | $-$ | $0$ | $+$ |
| $f(x)$ | ↗ | $-1$ | ↘ | $-2$ | ↗ |

따라서 함수 $y=f(x)$의 그래프는 오른쪽 그림과 같이 $x$축과 한 점에서 만나므로 주어진 방정식의 서로 다른 실근의 개수는 ❷ ☐ 이다.

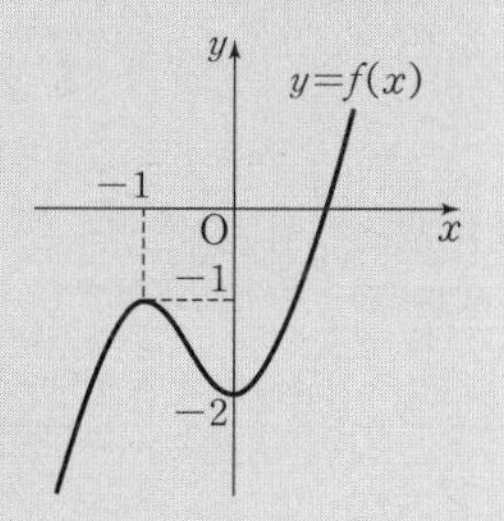


답 ❶ $-1$ ❷ $1$

## 개념 14 속도와 가속도

수직선 위를 움직이는 점 P의 시각 $t$에서의 위치 $x$가 $x=f(t)$일 때, 시각 $t$에서 점 P의 속도 $v$와 가속도 $a$는 다음과 같다.

❶ $v=\dfrac{dx}{dt}=$ ❶ ☐ ❷ $a=\dfrac{d\,❷☐}{dt}$

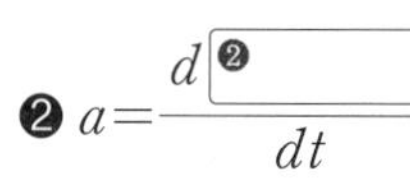

답 ❶ $f'(t)$ ❷ $v$

### 확인 14

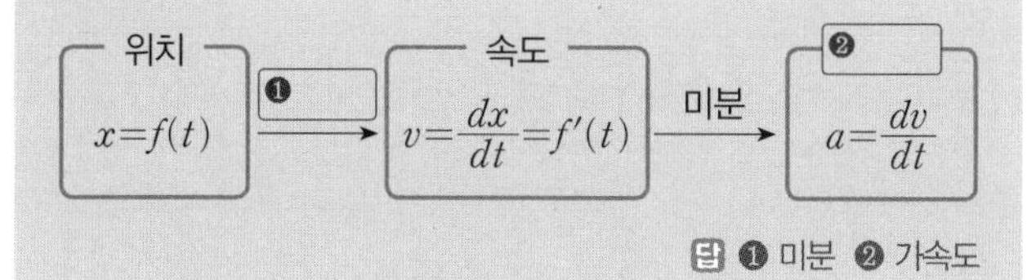


답 ❶ 미분 ❷ 가속도

## 개념 15 속도, 가속도와 운동 방향

❶ 수직선 위를 움직이는 점 P가 운동 방향을 바꾸는 순간의 속도는 ❶ ☐ 이다.

❷ 수직선 위를 움직이는 두 점 P, Q가

① 같은 방향으로 움직일 때
⇨ (두 점의 속도의 곱)$>0$

② 반대 방향으로 움직일 때
⇨ (두 점의 속도의 곱) ❷ ☐ $0$

답 ❶ $0$ ❷ $<$

### 확인 15

원점을 출발하여 수직선 위를 움직이는 점 P의 시각 $t$ $(t\geq 0)$에서의 위치 $x$가 $x=t^3-12t$일 때, 시각 $t$에서의 점 P의 속도를 $v$라 하면

$v=\dfrac{dx}{dt}=3t^2-12=3($ ❶ ☐ $)(t+2)$

점 P가 운동 방향을 바꾸는 순간의 속도는 0이므로

$3(t-2)(t+2)=0$에서 $t=2$ $(\because t\geq 0)$

$0<t<2$일 때 $v<0$, $t>2$일 때 $v>0$이므로

점 P는 시각 $t=$ ❷ ☐ 에서 운동 방향을 바꾼다.

답 ❶ $t-2$ ❷ $2$

## 개념 16 시각에 대한 길이, 넓이, 부피의 변화율

어떤 물체의 시각 $t$에서의 길이를 $l$, 넓이를 $S$, 부피를 $V$라 할 때

❶ 길이 $l$의 변화율 ⇨ $\dfrac{d\,❶☐}{dt}$

❷ 넓이 $S$의 변화율 ⇨ $\dfrac{dS}{dt}$

❸ 부피 $V$의 변화율 ⇨ ❷ ☐

답 ❶ $l$ ❷ $\dfrac{dV}{dt}$

### 확인 16

어떤 물체의 시각 $t$에서의 길이를 $l$, 넓이를 $S$, 부피를 $V$라 하자.

① $l(t)=3t^2+1$일 때, 길이의 변화율은 $\dfrac{dl}{dt}=$ ❶ ☐

② $S(t)=t^2-5t-7$일 때, 넓이의 변화율은 $\dfrac{dS}{dt}=$ ❷ ☐

③ $V(t)=t^3+2t^2$일 때, 부피의 변화율은 $\dfrac{dV}{dt}=3t^2+4t$

답 ❶ $6t$ ❷ $2t-5$

WEEK 1 DAY 1

# 개념 돌파 전략 ②

**1** 곡선 $y=x^3-2x+1$ 위의 $x=1$인 점에서의 접선의 기울기는?

① $-2$　② $-1$　③ $0$
④ $1$　⑤ $2$

**Tip**

• 곡선 $y=f(x)$ 위의 $x=a$인 점에서의 접선의 기울기는 [❶ ] 이다.
• $y=x^3-2x+1$에서 $y'=$ [❷ ]

답 ❶ $f'(a)$ ❷ $3x^2-2$

**2** 곡선 $y=x^3+x^2-2x+1$ 위의 점 $(1, 1)$에서의 접선의 방정식이 $y=ax+b$일 때, 상수 $a$, $b$에 대하여 $ab$의 값은?

① $-9$　② $-6$　③ $-3$
④ $1$　⑤ $3$

**Tip**

곡선 $y=f(x)$ 위의 $x=a$인 점에서의 접선의 방정식은
$y=$ [❶ ] $(x-a)+$ [❷ ]

답 ❶ $f'(a)$ ❷ $f(a)$

**3** 함수 $f(x)=x^2-4x$에 대하여 닫힌구간 $[0, 4]$에서 롤의 정리를 만족시키는 $c$의 값은?

① $0$　② $1$　③ $2$
④ $3$　⑤ $4$

**Tip**

함수 $f(x)=x^2-4x$는 닫힌구간 $[0, 4]$에서 연속이고 열린구간 $(0, 4)$에서 [❶ ] 하다. $f(0)=f(4)=0$이므로 $f'(c)=$ [❷ ] 인 $c$가 열린구간 $(0, 4)$에 적어도 하나 존재한다.

답 ❶ 미분가능 ❷ 0

**4** 함수 $f(x)=x^2+ax+b$가 $x=1$에서 극솟값 0을 가질 때, 상수 $a$, $b$에 대하여 $a^2+b^2$의 값은?

① 3　② 4　③ 5
④ 6　⑤ 7

**Tip**

함수 $f(x)=x^2+ax+b$가 $x=\alpha$에서 극값 $\beta$를 가지면
$f'(\alpha)=$ ❶ ____, $f(\alpha)=$ ❷ ____

답 ❶ 0 ❷ $\beta$

**5** 삼차함수 $y=f(x)$의 그래프가 다음과 같다.

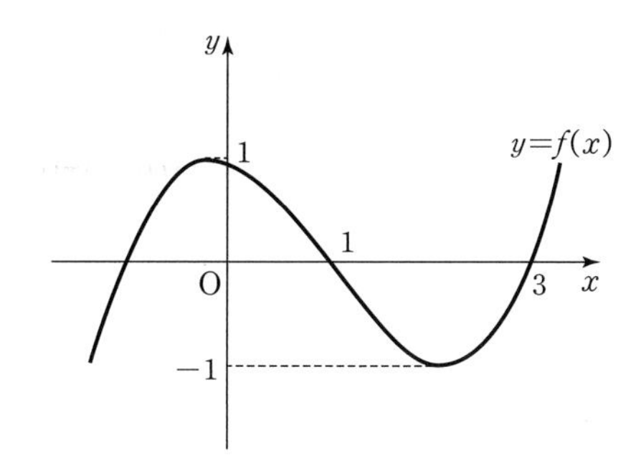


방정식 $f(x)\{f(x)-1\}=0$의 서로 다른 실근의 개수는?

① 5　② 6　③ 7
④ 8　⑤ 9

**Tip**

방정식 $f(x)=k$의 서로 다른 실근의 개수는 함수 $y=f(x)$의 그래프와 직선 $y=$ ❶ ____ 의 ❷ ____ 의 개수와 같다.

답 ❶ $k$ ❷ 교점

**6** 수직선 위를 움직이는 점 P의 시각 $t$ $(t\geq 0)$에서의 위치가 $x=-3t^2+8t$일 때, 시각 $t=1$에서의 점 P의 속도는?

① 1　② 2　③ 3
④ 4　⑤ 5

**Tip**

점 P의 시각 $t$에서의 위치가 $x=-3t^2+8t$일 때, 시각 $t$에서의 점 P의 속도를 $v$라 하면

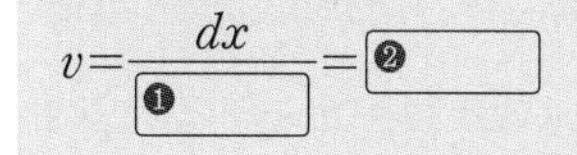
$v=\dfrac{dx}{❶\ \_\_\_\_}=$ ❷ ____

답 ❶ $dt$ ❷ $-6t+8$

WEEK 1 DAY 2

# 필수 체크 전략 ①

## 핵심 예제 01

함수 $f(x)=2x^3+3x^2-10x+9$의 그래프 위의 점 $(a, b)$에서의 접선의 기울기가 2일 때, $a+b$의 값은? (단, $a>0$)

① $-3$ ② $-1$ ③ 1 ④ 3 ⑤ 5

**Tip**

$f(x)=2x^3+3x^2-10x+9$의 그래프 위의 점 $(a, b)$에서의 접선의 기울기가 2이므로

$f(a)=$ ❶ ☐, $f'(a)=$ ❷ ☐

답 ❶ $b$ ❷ 2

**풀이**

$f(x)=2x^3+3x^2-10x+9$에서 $f'(x)=6x^2+6x-10$

$f(x)=2x^3+3x^2-10x+9$의 그래프 위의 점 $(a, b)$에서의 접선의 기울기가 2이므로

$f'(a)=6a^2+6a-10=2$, $6a^2+6a-12=0$

$a^2+a-2=0$, $(a-1)(a+2)=0$ $\quad\therefore a=1$ ($\because a>0$)

이때 $f(a)=b$이므로 $b=4$

$\therefore a+b=1+4=5$

답 ⑤

## 1-1

곡선 $y=x^2-3x+2$ 위의 점 $(-1, 6)$에서의 접선의 기울기를 구하시오.

## 1-2

함수 $f(x)=\frac{2}{3}x^3+ax$의 그래프 위의 두 점 $(0, f(0))$, $(1, f(1))$에서의 접선이 서로 수직일 때, 상수 $a$의 값은?

① $-2$ ② $-1$ ③ 0 ④ 1 ⑤ 2

## 핵심 예제 02

함수 $f(x)=x^3+ax^2+9x+3$의 그래프 위의 점 $(1, f(1))$에서의 접선의 방정식이 $y=2x+b$이다. 상수 $a$, $b$에 대하여 $a+b$의 값은?

① 0 ② 1 ③ 2 ④ 3 ⑤ 4

**Tip**

곡선 $y=f(x)$ 위의 $x=a$인 점에서의 접선의 방정식은

$y=$ ❶ ☐ $(x-a)+$ ❷ ☐

답 ❶ $f'(a)$ ❷ $f(a)$

**풀이**

$f(x)=x^3+ax^2+9x+3$에서 $f'(x)=3x^2+2ax+9$

이때 $x=1$인 점에서의 접선의 기울기가 2이므로

$f'(1)=12+2a=2$ $\quad\therefore a=-5$

즉 $f(x)=x^3-5x^2+9x+3$이므로

$f(1)=8=2+b$ $\quad\therefore b=6$

$\therefore a+b=-5+6=1$

답 ②

## 2-1

곡선 $y=x^3-x^2+k$ 위의 점 $(1, k)$에서의 접선이 점 $(0, 5)$를 지날 때, 상수 $k$의 값은?

① 0 ② 2 ③ 4 ④ 6 ⑤ 8

## 2-2

곡선 $y=x^3+ax+b$ 위의 점 $(-1, 4)$에서의 접선이 직선 $y=-x$와 서로 평행할 때, 상수 $a$, $b$에 대하여 $a+b$의 값은?

① $-5$ ② $-4$ ③ $-3$ ④ $-2$ ⑤ $-1$

두 직선이 서로 평행하면
두 직선의 기울기는 같아!

## 핵심 예제 03

다항함수 $y=f(x)$의 그래프 위의 점 $(1, f(1))$에서의 접선의 방정식이 $y=3x-2$일 때, 곡선 $y=(2x-1)f(x)$ 위의 점 $(1, f(1))$에서의 접선의 기울기를 구하시오.

**Tip**

미분가능한 두 함수 $f(x)$, $g(x)$에 대하여 $y=f(x)g(x)$이면
$y'=$ ❶ $\square$ $g(x)+f(x)$ ❷ $\square$

답 ❶ $f'(x)$ ❷ $g'(x)$

**풀이**

다항함수 $y=f(x)$의 그래프 위의 점 $(1, f(1))$에서의 접선의 방정식이 $y=3x-2$이므로

$f(1)=3\times1-2=1$, $f'(1)=3$

$g(x)=(2x-1)f(x)$라 하면

$g'(x)=2f(x)+(2x-1)f'(x)$이므로

$g'(1)=2f(1)+f'(1)=2+3=5$

따라서 곡선 $y=(2x-1)f(x)$ 위의 점 $(1, f(1))$에서의 접선의 기울기는 5이다.

답 5

## 핵심 예제 04

곡선 $y=x^2-x+3$ 위의 서로 다른 두 점 A, B에서의 접선이 서로 수직이다. 점 A의 $x$좌표가 1이고, 점 B에서의 접선의 방정식이 $y=ax+b$일 때, 상수 $a$, $b$에 대하여 $a+b$의 값은?

① 1 ② 2 ③ 3 ④ 4 ⑤ 5

**Tip**

두 직선이 서로 수직이면 두 직선의 기울기의 곱은 ❶ $\square$ 이다.

답 ❶ $-1$

**풀이**

$f(x)=x^2-x+3$이라 하면 $f'(x)=2x-1$

점 $A(1, f(1))$에서의 접선의 기울기는 $f'(1)=2\times1-1=1$

점 B의 $x$좌표를 $k$라 하면 점 $B(k, f(k))$에서의 접선의 기울기는 $f'(k)=2k-1$

이때 두 점 A, B에서의 접선이 서로 수직이므로

$f'(1)f'(k)=1\times(2k-1)=-1$ $\quad\therefore k=0$

즉 점 $B(0, 3)$에서의 접선의 방정식은 $y=-x+3$

따라서 $a=-1$, $b=3$이므로 $a+b=-1+3=2$

답 ②

## 3-1

다항함수 $y=f(x)$의 그래프 위의 점 $(2, 1)$에서의 접선의 기울기가 3이다. 곡선 $y=(x^3-x)f(x)$ 위의 $x=2$인 점에서의 접선의 기울기는?

① 23 ② 25 ③ 27 ④ 29 ⑤ 31

## 3-2

다항함수 $y=f(x)$의 그래프 위의 점 $(2, 1)$에서의 접선이 점 $(0, -1)$을 지날 때, $\lim_{x\to2}\frac{xf(x)-2}{x-2}$의 값은?

① 1 ② 2 ③ 3 ④ 4 ⑤ 5

## 4-1

곡선 $y=x^3-ax+b$ 위의 점 $(1, 1)$에서의 접선과 수직인 직선의 기울기가 $-\frac{1}{2}$이다. 상수 $a$, $b$에 대하여 $a+b$의 값은?

① 1 ② 2 ③ 3 ④ 4 ⑤ 5

$x=1$에서의 접선의 기울기는 2야.

## 4-2

곡선 $y=x^3-3x^2+x+1$ 위의 서로 다른 두 점 A, B에서의 접선이 서로 평행하다. 점 A의 $x$좌표가 3일 때, 점 B에서의 접선의 $y$절편을 구하시오.

# 필수 체크 전략 ①

## 핵심 예제 05

곡선 $y=x^3-x^2+2$ 위의 점 $\mathrm{A}(1, 2)$에서의 접선과 곡선이 만나는 다른 점을 B라 할 때, 삼각형 OAB의 넓이를 구하시오. (단, O는 원점이다.)

**Tip**

$f(x)=x^3-x^2+2$라 하면 $f'(x)=$ ❶ ______ 이므로

$f'(1)=$ ❷ ______

답 ❶ $3x^2-2x$ ❷ $1$

**풀이**

$f(x)=x^3-x^2+2$라 하면 $f'(x)=3x^2-2x$

점 $\mathrm{A}(1, 2)$에서의 접선의 방정식은

$y=(x-1)+2 \quad \therefore y=x+1$

점 B의 $x$좌표를 $k$라 하면

$k^3-k^2+2=k+1,\ k^3-k^2-k+1=0$

$(k-1)^2(k+1)=0 \quad \therefore k=-1\ (\because k\neq1)$

즉 두 점 $\mathrm{A}(1, 2)$, $\mathrm{B}(-1, 0)$에 대하여

$\overline{\mathrm{AB}}=\sqrt{(-1-1)^2+(0-2)^2}=2\sqrt{2}$

또 원점 O와 접선 $y=x+1$ 사이의 거리는

$\dfrac{|1|}{\sqrt{1^2+(-1)^2}}=\dfrac{\sqrt{2}}{2}$

$\therefore \triangle\mathrm{OAB}=\dfrac{1}{2}\times2\sqrt{2}\times\dfrac{\sqrt{2}}{2}=1$

답 1

## 5-1

점 $(0, -4)$에서 곡선 $y=x^3-2$에 그은 접선이 점 $(a, 0)$을 지날 때, 상수 $a$의 값은?

① $\dfrac{7}{6}$ ② $\dfrac{4}{3}$ ③ $\dfrac{3}{2}$

④ $\dfrac{5}{3}$ ⑤ $\dfrac{11}{6}$

## 5-2

곡선 $y=2x^2+1$ 위의 점 $(-1, 3)$에서의 접선이 곡선 $y=2x^3-ax+3$과 점 $(b, c)$에서 접할 때, 상수 $a$, $b$, $c$에 대하여 $a+b+c$의 값을 구하시오.

## 핵심 예제 06

두 다항함수 $f(x)=x^2+2x$, $g(x)$에 대하여

$\lim\limits_{x\to1}\dfrac{f(x)g(x)-3}{x-1}=2$가 성립할 때, 곡선 $y=g(x)$의 $x=1$인 점에서의 접선의 $y$절편은?

① $1$ ② $\dfrac{4}{3}$ ③ $\dfrac{5}{3}$

④ $2$ ⑤ $\dfrac{7}{3}$

**Tip**

$\lim\limits_{x\to a}\dfrac{f(x)-b}{x-a}=k$이면 $f(a)=$ ❶ ______, $f'(a)=$ ❷ ______

답 ❶ $b$ ❷ $k$

**풀이**

$\lim\limits_{x\to1}\dfrac{f(x)g(x)-3}{x-1}=2$에서 $x\to1$일 때, (분모)$\to0$이므로 (분자)$\to0$이어야 한다.

즉 $\lim\limits_{x\to1}\{f(x)g(x)-3\}=0$이므로 $f(1)g(1)=3$

이때 $f(1)=3$이므로 $g(1)=1$

또 $h(x)=f(x)g(x)$라 하면

$\lim\limits_{x\to1}\dfrac{f(x)g(x)-3}{x-1}=\lim\limits_{x\to1}\dfrac{h(x)-h(1)}{x-1}=h'(1)=2$

$h'(x)=f'(x)g(x)+f(x)g'(x)$이고

$f'(x)=2x+2$에서 $f'(1)=4$이므로

$h'(1)=f'(1)g(1)+f(1)g'(1)=4\times1+3g'(1)=2$

$\therefore g'(1)=-\dfrac{2}{3}$

즉 곡선 $y=g(x)$의 $x=1$인 점에서의 접선의 방정식은

$y=-\dfrac{2}{3}(x-1)+1 \quad \therefore y=-\dfrac{2}{3}x+\dfrac{5}{3}$

따라서 $x=1$인 점에서의 접선의 $y$절편은 $\dfrac{5}{3}$이다.

답 ③

## 6-1

다항함수 $f(x)$에 대하여 $\lim\limits_{x\to3}\dfrac{f(x)-2}{x-3}=-1$이 성립할 때, 곡선 $y=f(x)$의 $x=3$인 점에서의 접선과 $x$축, $y$축의 교점을 각각 $\mathrm{A}(a, 0)$, $\mathrm{B}(0, b)$라 하자. 이때 $ab$의 값을 구하시오.

## 핵심 예제 07

삼차함수 $y=f(x)$의 그래프 위의 점 $(1, 0)$에서의 접선과 곡선 $y=xf(x)$ 위의 점 $(2, 2)$에서의 접선이 일치할 때, $f'(1)+2f'(2)$의 값을 구하시오.

**Tip**

$g(x)=xf(x)$라 하면 $g'(x)=$ ❶ $+x$ ❷

답 ❶ $f(x)$ ❷ $f'(x)$

**풀이**

함수 $y=f(x)$의 그래프 위의 점 $(1, 0)$에서의 접선의 방정식은

$y=f'(1)(x-1)+0$ $\quad\therefore y=f'(1)x-f'(1)$ ······㉠

$g(x)=xf(x)$라 하면 곡선 $y=g(x)$가 점 $(2, 2)$를 지나므로

$g(2)=2f(2)=2$ $\quad\therefore f(2)=1$

이때 $g'(x)=f(x)+xf'(x)$이므로

$g'(2)=f(2)+2f'(2)=1+2f'(2)$

즉 곡선 $y=g(x)$ 위의 점 $(2, 2)$에서의 접선의 방정식은

$y=\{1+2f'(2)\}(x-2)+2$

$\therefore y=\{1+2f'(2)\}x-4f'(2)$ ······㉡

㉠과 ㉡이 같으므로 $f'(1)=1+2f'(2)$, $f'(1)=4f'(2)$

두 식을 연립하여 풀면 $f'(1)=2$, $f'(2)=\frac{1}{2}$

$\therefore f'(1)+2f'(2)=2+2\times\frac{1}{2}=3$

답 3

## 7-1

다항함수 $f(x)$에 대하여 곡선 $y=xf(x)$ 위의 점 $(1, 2)$에서의 접선이 원점을 지날 때, $f(1)+f'(1)$의 값은?

① 0 ② 1 ③ 2
④ 3 ⑤ 4

## 7-2

삼차함수 $y=f(x)$의 그래프 위의 점 $(0, 0)$에서의 접선과 곡선 $y=xf(x)$ 위의 점 $(1, 5)$에서의 접선이 일치할 때, $f'(0)$의 값을 구하시오.

## 핵심 예제 08

함수 $f(x)=x^2+x$에 대하여 닫힌구간 $[-2, 4]$에서 평균값 정리를 만족시키는 실수 $x$의 값을 $c$라 하자. 이때 $f(c)+f'(c)$의 값을 구하시오.

**Tip**

함수 $f(x)$가 닫힌구간 $[a, b]$에서 연속이고 열린구간 $(a, b)$에서 ❶ 하면 ❷ $=f'(c)$인 $c$가 열린구간 $(a, b)$에 적어도 하나 존재한다.

답 ❶ 미분가능 ❷ $\frac{f(b)-f(a)}{b-a}$

**풀이**

함수 $f(x)=x^2+x$에 대하여 닫힌구간 $[-2, 4]$에서 연속이고 열린구간 $(-2, 4)$에서 미분가능하므로

$\frac{f(4)-f(-2)}{4-(-2)}=\frac{20-2}{4-(-2)}=3=f'(c)$

인 $c$가 열린구간 $(-2, 4)$에 적어도 하나 존재한다.

$f'(x)=2x+1$이므로 $f'(c)=2c+1=3$ $\quad\therefore c=1$

따라서 $f(1)=2$, $f'(1)=3$이므로

$f(c)+f'(c)=f(1)+f'(1)=2+3=5$

답 5

## 8-1

함수 $f(x)=x^3-2x$에 대하여 닫힌구간 $[0, 3]$에서 평균값 정리를 만족시키는 실수 $c$의 값은?

① 1 ② $\sqrt{2}$ ③ $\sqrt{3}$
④ 2 ⑤ $\sqrt{5}$

## 8-2

함수 $f(x)=x^3-3x^2+2x+1$의 그래프에 대하여 닫힌구간 $[0, 3]$에서 양 끝 점 $A(0, 1)$, $B(3, 7)$을 지나는 직선과 $x=c$인 점에서의 접선이 서로 평행할 때, 실수 $c$의 값은?

① $\frac{1}{2}$ ② 1 ③ $\frac{3}{2}$
④ 2 ⑤ $\frac{5}{2}$

# WEEK 1 DAY 2 필수 체크 전략 ②

**01** 곡선 $y=2x^2$ 위의 점 $(a, b)$에서의 접선의 기울기가 4일 때, 상수 $a$, $b$에 대하여 $a+b$의 값은?

① 1 ② 2 ③ 3 ④ 4 ⑤ 5

**Tip**

곡선 $y=f(x)$ 위의 점 $(a, b)$에서의 접선의 기울기가 $m$이면 $f(a)=$ ❶ ______, $f'(a)=$ ❷ ______

답 ❶ $b$ ❷ $m$

**02** 곡선 $y=(x^2-1)(2x-1)$ 위의 점 $(1, 0)$에서의 접선의 $y$절편은?

① $-3$ ② $-2$ ③ $-1$ ④ 1 ⑤ 2

**Tip**

$f(x)=(x^2-1)(2x-1)$이라 하면

$f'(x)=$ ❶ ______ $(2x-1)+$ ❷ ______ $(x^2-1)$

답 ❶ $2x$ ❷ 2

**03** 곡선 $y=-\frac{1}{4}x^2$ 위의 점 $(2, -1)$에서의 접선과 $x$축, $y$축으로 둘러싸인 삼각형의 넓이는?

① $\frac{1}{2}$ ② $\frac{2}{3}$ ③ $\frac{3}{4}$ ④ 1 ⑤ 2

**Tip**

곡선 $y=f(x)$ 위의 $x=a$인 점에서의 접선의 방정식은

$y=$ ❶ ______ $(x-a)+$ ❷ ______

답 ❶ $f'(a)$ ❷ $f(a)$

**04** 곡선 $y=f(x)$ 위의 점 $(2, 1)$에서의 접선의 방정식이 $y=2x-3$일 때, 곡선 $y=(x-1)f(x)$ 위의 $x=2$인 점에서의 접선의 기울기는?

① 1 ② 2 ③ 3 ④ 4 ⑤ 5

**Tip**

곡선 $y=f(x)$ 위의 점 $(2, 1)$에서의 접선의 방정식이 $y=2x-3$이므로

$f(2)=$ ❶ ______, $f'(2)=$ ❷ ______

답 ❶ 1 ❷ 2

**05** 곡선 $y=x^3-6x^2+2x$ 위의 서로 다른 두 점 $\mathrm{A}(1, -3)$, $\mathrm{B}(a, b)$에서의 두 접선이 서로 평행할 때, 두 접선 사이의 거리는?

① $\frac{\sqrt{2}}{5}$ ② $\frac{2\sqrt{2}}{5}$ ③ $\frac{3\sqrt{2}}{5}$ ④ $\frac{4\sqrt{2}}{5}$ ⑤ $\sqrt{2}$

**Tip**

$f(x)=x^3-6x^2+2x$라 하면 $f'(x)=$ ❶ ______

이때 서로 다른 두 점 $\mathrm{A}(1, -3)$, $\mathrm{B}(a, b)$에서의 두 접선이 서로 평행하므로

$f'(1)=f'($ ❷ ______ $)$

답 ❶ $3x^2-12x+2$ ❷ $a$

**06** 곡선 $y=x^3+2$ 위의 점 $(a, -6)$에서의 접선의 방정식을 $y=mx+n$이라 할 때, 상수 $a$, $m$, $n$에 대하여 $a+m+n$의 값을 구하시오.

**Tip**

$f(x)=x^3+2$라 하면 점 $(a, -6)$에서의 접선의 방정식이 $y=mx+n$이므로

$f(a)=$ ❶ ____, $f'(a)=$ ❷ ____

답 ❶ $-6$ ❷ $m$

**07** 삼차함수 $y=f(x)$의 그래프 위의 점 $(1, f(1))$에서의 접선과 직선 $y=-\frac{1}{3}x+2$가 서로 수직일 때, $\lim_{h\to0}\frac{f(1+2h)-f(1)}{h}$의 값을 구하시오.

**Tip**

두 직선이 서로 수직이면 두 직선의 기울기의 곱은 ❶ ____이다.

답 ❶ $-1$

**08** 곡선 $y=x^2-2x-1$과 직선 $y=2$의 두 교점을 $\mathrm{A}(a, b)$, $\mathrm{B}(c, d)$라 하자. 두 점 A, B에서의 접선의 교점의 $y$좌표는? (단, $a<c$)

① $-7$　② $-6$　③ $-5$　④ $-4$　⑤ $-3$

**Tip**

곡선 $y=x^2-2x-1$과 직선 $y=2$의 교점의 $x$좌표를 구하면

$x^2-2x-1=2$, $x^2-2x-3=0$

$(x+1)(x-$ ❶ ____ $)=0$

$\therefore x=$ ❷ ____ 또는 $x=3$

답 ❶ 3 ❷ $-1$

**09** 함수 $f(x)=x^2+x$의 그래프 위의 두 점 $\mathrm{A}(-1, 0)$, $\mathrm{B}(3, 12)$에 대하여 곡선 위의 점 P가 점 A에서 점 B로 곡선을 따라 움직인다. 삼각형 APB의 넓이가 최대가 될 때, 점 P의 $x$좌표는?

① $-\frac{1}{2}$　② 0　③ $\frac{1}{2}$　④ 1　⑤ 2

**Tip**

함수 $f(x)$가 닫힌구간 $[a, b]$에서 연속이고, 열린구간 $(a, b)$에서 ❶ ____하면 ❷ ____ $=f'(c)$인 $c$가 열린구간 $(a, b)$에 적어도 하나 존재한다.

답 ❶ 미분가능 ❷ $\frac{f(b)-f(a)}{b-a}$

**10** 다항함수 $f(x)$에 대하여 $f(1)=0$, $f(2)=1$, $f(4)=9$일 때, 보기에서 옳은 것만을 있는 대로 고른 것은?

보기

ㄱ. 방정식 $f(x)=2x$는 열린구간 $(1, 4)$에 적어도 하나의 실근을 가진다.

ㄴ. $f'(x)=3$인 $x$가 열린구간 $(1, 4)$에 적어도 하나 존재한다.

ㄷ. $g(x)=f(x)-x$에 대하여 $g'(x)=0$인 $x$가 열린구간 $(1, 2)$에 적어도 하나 존재한다.

① ㄱ　② ㄴ　③ ㄱ, ㄴ　④ ㄱ, ㄷ　⑤ ㄱ, ㄴ, ㄷ

**Tip**

다항함수 $f(x)$는 실수 전체의 집합에서 연속이고 ❶ ____하므로 임의의 닫힌구간 $[a, b]$에서 ❷ ____를 만족시키는 $c$가 열린구간 $(a, b)$에 적어도 하나 존재한다.

답 ❶ 미분가능 ❷ 평균값 정리

WEEK 1 DAY 3

# 필수 체크 전략 ①

## 핵심 예제 01

삼차함수 $f(x)=x^3-3x^2+2$가 $x=a$, $x=b$에서 극값을 가질 때, 두 점 $(a, f(a))$, $(b, f(b))$를 지나는 직선의 기울기를 구하시오. (단, $a<b$)

**Tip**

$f'(x)=$ ❶ ☐ 을 만족시키는 $x$의 값을 경계로 함수 $f(x)$의 증가와 감소를 표로 나타내어 ❷ ☐ 을 찾는다.

답 ❶ 0 ❷ 극값

**풀이**

$f(x)=x^3-3x^2+2$에서 $f'(x)=3x^2-6x$

$f'(x)=0$에서 $3x^2-6x=0$

$3x(x-2)=0$ $\therefore x=0$ 또는 $x=2$

함수 $f(x)$의 증가와 감소를 표로 나타내면 다음과 같다.

| $x$ | $\cdots$ | 0 | $\cdots$ | 2 | $\cdots$ |
|---|---|---|---|---|---|
| $f'(x)$ | $+$ | 0 | $-$ | 0 | $+$ |
| $f(x)$ | ↗ | 2 | ↘ | $-2$ | ↗ |

즉 함수 $f(x)$는 $x=0$에서 극댓값 2, $x=2$에서 극솟값 $-2$를 가지므로 $a=0$, $b=2$

따라서 두 점 $(0, 2)$, $(2, -2)$를 지나는 직선의 기울기는

$\dfrac{-2-2}{2-0}=-2$

함수 $f(x)$가 $x=a$에서 극값을 가지면 $f'(a)=0$이야!

답 $-2$

## 1-1

함수 $f(x)=x^3-3x$가 $x=a$에서 극댓값 $b$를 가질 때, $a+b$의 값을 구하시오.

## 1-2

함수 $f(x)=x^3-3x^2-9x+2$의 극댓값을 $M$, 극솟값을 $m$이라 할 때, $Mm$의 값은?

① $-175$ ② $-150$ ③ $-125$
④ $-100$ ⑤ $-75$

## 핵심 예제 02

함수 $f(x)=x^3-3x+a$의 극댓값이 13일 때, 상수 $a$의 값은?

① 11 ② 12 ③ 13
④ 14 ⑤ 15

**Tip**

함수 $f(x)$가 미분가능하고 $f'(a)=$ ❶ ☐ 일 때, $x=a$의 좌우에서 $f'(x)$의 부호가 양(+)에서 음(−)으로 바뀌면 $f(x)$는 $x=a$에서 ❷ ☐ 이다.

답 ❶ 0 ❷ 극대

**풀이**

$f(x)=x^3-3x+a$에서 $f'(x)=3x^2-3$

$f'(x)=0$에서 $3x^2-3=0$

$3(x+1)(x-1)=0$ $\therefore x=-1$ 또는 $x=1$

함수 $f(x)$의 증가와 감소를 표로 나타내면 다음과 같다.

| $x$ | $\cdots$ | $-1$ | $\cdots$ | 1 | $\cdots$ |
|---|---|---|---|---|---|
| $f'(x)$ | $+$ | 0 | $-$ | 0 | $+$ |
| $f(x)$ | ↗ | $a+2$ | ↘ | $a-2$ | ↗ |

즉 함수 $f(x)$는 $x=-1$에서 극댓값 $a+2$를 가지므로

$a+2=13$ $\therefore a=11$

답 ①

## 2-1

함수 $f(x)=x^3+ax^2+5x+b$가 $x=1$에서 극댓값 $-1$을 가질 때, 상수 $a$, $b$에 대하여 $ab$의 값을 구하시오.

## 2-2

함수 $f(x)=(x-1)^2(x-4)+a$의 극솟값이 10일 때, 상수 $a$의 값은?

① 11 ② 12 ③ 13
④ 14 ⑤ 15

## 핵심 예제 03

최고차항의 계수가 1인 삼차함수 $f(x)$가 다음 조건을 만족시킨다. $f(2)$의 값을 구하시오.

> (가) 모든 실수 $x$에 대하여 $f'(1+x)=f'(1-x)$이다.
> (나) 함수 $f(x)$는 $x=0$에서 극댓값 0을 갖는다.

**Tip**

삼차함수 $f(x)$의 도함수인 이차함수 $y=f'(x)$의 그래프가 직선 $x=$ ❶ ___ 에 대하여 대칭이고, $f'(0)=$ ❷ ___ 이다.

답 ❶ 1 ❷ 0

**풀이**

조건 (나)에서 $f(0)=0$, $f'(0)=0$이므로 최고차항의 계수가 1인 삼차함수 $f(x)=x^3+ax^2$ ($a$는 상수)으로 놓을 수 있다.

또 조건 (가)에서 $f'(2)=f'(0)$이므로 $f'(2)=0$

즉 $f'(x)=3x^2+2ax$에서 $f'(2)=12+4a=0$

$\therefore a=-3$

따라서 $f(x)=x^3-3x^2$이므로 $f(2)=8-12=-4$

답 $-4$

## 3-1

최고차항의 계수가 1인 이차함수 $f(x)$가 다음 조건을 만족시킨다. $f(5)$의 값을 구하시오.

> (가) 모든 실수 $x$에 대하여 $f(x)=f(-x)$이다.
> (나) 함수 $f(x)$는 극솟값 $-3$을 갖는다.

## 3-2

최고차항의 계수가 1인 삼차함수 $f(x)$가 다음 조건을 만족시킨다. $f(3)$의 값을 구하시오.

> (가) 모든 실수 $x$에 대하여 $f'(x)=f'(-x)$이다.
> (나) 함수 $f(x)$는 $x=1$에서 극솟값 0을 갖는다.

## 핵심 예제 04

닫힌구간 $[-2, 2]$에서 함수 $f(x)=-x^3+3x^2+a$의 최솟값이 $-4$일 때, 최댓값은? (단, $a$는 상수이다.)

① 16 ② 18 ③ 20
④ 22 ⑤ 24

**Tip**

닫힌구간 $[-2, 2]$에서 함수 $f(x)=-x^3+3x^2+a$의 ❶ ___ 과 경계값을 살펴본다.

답 ❶ 극값

**풀이**

$f(x)=-x^3+3x^2+a$에서 $f'(x)=-3x^2+6x$

$f'(x)=0$에서 $-3x^2+6x=0$

$-3x(x-2)=0$ $\therefore x=0$ 또는 $x=2$

함수 $f(x)$의 증가와 감소를 표로 나타내면 다음과 같다.

| $x$ | $-2$ | $\cdots$ | $0$ | $\cdots$ | $2$ |
|---|---|---|---|---|---|
| $f'(x)$ | | $-$ | $0$ | $+$ | $0$ |
| $f(x)$ | $a+20$ | ↘ | $a$ | ↗ | $a+4$ |

즉 함수 $f(x)$는 $x=0$에서 최솟값 $a$를 가지므로 $a=-4$

따라서 닫힌구간 $[-2, 2]$에서 함수 $f(x)$는 $x=-2$일 때 최댓값 $a+20=-4+20=16$을 갖는다.

답 ①

## 4-1

닫힌구간 $[-2, 0]$에서 함수 $f(x)=x^3-3x^2-9x+8$의 최댓값은?

① 10 ② 11 ③ 12
④ 13 ⑤ 14

극값과 $f(-2)$, $f(0)$ 중에서 최댓값을 찾아봐.

## 4-2

닫힌구간 $[-1, 1]$에서 함수 $f(x)=x^3+3x^2+10$의 최댓값과 최솟값의 합을 구하시오.

# 필수 체크 전략 ①

## 핵심 예제 05

삼차함수 $y=x^3-3ax^2+4$의 그래프가 $x$축에 접할 때, 상수 $a$의 값을 구하시오. (단, $a>0$)

**Tip**

삼차함수 $y=x^3-3ax^2+4$의 극값이 ❶ [ ] 일 조건을 살펴본다.

답 ❶ 0

**풀이**

$f(x)=x^3-3ax^2+4$라 하면 $f'(x)=3x^2-6ax$

$f'(x)=0$에서 $3x^2-6ax=0$

$3x(x-2a)=0\qquad \therefore x=0$ 또는 $x=2a$

$a>0$이므로 함수 $f(x)$의 증가와 감소를 표로 나타내면 다음과 같다.

| $x$ | $\cdots$ | $0$ | $\cdots$ | $2a$ | $\cdots$ |
|---|---|---|---|---|---|
| $f'(x)$ | $+$ | $0$ | $-$ | $0$ | $+$ |
| $f(x)$ | ↗ | $4$ | ↘ | $4-4a^3$ | ↗ |

함수 $y=f(x)$는 $x=0$에서 극댓값 4, $x=2a$에서 극솟값 $4-4a^3$을 갖는다. 함수 $y=f(x)$의 그래프가 $x$축에 접할 때의 그래프의 개형은 오른쪽 그림과 같다.

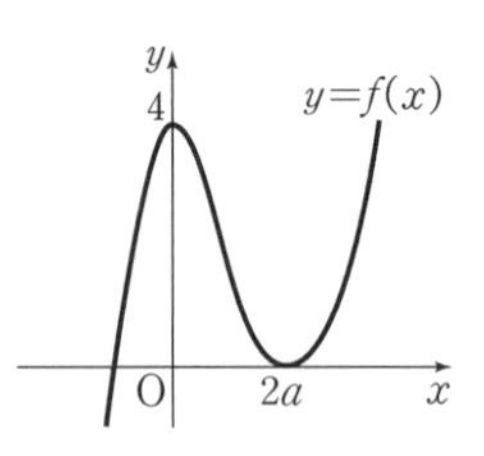


즉 $f(2a)=4-4a^3=0$

$a^3=1\qquad \therefore a=1$

 답 1

## 핵심 예제 06

두 함수 $f(x)=5x^3-10x^2+k$, $g(x)=5x^2+2$에 대하여 $0<x<3$에서 부등식 $f(x)\ge g(x)$가 성립하도록 하는 실수 $k$의 최솟값을 구하시오.

**Tip**

$h(x)=$ ❶ [ ] 로 놓고 $0<x<3$에서 부등식 $h(x)\ge$ ❷ [ ] 이 성립하도록 하는 $k$의 최솟값을 구한다.

답 ❶ $f(x)-g(x)$ ❷ 0

**풀이**

$h(x)=f(x)-g(x)$라 하면

$h(x)=5x^3-10x^2+k-(5x^2+2)=5x^3-15x^2+k-2$이므로

$h'(x)=15x^2-30x$

$h'(x)=0$에서 $15x^2-30x=0$

$15x(x-2)=0\qquad \therefore x=0$ 또는 $x=2$

함수 $h(x)$의 증가와 감소를 표로 나타내면 다음과 같다.

| $x$ | $\cdots$ | $0$ | $\cdots$ | $2$ | $\cdots$ |
|---|---|---|---|---|---|
| $h'(x)$ | $+$ | $0$ | $-$ | $0$ | $+$ |
| $h(x)$ | ↗ | $k-2$ | ↘ | $k-22$ | ↗ |

즉 $0<x<3$에서 함수 $h(x)$는 $x=2$일 때 극소이면서 최소이므로 최솟값 $k-22$를 갖는다.

이때 $0<x<3$에서 $h(x)\ge 0$이려면 $h(2)\ge 0$이어야 하므로

$h(2)=k-22\ge 0\qquad \therefore k\ge 22$

따라서 실수 $k$의 최솟값은 22이다.

답 22

## 5-1

방정식 $x^3-3x^2-n=0$이 서로 다른 세 실근을 갖도록 하는 모든 정수 $n$의 값의 합을 구하시오.

## 5-2

함수 $f(x)=2x^3-3x^2-12x+5$의 그래프를 $y$축의 방향으로 $a$만큼 평행이동시켰더니 함수 $y=g(x)$의 그래프와 일치하였다. 이때 방정식 $g(x)=0$이 서로 다른 두 실근만을 갖도록 하는 모든 상수 $a$의 값의 합을 구하시오.

## 6-1

$0\le x\le 2$에서 부등식 $4x^3-12x+k\ge 0$이 성립하도록 하는 실수 $k$의 최솟값을 구하시오.

## 6-2

두 함수 $f(x)=x^3+3x^2-k$, $g(x)=6x^2+9x-10$에 대하여 $-1\le x\le 4$에서 부등식 $f(x)\ge g(x)$가 성립하도록 하는 실수 $k$의 최댓값은?

① $-18$ ② $-17$ ③ $-16$ ④ $-15$ ⑤ $-14$

## 핵심 예제 07

수직선 위를 움직이는 점 P의 시각 $t$ $(t\geq 0)$에서의 위치 $x$가 $x=t^3-9t^2+34t$이다. 점 P의 속도가 처음으로 10이 될 때, 점 P의 위치는?

① 38 ② 40 ③ 42
④ 44 ⑤ 46

**Tip**

점 P의 시각 $t$에서의 속도 $v$는 $v=\dfrac{dx}{\boxed{❶}}=\boxed{❷}$

답 ❶ $dt$ ❷ $3t^2-18t+34$

**풀이**

점 P의 시각 $t$에서의 속도 $v$는

$v=\dfrac{dx}{dt}=3t^2-18t+34$

$3t^2-18t+34=10$에서 $3t^2-18t+24=0$

$3(t-2)(t-4)=0$ $\quad\therefore t=2$ 또는 $t=4$

따라서 시각 $t=2$에서의 점 P의 속도가 처음으로 10이 되므로 점 P의 위치는 $x=40$

답 ②

## 7-1

수직선 위를 움직이는 점 P의 시각 $t$ $(t\geq 0)$에서의 위치 $x$가 $x=-t^2+8t$이다. 시각 $t=a$에서의 점 P의 속도가 0일 때, $a$의 값은?

① 1 ② 2 ③ 3
④ 4 ⑤ 5

## 7-2

수직선 위를 움직이는 점 P의 시각 $t$ $(t\geq 0)$에서의 위치 $x$가 $x=t^3-6t^2+5$이다. 점 P의 가속도가 0일 때, 점 P의 속도는?

① $-12$ ② $-10$ ③ $-8$
④ $-6$ ⑤ $-4$

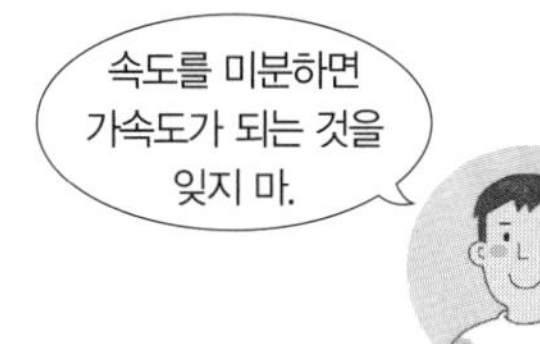


## 핵심 예제 08

수직선 위를 움직이는 두 점 P, Q의 시각 $t$ $(t\geq 0)$에서의 위치가 각각

$$x_{\mathrm{P}}=\frac{1}{3}t^3+4t-\frac{2}{3},\ x_{\mathrm{Q}}=2t^2-10$$

이다. 두 점 P, Q의 속도가 같아질 때, 두 점 사이의 거리를 구하시오.

**Tip**

점 P의 속도 $v_{\mathrm{P}}$는 $v_{\mathrm{P}}=\dfrac{dx_{\mathrm{P}}}{dt}=\boxed{❶}$

점 Q의 속도 $v_{\mathrm{Q}}$는 $v_{\mathrm{Q}}=\dfrac{dx_{\mathrm{Q}}}{dt}=\boxed{❷}$

답 ❶ $t^2+4$ ❷ $4t$

**풀이**

두 점 P, Q의 속도 $v_{\mathrm{P}}$, $v_{\mathrm{Q}}$는 각각

$v_{\mathrm{P}}=\dfrac{dx_{\mathrm{P}}}{dt}=t^2+4,\ v_{\mathrm{Q}}=\dfrac{dx_{\mathrm{Q}}}{dt}=4t$

즉 두 점 P, Q의 속도가 같아질 때의 시각 $t$는

$t^2+4=4t,\ (t-2)^2=0$ $\quad\therefore t=2$

따라서 시각 $t=2$에서의 두 점 P, Q의 위치는 각각 $x_{\mathrm{P}}=10$, $x_{\mathrm{Q}}=-2$이므로 두 점 사이의 거리는 $10-(-2)=12$이다.

답 12

## 8-1

수직선 위를 움직이는 점 P의 시각 $t$ $(t\geq 0)$에서의 위치 $x$가 $x=t^3-12t+k$이다. 점 P의 운동 방향이 원점에서 바뀔 때, 상수 $k$의 값은?

① 10 ② 12 ③ 14
④ 16 ⑤ 18

## 8-2

수직선 위를 움직이는 점 P의 시각 $t$ $(t\geq 0)$에서의 위치 $x$가 $x=t^3+kt^2+t$이다. 시각 $t=1$에서 점 P가 운동 방향을 바꿀 때, 시각 $t=2$에서의 점 P의 가속도는? (단, $k$는 상수이다.)

① 4 ② 6 ③ 8
④ 10 ⑤ 12

WEEK 1 DAY 3

# 필수 체크 전략 ②

**01** 함수 $f(x)=x^3+3x^2-24$의 극솟값은?

① $-24$ ② $-20$ ③ $-16$
④ $-8$ ⑤ $0$

Tip

함수 $f(x)$가 미분가능하고 $f'(a)=$ ❶ ___ 일 때, $x=a$의 좌우에서 $f'(x)$의 부호가 음$(-)$에서 양$(+)$으로 바뀌면 $f(x)$는 $x=a$에서 ❷ ___ 이다.

답 ❶ 0 ❷ 극소

**02** 함수 $f(x)=x^3+2x^2-4x-6$이 $x=a$에서 극댓값 $b$를 가질 때, $a+b$의 값은?

① $-4$ ② $-2$ ③ $0$
④ $2$ ⑤ $4$

Tip

함수 $f(x)=x^3+2x^2-4x-6$에 대하여
$f(a)=$ ❶ ___, $f'(a)=$ ❷ ___

답 ❶ $b$ ❷ 0

**03** 함수 $f(x)=-2x^3+3x^2+12x-5$의 그래프에 대하여 극소인 점을 A, 극대인 점을 B라 하자. 선분 AB의 중점의 좌표를 $(a, b)$라 할 때, $a+b$의 값은?

① 1 ② 2 ③ 3
④ 4 ⑤ 5

Tip

• $f(x)=-2x^3+3x^2+12x-5$에서
$f'(x)=-6x^2+6x+$ ❶ ___
• 두 점 $\mathrm{A}(x_1, y_1)$, $\mathrm{B}(x_2, y_2)$에 대하여 선분 AB의 중점의 좌표는 $\left(\frac{x_1+x_2}{2}, \text{❷ ___}\right)$

답 ❶ 12 ❷ $\frac{y_1+y_2}{2}$

**04** 함수 $f(x)=2x^3-12x^2+ax-4$가 $x=1$에서 극댓값 $M$을 가질 때, $a+M$의 값은? (단, $a$는 상수이다.)

① 16 ② 18 ③ 20
④ 22 ⑤ 24

Tip

함수 $f(x)=2x^3-12x^2+ax-4$에 대하여
$f(1)=$ ❶ ___, $f'(1)=$ ❷ ___

답 ❶ $M$ ❷ 0

**05** 두 다항함수 $f(x)$, $g(x)$가 모든 실수 $x$에 대하여
$$g(x)=(x+2)f(x)$$
를 만족시킨다. 함수 $g(x)$가 $x=1$에서 극솟값 18을 가질 때, 함수 $f(x)$의 그래프 위의 $x=1$인 점에서의 접선과 $x$축, $y$축으로 둘러싸인 삼각형의 넓이는?

① 15 ② 16 ③ 17
④ 18 ⑤ 19

Tip

함수 $g(x)$에 대하여
$g(1)=$ ❶ ___, $g'(1)=$ ❷ ___

답 ❶ 18 ❷ 0

곱의 미분법을 이용하여 도함수를 구해 봐.

## 06
함수 $f(x)=x^3+(k-1)x^2+(k-1)x+5$가 극값을 갖지 않도록 하는 실수 $k$의 값의 범위가 $a\le k\le b$일 때, $a+b$의 값을 구하시오.

**Tip**

이차방정식 $f'(x)=$ ❶ ☐ 이 ❷ ☐ 을 갖거나 실근을 갖지 않을 조건을 구한다.

답 ❶ 0 ❷ 중근

## 07
방정식 $x^3-3x-a=0$이 서로 다른 세 실근을 갖도록 하는 정수 $a$의 개수는?

① 1 ② 2 ③ 3
④ 4 ⑤ 5

**Tip**

함수 $y=x^3-3x$의 그래프와 직선 $y=$ ❶ ☐ 가 서로 다른 ❷ ☐ 점에서 만나는 조건을 구한다.

답 ❶ $a$ ❷ 세

## 08
최고차항의 계수가 1인 삼차함수 $f(x)$가 다음 조건을 만족시킨다.

> (가) 모든 실수 $x$에 대하여 $f(-x)=-f(x)$이다.
> (나) 방정식 $f(x)-16=0$의 서로 다른 실근의 개수는 2이다.

$f(-2)$의 값은?

① $-4$ ② $-2$ ③ 8
④ 16 ⑤ 32

**Tip**

삼차함수 $y=f(x)$의 그래프는 ❶ ☐ 에 대하여 대칭이고, 극값 ❷ ☐ 을 갖는다.

답 ❶ 원점 ❷ 16

## 09
두 함수

$f(x)=x^3-x^2-x+3,\ g(x)=-x^2+2x+k$

에 대하여 $0\le x\le 3$에서 부등식 $f(x)\ge g(x)$가 성립하도록 하는 실수 $k$의 최댓값은?

① $-1$ ② 0 ③ 1
④ 2 ⑤ 3

**Tip**

$h(x)=$ ❶ ☐ 로 놓고 $0\le x\le 3$에서 부등식 $h(x)\ge$ ❷ ☐ 이 성립하도록 하는 $k$의 최댓값을 구한다.

답 ❶ $f(x)-g(x)$ ❷ 0

## 10
수직선 위를 움직이는 점 P의 시각 $t\ (t\ge 0)$에서의 위치 $x$가

$x=t^3+at^2+bt$

이다. 시각 $t=1$에서 점 P가 운동 방향을 바꾸고, 시각 $t=2$에서의 점 P의 가속도는 0일 때, 상수 $a$, $b$에 대하여 $a+b$의 값은?

① 3 ② 4 ③ 5
④ 6 ⑤ 7

**Tip**

• 점 P의 시각 $t$에서의 속도 $v$와 가속도 $a$는

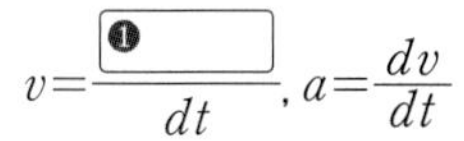

$v=\dfrac{❶\ ☐}{dt},\ a=\dfrac{dv}{dt}$

• 시각 $t=1$에서의 점 P의 속도는 ❷ ☐ 이다.

답 ❶ $dx$ ❷ 0

# 누구나 합격 전략

**01** 곡선 $y=x^3+2x-1$ 위의 점 $(1,\ 2)$에서의 접선과 직선 $y=mx$가 서로 평행할 때, 상수 $m$의 값은?

① 3　② 4　③ 5　④ 6　⑤ 7

**02** 곡선 $y=2x^3+3x-5$ 위의 점 $(1,\ 0)$에서의 접선이 점 $(0,\ a)$를 지날 때, $a$의 값은?

① $-9$　② $-7$　③ $-5$　④ $-3$　⑤ $-1$

**03** 곡선 $y=x^3+3x^2-6$ 위의 서로 다른 두 점 A, B에서의 접선이 서로 평행하다. 점 A의 $x$좌표가 1일 때, 점 B의 $x$좌표는?

① $-3$　② $-2$　③ $-1$　④ 1　⑤ 2

**04** 함수 $f(x)=|x-2|+1$의 극솟값은?

① $-1$　② 1　③ 2　④ 3　⑤ 4

**05** 함수 $f(x)=x^3+3x^2-2$의 극댓값을 $M$, 극솟값을 $m$이라 할 때, $M-m$의 값은?

① 1　② 2　③ 3　④ 4　⑤ 5

**06** 함수 $f(x)=x^3+ax^2+bx$가 $x=3$에서 극값 0을 가질 때, 상수 $a$, $b$에 대하여 $a+b$의 값은?

① 1 ② 2 ③ 3
④ 4 ⑤ 5

**07** 아래 대화를 읽고, 화면에 나타나는 값을 구하시오.

**08** 방정식 $x^3+3x^2-1=0$의 서로 다른 실근의 개수를 구하시오.

**09** 수직선 위를 움직이는 점 P의 시각 $t$ $(t\geq0)$에서의 위치 $x$가 $x=t^3-t^2$일 때, 시각 $t=2$에서의 점 P의 속도는?

① 2 ② 4 ③ 6
④ 8 ⑤ 10

**10** 수직선 위를 움직이는 점 P의 시각 $t$ $(t\geq0)$에서의 속도를 $v$라 하면

$$v=-t^2+10t$$

이다. 시각 $t=k$에서의 점 P의 가속도가 0일 때, 상수 $k$의 값은?

① 4 ② 5 ③ 6
④ 7 ⑤ 8

# 창의·융합·코딩 전략 ①

**1** 다음 그림과 같이 해안선 위의 두 지점 P, Q에 대하여 지점 P를 원점, $\overline{PQ}$의 연장선을 $x$축이라 할 때, 해안선은 이차함수 $f(x)=-x^2+2x$의 그래프와 일치한다고 한다. 이차함수 $y=f(x)$의 그래프 위의 두 점 P, Q에서의 두 접선의 교점을 R라 할 때, 삼각형 PQR의 무게중심에 대응하는 지점의 해수면 아래에 고대 화물 운반선이 침몰되어 있다고 한다. 고대 화물 운반선이 침몰되어 있는 지점의 좌표를 $(a, b)$라 할 때, $a+b$의 값은?

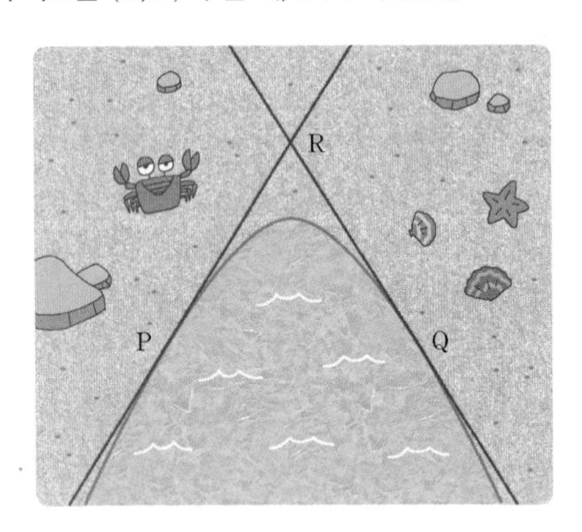


① 1　② $\frac{4}{3}$　③ $\frac{5}{3}$

④ 2　⑤ $\frac{7}{3}$

**Tip**

- 점 P는 원점이고, 점 Q는 이차함수 $f(x)=-x^2+2x$의 그래프와 $x$축의 교점이므로 Q(❶ ☐, 0)
- $f(x)=-x^2+2x$에서 $f'(x)=$ ❷ ☐

답 ❶ 2 ❷ $-2x+2$

**2** 다음 그림과 같이 곡선 $y=x^2(3-x)$ 위를 움직이는 점 $P(a, b)$에서 접선 방향으로 레이저 빔을 쏜다. 원점 O에서 레이저 빔을 감지했을 때, 직선 OP의 기울기는? (단, $a>0$)

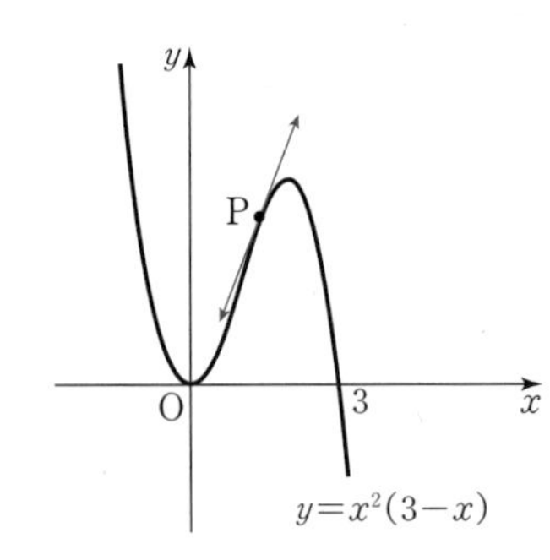


① 1　② $\frac{5}{4}$　③ $\frac{3}{2}$

④ 2　⑤ $\frac{9}{4}$

**Tip**

- 점 $P(a, b)$에서의 접선이 ❶ ☐을 지난다.
- $f(x)=x^2(3-x)=-x^3+3x^2$이라 하면 $f'(x)=$ ❷ ☐

답 ❶ 원점 ❷ $-3x^2+6x$

**3** 다음 그림과 같이 모노레일이 삼차함수 $y=f(x)$의 그래프의 일부일 때, 모노레일의 최고 지점 A와 최저 지점 B의 높이의 차는 8이다. 함수 $y=f(x)$의 그래프 밖의 한 점 C에 대하여 삼각형 ACB의 외심의 좌표가 $(5, 0)$, $\angle ACB=90^\circ$, $\overline{AB}=10$일 때, 방정식 $f'(x)=0$의 두 실근의 곱은? (단, $\overline{AC}$는 $y$축과 평행하다.)

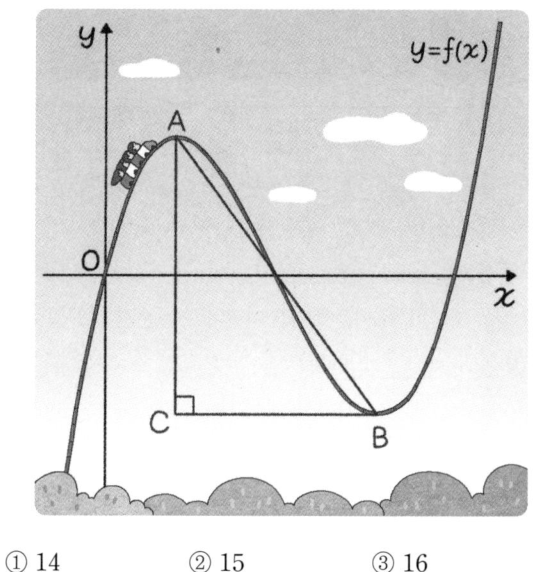


① 14　② 15　③ 16
④ 17　⑤ 18

**Tip**

점 A의 $y$좌표는 함수 $f(x)$의 ❶ ______ 이고,
점 B의 $y$좌표는 함수 $f(x)$의 ❷ ______ 이다.

답 ❶ 극댓값 ❷ 극솟값

**4** [그림 1]과 같이 가로의 길이가 12 cm, 세로의 길이가 6 cm인 직사각형 모양의 철판이 있다. 네 모퉁이에서 크기가 같은 정사각형 모양의 철판을 잘라 낸 후 남는 부분을 접어서 [그림 2]와 같이 뚜껑이 없는 직육면체 모양의 물통을 만들려고 한다. 이 물통의 부피가 최대일 때, 잘라 낸 정사각형의 한 변의 길이는 $(a+b\sqrt{3})$ cm이다. 정수 $a$, $b$에 대하여 $a+b$의 값은?

(단, 철판의 두께는 무시한다.)

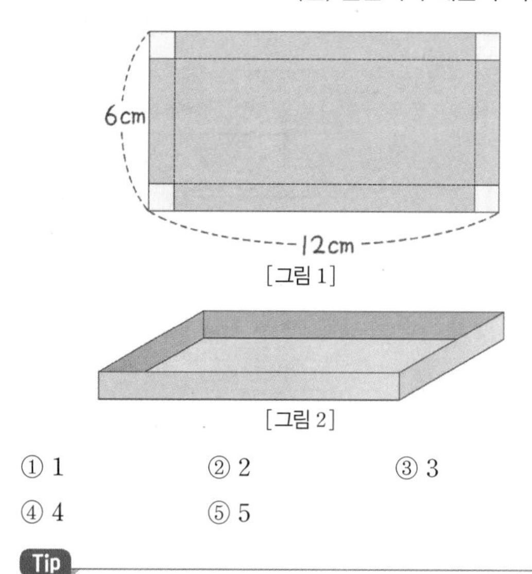

[그림 1]

[그림 2]

① 1　② 2　③ 3
④ 4　⑤ 5

**Tip**

잘라 낸 정사각형의 한 변의 길이를
$x$ cm $(0<x<$ ❶ ______ $)$,
물통의 부피를 $V(x)$ $\text{cm}^3$라 하면
$V(x)=x(6-2x)(12-$ ❷ ______ $)$

답 ❶ 3 ❷ $2x$

**5** 다음 그림과 같이 한 모서리의 길이가 10인 정육면체 ABCD−EFGH가 있다. 점 P는 꼭짓점 A에서 출발하여 모서리 AB 위를 매초 1씩 움직여 점 B까지, 점 Q는 꼭짓점 B에서 점 P와 동시에 출발하여 모서리 BC 위를 매초 1씩 움직여 점 C까지, 점 R는 꼭짓점 A에서 점 P와 동시에 출발하여 모서리 AE 위를 매초 1씩 움직여 점 E까지 긴다.

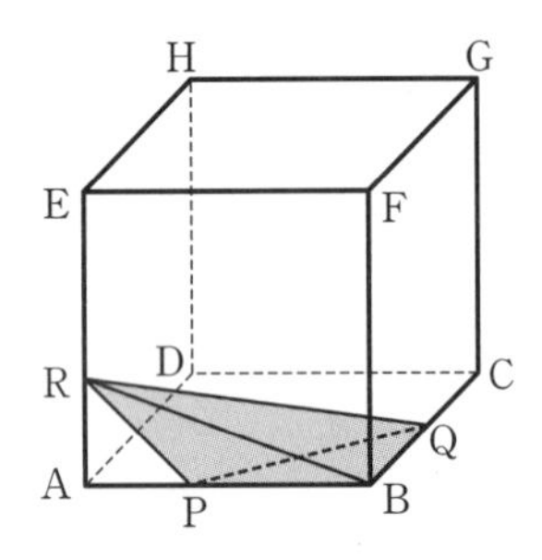


$0<t<10$에서 사면체 R−PBQ의 부피가 최대일 때, 시각 $t$의 값은?

① 6 ② $\frac{20}{3}$ ③ $\frac{22}{3}$

④ 8 ⑤ $\frac{26}{3}$

**Tip**

사면체 R−PBQ의 부피를 $V(t)$라 하면

$V(t)=\frac{1}{❶\boxed{\quad}}\times\left(\frac{1}{2}\times\overline{BP}\times\overline{BQ}\right)\times$ ❷$\boxed{\quad}$

답 ❶ 3 ❷ $\overline{AR}$

**6** 수직선 위를 움직이는 점 P의 시각 $t$ $(t\geq 0)$에서의 위치 $x$가

$x=t^2-4t+27$

이다. 점 P가 원점에 가장 가까이 오는 순간 점 P와 원점 사이의 거리는?

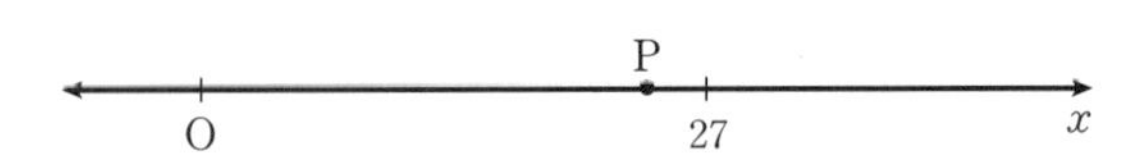


① 23 ② 24 ③ 25

④ 26 ⑤ 27

**Tip**

점 P가 원점에 가장 가까이 오는 순간 점 P의 속도는 ❶$\boxed{\quad}$이다.

답 ❶ 0

**7** 다음은 '가' 지점에서 출발하여 '나' 지점에 도착할 때까지 직선 경로를 따라 이동한 세 자동차 A, B, C의 시간 $t$에 따른 속도 $v$를 각각 나타낸 그래프이다.

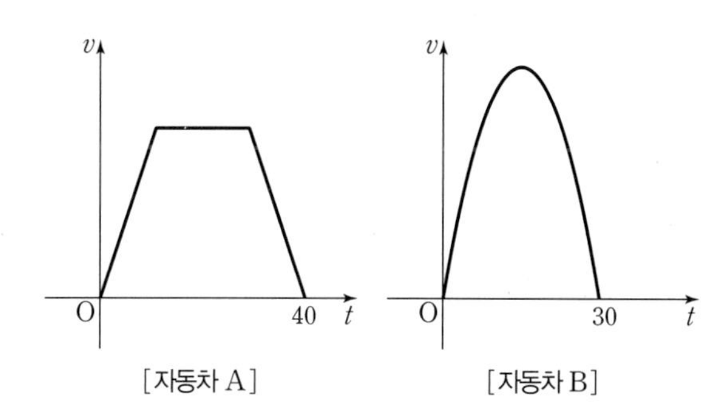

[자동차 A] [자동차 B]

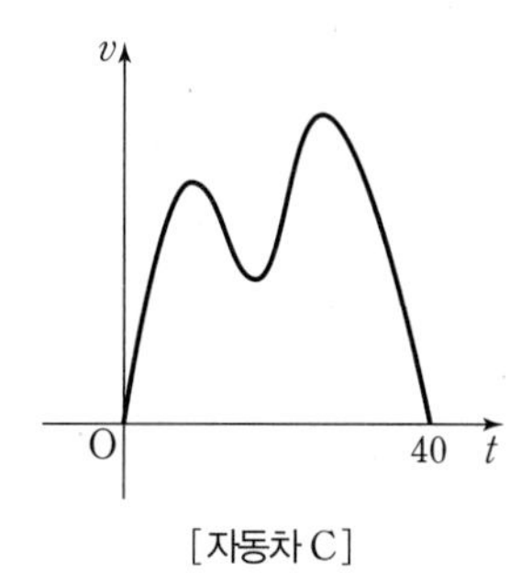

[자동차 C]

'가' 지점에서 출발하여 '나' 지점에 도착할 때까지의 상황에 대한 세 학생의 대화 중 옳은 판단을 하고 있는 학생만을 있는 대로 고르시오.

우민 나희 병재

**Tip**

- 속도를 미분하면 ❶ ______ 이다.
- 속도가 ❷ ______ 이면 멈춘 것이다.

답 ❶ 가속도 ❷ 0

**8** 다음 그림과 같이 편평한 바닥에 60°로 기울어진 경사면과 반지름의 길이가 0.5 m인 공이 있다. 이 공의 중심은 경사면과 바닥이 만나는 점에서 바닥에 수직으로 높이가 6 m인 위치에 있다.

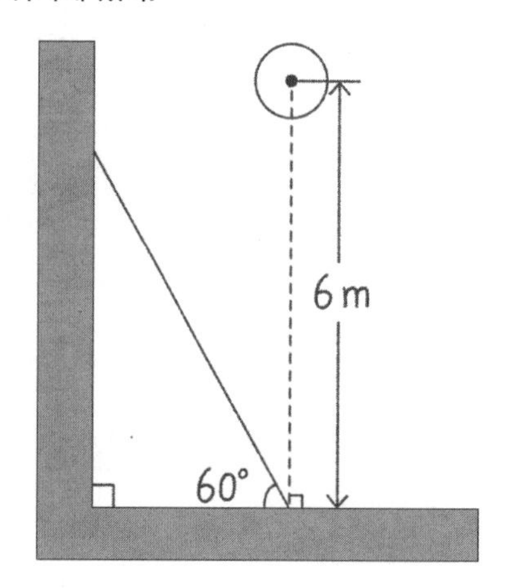


이 공을 자유 낙하시킬 때, $t$초 후 공의 중심의 높이 $h(t)$ m는

$$h(t)=6-5t^2$$

이 성립한다고 한다. 공이 경사면과 처음으로 충돌하는 순간의 공의 속도가 $a$ m/s일 때, 상수 $a$의 값은?

(단, 경사면의 두께와 공기의 저항은 무시한다.)

① $-20$ ② $-17$ ③ $-15$
④ $-12$ ⑤ $-10$

**Tip**

- 공이 경사면과 처음으로 충돌할 때, 공의 중심의 위치는 $h(t)=$ ❶ ______
- $h(t)=6-5t^2$이므로 $t$초 후 공의 속도는 $h'(t)=$ ❷ ______

답 ❶ 1 ❷ $-10t$

WEEK

# 2 적분

다음 카드 중에서 $5x^4$의 부정적분인 것을 찾으세요.
$x^5$
$x^5-2$
$4x^5$
$x^5-\frac{3}{2}$
여기 칠판에 있는 문제를 풀어 볼까요?
$5x^4$의 부정적분을 찾으려면…….
$\int 5x^4\,dx$를 계산해 보자.

$5x^4$의 부정적분은 $x^5$뿐인 것 같아.
내 생각은 달라. 답이 더 있을 것 같은데?
맞아! $\int 5x^4\,dx = x^5 + C$에서 적분상수 $C$가 생기니까 여러 가지 답이 나올 것 같아.

그럼 $4x^5$을 제외하고 나머지 모두가 답이에요!
맞아요. 부정적분은 여러 가지가 나올 수 있다는 것, 꼭 기억하세요!

**공부할 내용** 1. 부정적분 2. 정적분 3. 도형의 넓이 4. 속도와 거리

WEEK 2 DAY 1

# 개념 돌파 전략 ①

## 개념 01 부정적분의 정의

❶ 함수 $f(x)$에 대하여 $F'(x)=f(x)$가 되는 함수 ❶ [ ]를 함수 $f(x)$의 부정적분이라 하고, 기호로 $\int f(x)dx$와 같이 나타낸다.

❷ 함수 $f(x)$의 한 부정적분을 $F(x)$라 하면

$\int f(x)dx=F(x)+$ ❷ [ ]

(단, $C$는 적분상수)

답 ❶ $F(x)$ ❷ $C$

**확인 01**

$\int(6x-1)dx=$ ❶ [ ] $-x+C$ (단, $C$는 적분상수)

답 ❶ $3x^2$

## 개념 02 부정적분과 미분의 관계

❶ $\frac{d}{dx}\int f(x)dx=$ ❶ [ ]

❷ $\int\left\{\frac{d}{dx}f(x)\right\}dx=f(x)+C$ (단, $C$는 적분상수)

주의 $\frac{d}{dx}\int f(x)dx$ ❷ [ ] $\int\left\{\frac{d}{dx}f(x)\right\}dx$

답 ❶ $f(x)$ ❷ $\neq$

**확인 02**

① $\frac{d}{dx}\int(x^2-2x+1)dx=x^2-2x+$ ❶ [ ]

② $\int\left\{\frac{d}{dx}(x^2+2x-3)\right\}dx=x^2+2x-3+$ ❷ [ ]

(단, $C$는 적분상수)

답 ❶ 1 ❷ $C$

## 개념 03 함수 $y=x^n$ ($n$은 양의 정수)의 부정적분

함수 $y=x^n$ ($n$은 양의 정수)의 부정적분

⇨ $\int x^n dx=\frac{1}{❶\,[\ ]}x^{n+1}+C$ (단, $C$는 적분상수)

참고 함수 $y=1$의 부정적분

⇨ $\int 1dx=$ ❷ [ ] $+C$

답 ❶ $n+1$ ❷ $x$

**확인 03**

$\int x^5dx=$ ❶ [ ] $x^6+C$ (단, $C$는 적분상수)

답 ❶ $\frac{1}{6}$

## 개념 04 부정적분의 성질

두 함수 $f(x)$, $g(x)$에 대하여

❶ $\int kf(x)dx=$ ❶ [ ] $\int f(x)dx$

(단, $k$는 0이 아닌 상수)

❷ $\int\{f(x)+g(x)\}dx=\int f(x)dx+\int g(x)dx$

❸ $\int\{f(x)-g(x)\}dx=\int f(x)dx$ ❷ [ ] $\int g(x)dx$

답 ❶ $k$ ❷ $-$

**확인 04**

$\int(3x^2+6x-4)dx$

$=3\int x^2dx+6\int$ ❶ [ ] $dx-4\int 1dx$

$=3\left(\frac{1}{3}x^3+C_1\right)+6\left(\frac{1}{2}x^2+C_2\right)-4(x+C_3)$

$=$ ❷ [ ] $+3x^2-4x+(3C_1+6C_2-4C_3)$

(단, $C_1$, $C_2$, $C_3$은 적분상수)

$3C_1+6C_2-4C_3=C$라 하면

$\int(3x^2+6x-4)dx=x^3+3x^2-4x+C$ (단, $C$는 적분상수)

답 ❶ $x$ ❷ $x^3$

## 개념 05 정적분의 정의 (1)

닫힌구간 $[a, b]$에서 연속인 함수 $f(x)$의 한 부정적분을 $F(x)$라 하면 $F(b)-F(a)$를 함수 $f(x)$의 $a$에서 $b$까지의 ❶ [    ]이라 하고, 기호로 $\int_a^b f(x)dx$와 같이 나타낸다. 또 $F(b)-F(a)$를 기호로 $\left[F(x)\right]_a^b$로도 나타낸다. 즉

$$\int_a^b f(x)dx=\left[F(x)\right]_a^b=F(b)-\text{❷}\boxed{\phantom{aa}}$$

답 ❶ 정적분 ❷ $F(a)$

### 확인 05

$$\int_{-1}^{3}(x^2-2x+1)dx=\left[\frac{1}{3}x^3-x^2+\text{❶}\boxed{\phantom{aa}}\right]_{\text{❷}\boxed{\phantom{a}}}^{3}$$
$$=3-\left(-\frac{7}{3}\right)=\frac{16}{3}$$

답 ❶ $x$ ❷ $-1$

## 개념 06 정적분의 정의 (2)

$a \geq b$일 때, 정적분 $\int_a^b f(x)dx$를 다음과 같이 정의한다.

❶ $\int_a^a f(x)dx=$ ❶ [    ]

❷ $\int_a^b f(x)dx=$ ❷ [    ] $\int_b^a f(x)dx$

답 ❶ 0 ❷ $-$

### 확인 06

① $\int_2^2 (x^2-3x)dx=$ ❶ [    ]

② $\int_1^{-1}(4x^3-2)dx=$ ❷ [    ] $\int_{-1}^{1}(4x^3-2)dx$

$$=-\left[x^4-2x\right]_{-1}^{1}$$
$$=-(-1-3)=4$$

답 ❶ 0 ❷ $-$

## 개념 07 정적분의 성질 (1)

두 함수 $f(x)$, $g(x)$가 닫힌구간 $[a, b]$에서 연속일 때

❶ $\int_a^b kf(x)dx=k\int_a^b$ ❶ [    ] $dx$ (단, $k$는 상수)

❷ $\int_a^b \{f(x)+g(x)\}dx=\int_a^b f(x)dx$ ❷ [  ] $\int_a^b g(x)dx$

❸ $\int_a^b \{f(x)-g(x)\}dx=\int_a^b f(x)dx-\int_a^b g(x)dx$

답 ❶ $f(x)$ ❷ $+$

### 확인 07

$$\int_{-1}^{3}(x^3-3x+2)dx$$
$$=\int_{-1}^{3}x^3dx-\text{❶}\boxed{\phantom{aa}}\int_{-1}^{3}xdx+2\int_{-1}^{3}1\,dx$$
$$=\left[\text{❷}\boxed{\phantom{aa}}\right]_{-1}^{3}-3\left[\frac{1}{2}x^2\right]_{-1}^{3}+2\left[x\right]_{-1}^{3}$$
$$=20-12+8=16$$

답 ❶ 3 ❷ $\frac{1}{4}x^4$

## 개념 08 정적분의 성질 (2)

함수 $f(x)$가 임의의 세 실수 $a$, $b$, $c$를 포함하는 닫힌구간에서 ❶ [    ]일 때

$$\int_a^c f(x)dx+\int_c^b f(x)dx=\int_a^{\text{❷}\boxed{\phantom{a}}} f(x)dx$$

답 ❶ 연속 ❷ $b$

### 확인 08

$$\int_{-2}^{0}(3x^2+4x)dx+\int_0^1(3x^2+4x)dx$$
$$=\int_{\text{❶}\boxed{\phantom{a}}}^{1}(3x^2+4x)dx$$
$$=\left[x^3+\text{❷}\boxed{\phantom{aa}}\right]_{-2}^{1}=3$$

답 ❶ $-2$ ❷ $2x^2$

# 개념 돌파 전략 ①

## 개념 09 우함수와 기함수의 정적분

함수 $f(x)$가 닫힌구간 $[-a, a]$에서 연속일 때

❶ $f(-x)=f(x)$이면 함수 $f(x)$를 우함수라 하고

$$\int_{-a}^{a} f(x)dx = \boxed{❶\quad}\int_{0}^{a} f(x)dx$$

❷ $f(-x)=-f(x)$이면 함수 $f(x)$를 기함수라 하고

$$\int_{-a}^{a} f(x)dx = \boxed{❷\quad}$$

답 ❶ 2 ❷ 0

### 확인 09

$$\int_{-1}^{1}(4x^3+3x^2+6x+1)dx = 2\int_{0}^{1}(\boxed{❶\quad})dx$$

$$=2\Big[x^3+x\Big]_0^1=\boxed{❷\quad}$$

답 ❶ $3x^2+1$ ❷ 4

## 개념 10 정적분으로 정의된 함수의 미분과 극한

❶ 정적분으로 정의된 함수의 미분

① $\dfrac{d}{dx}\displaystyle\int_{a}^{x} f(t)dt = \boxed{❶\quad}$ (단, $a$는 실수)

② $\dfrac{d}{dx}\displaystyle\int_{x}^{x+a} f(t)dt = f(x+a)-f(x)$ (단, $a$는 실수)

❷ 정적분으로 정의된 함수의 극한

① $\displaystyle\lim_{x\to a}\frac{1}{x-a}\int_{a}^{x} f(t)dt = \boxed{❷\quad}$

② $\displaystyle\lim_{x\to 0}\frac{1}{x}\int_{a}^{x+a} f(t)dt = f(a)$

답 ❶ $f(x)$ ❷ $f(a)$

### 확인 10

$f(t)=3t^2+t+1$로 놓고 $f(t)$의 한 $\boxed{❶\quad}$을 $F(t)$라 하면

$$\lim_{x\to 0}\frac{1}{x}\int_{0}^{x}(3t^2+t+1)dt = \lim_{x\to 0}\frac{F(x)-F(0)}{x}$$

$$=\boxed{❷\quad}=f(0)=1$$

답 ❶ 부정적분 ❷ $F'(0)$

## 개념 11 정적분의 기하적 의미

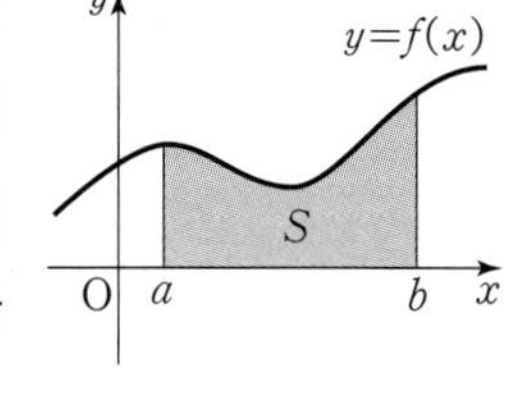


함수 $f(x)$가 닫힌구간 $[a, b]$에서 $\boxed{❶\quad}$이고 $f(x)\ge 0$일 때, 곡선 $y=f(x)$와 $x$축 및 두 직선 $x=a$, $x=b$로 둘러싸인 도형의 넓이 $S$는

$$S=\int_{a}^{b}\boxed{❷\quad}dx$$

답 ❶ 연속 ❷ $f(x)$

### 확인 11

곡선 $y=x^2+1$과 $x$축 및 두 직선 $x=1$, $x=2$로 둘러싸인 도형의 넓이를 구하여 보자.

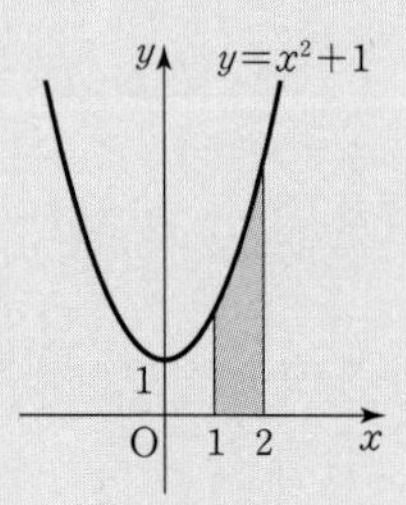


곡선 $y=x^2+1$이 오른쪽 그림과 같으므로

닫힌구간 $[1, 2]$에서 $x^2+1\boxed{❶\quad}0$

따라서 구하는 넓이는

$$\int_{1}^{2}(x^2+1)dx$$

$$=\Big[\frac{1}{3}x^3+\boxed{❷\quad}\Big]_1^2=\frac{10}{3}$$

답 ❶ > ❷ $x$

## 개념 12 곡선과 $x$축 사이의 넓이

함수 $f(x)$가 닫힌구간 $[a, b]$에서 연속일 때, 곡선 $y=f(x)$와 $\boxed{❶\quad}$축 및 두 직선 $x=a$, $x=b$로 둘러싸인 도형의 넓이 $S$는

$$S=\int_{a}^{b}\boxed{❷\quad}dx$$

답 ❶ $x$ ❷ $|f(x)|$

### 확인 12

곡선 $y=x^2+x$와 $x$축으로 둘러싸인 도형의 넓이 $S$는

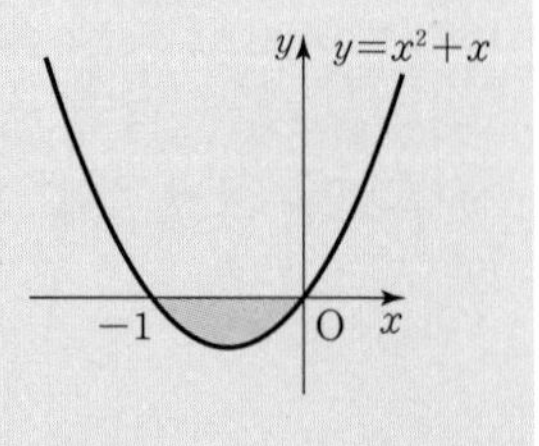


$$S=\int_{-1}^{0}(\boxed{❶\quad})dx$$

$$=\Big[-\frac{1}{3}x^3-\boxed{❷\quad}\Big]_{-1}^{0}=\frac{1}{6}$$

답 ❶ $-x^2-x$ ❷ $\frac{1}{2}x^2$

## 개념 13 두 곡선 사이의 넓이

두 함수 $f(x)$, $g(x)$가 닫힌구간 $[a, b]$에서 연속일 때, 두 곡선 $y=f(x)$, $y=g(x)$와 두 직선 $x=a$, $x=b$로 둘러싸인 도형의 넓이 $S$는

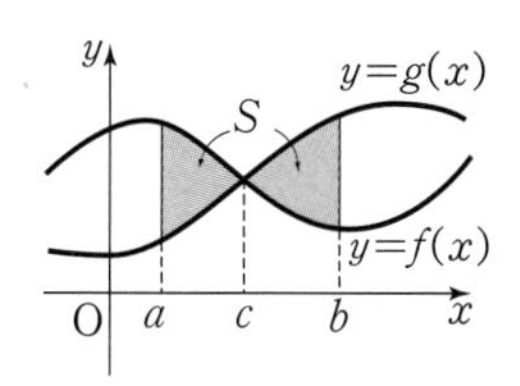


$$S=\int_a^b |f(x)-\boxed{❶\quad}|\,dx$$

$$=\int_a^{\boxed{❷}} \{f(x)-g(x)\}dx+\int_c^b \{g(x)-f(x)\}dx$$

답 ❶ $g(x)$ ❷ $c$

### 확인 13

두 곡선 $y=-x^2+1$, $y=x^2-1$로 둘러싸인 도형의 넓이 $S$는

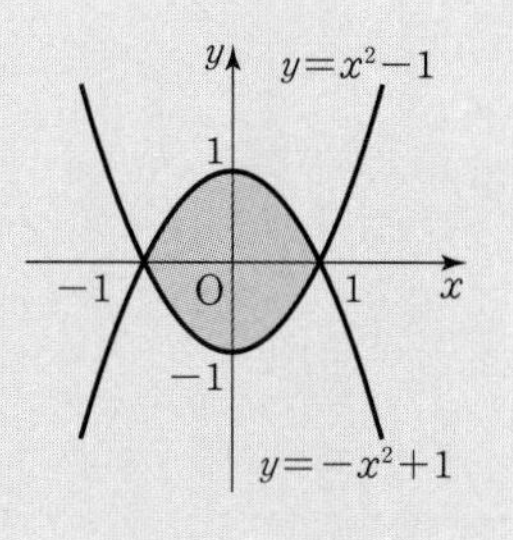


$$S=\int_{-1}^1 \{(-x^2+1)-(x^2-1)\}dx$$

$$=\int_{-1}^1 (-2x^2+\boxed{❶\quad})dx$$

$$=\boxed{❷\quad}\int_0^1 (-2x^2+2)dx$$

$$=2\left[-\frac{2}{3}x^3+2x\right]_0^1=2\times\frac{4}{3}=\frac{8}{3}$$

답 ❶ 2 ❷ 2

## 개념 14 점의 위치와 위치의 변화량

수직선 위를 움직이는 점 P의 시각 $t$에서의 속도를 $v(t)$, 시각 $t=a$에서의 위치를 $x_0$이라 할 때

❶ 시각 $t$에서 점 P의 위치 $x$는 $x=\boxed{❶\quad}+\int_a^t v(t)dt$

❷ 시각 $t=a$에서 $t=b$까지 점 P의 위치의 변화량은

$$\int_a^b \boxed{❷\quad}dt$$

답 ❶ $x_0$ ❷ $v(t)$

### 확인 14

원점을 출발하여 수직선 위를 움직이는 점 P의 시각 $t$에서의 속도가 $v(t)=3-t$일 때

① 시각 $t=2$에서 점 P의 위치는

$$0+\int_0^2 (\boxed{❶\quad})dt=\left[3t-\frac{1}{2}t^2\right]_0^2=4$$

② 시각 $t=1$에서 $t=3$까지 점 P의 위치의 변화량은

$$\int_1^3 (3-t)dt=\left[\boxed{❷\quad}-\frac{1}{2}t^2\right]_1^3=\frac{9}{2}-\frac{5}{2}=2$$

답 ❶ $3-t$ ❷ $3t$

## 개념 15 점이 움직인 거리

수직선 위를 움직이는 점 P의 시각 $t$에서의 속도가 $v(t)$일 때, 시각 $t=a$에서 $t=\boxed{❶\quad}$까지 점 P가 움직인 거리 $s$는

$$s=\int_a^b |\boxed{❷\quad}|\,dt$$

답 ❶ $b$ ❷ $v(t)$

### 확인 15

원점을 출발하여 수직선 위를 움직이는 점 P의 시각 $t$에서의 속도가 $v(t)=3-t$일 때, 시각 $t=2$에서 $t=5$까지 점 P가 움직인 거리는

$$\int_2^5 |3-t|dt=\int_2^3 (3-t)dt+\int_3^5 (\boxed{❶\quad})dt$$

$$=\left[3t-\frac{1}{2}t^2\right]_2^3+\left[-3t+\frac{1}{2}t^2\right]_3^5$$

$$=\frac{1}{2}+\boxed{❷\quad}=\frac{5}{2}$$

답 ❶ $-3+t$ ❷ 2

## 개념 16 그래프에서의 위치와 움직인 거리

수직선 위를 움직이는 점 P의 시각 $t$에서의 속도 $v(t)$의 그래프가 오른쪽 그림과 같을 때

❶ 시각 $t=0$에서 $t=a$까지

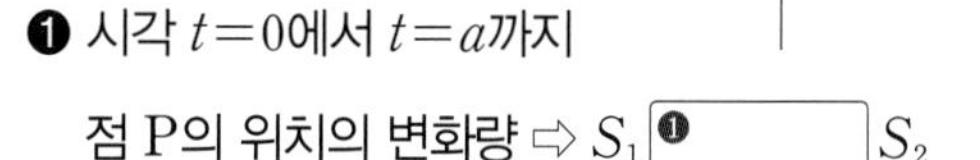

점 P의 위치의 변화량 ⇨ $S_1\boxed{❶\quad}S_2$

❷ 시각 $t=0$에서 $t=a$까지 점 P가 움직인 거리

⇨ $S_1\boxed{❷\quad}S_2$

답 ❶ − ❷ +

### 확인 16

원점을 출발하여 수직선 위를 움직이는 점 P의 시각 $t$에서의 속도 $v(t)$의 그래프가 오른쪽 그림과 같을 때

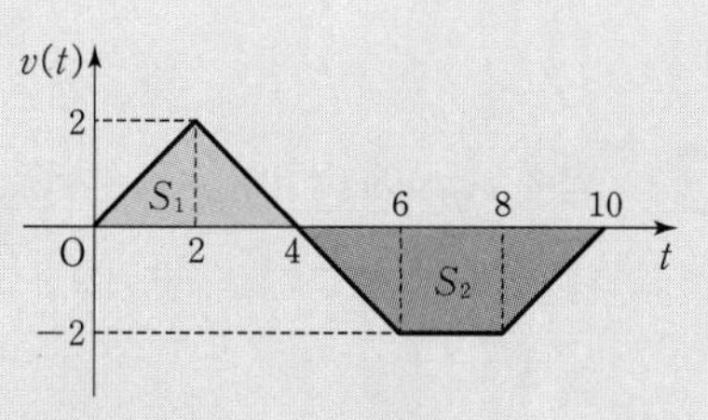


① 시각 $t=0$에서 $t=10$까지 점 P의 위치의 변화량

⇨ $\int_0^{10} v(t)dt=S_1-\boxed{❶\quad}=4-8=-4$

② 시각 $t=0$에서 $t=10$까지 점 P가 움직인 거리

⇨ $\int_0^{10} |v(t)|dt=S_1\boxed{❷\quad}S_2=4+8=12$

답 ❶ $S_2$ ❷ +

# WEEK 2 DAY 1 개념 돌파 전략 ②

**1** 함수 $f(x)=\int(2x^2-3)dx$에 대하여 $f'(2)$의 값은?

① 1　② 2　③ 3
④ 4　⑤ 5

**Tip**

$f'(x)=\frac{d}{dx}\int($ ❶ $\boxed{\phantom{00}}$ $-3)dx$

$=2x^2-3$

답 ❶ $2x^2$

**2** 함수 $f(x)$에 대하여 $\int f(x)dx=-2x^3+C$일 때, $f(x)$의 식은?

(단, $C$는 적분상수)

① $-6x$　② $-6x^2$　③ $-6x^2+C$
④ $-\frac{1}{2}x^4$　⑤ $-\frac{1}{2}x^4+C$

**Tip**

- $\frac{d}{dx}\int f(x)dx=$ ❶ $\boxed{\phantom{00}}$
- 함수 $y=x^n$ ($n$은 양의 정수)의 도함수는 $y'=$ ❷ $\boxed{\phantom{00}}$

답 ❶ $f(x)$ ❷ $nx^{n-1}$

**3** 함수 $f(x)$에 대하여 $f'(x)=3x^2-4x-2$이고 $f(0)=1$일 때, $f(1)$의 값은?

① $-2$　② $-1$　③ 0
④ 1　⑤ 2

**Tip**

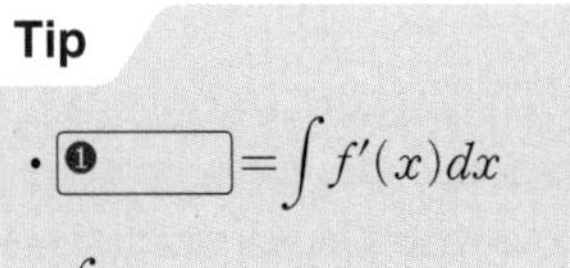

- ❶ $\boxed{\phantom{00}}$ $=\int f'(x)dx$
- $\int x^n dx=$ ❷ $\boxed{\phantom{00}}$ $+C$

(단, $C$는 적분상수)

답 ❶ $f(x)$ ❷ $\frac{1}{n+1}x^{n+1}$

## 4 $\int_0^2 (3x^2-1)dx$의 값은?

① 2　② 4　③ 6
④ 8　⑤ 10

**Tip**

함수 $y=3x^2-1$의 부정적분은

$\int(3x^2-1)dx=$ ❶ $\square$ $-x+C$

(단, $C$는 적분상수)

답 ❶ $x^3$

## 5 곡선 $y=-3x^2+6x$와 $x$축으로 둘러싸인 부분의 넓이는?

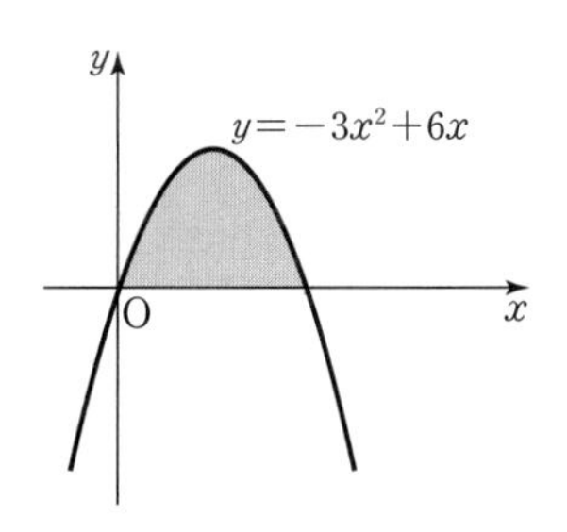


① 2　② 4　③ 6
④ 8　⑤ 10

**Tip**

닫힌구간 $[a, b]$에서 $f(x) \geq$ ❶ $\square$ 이면 이 구간에서 곡선 $y=f(x)$와 $x$축으로 둘러싸인 부분의 넓이는

$\int_a^b$ ❷ $\square$ $dx$

답 ❶ 0 ❷ $f(x)$

## 6 원점을 출발하여 수직선 위를 움직이는 점 P의 시각 $t$ $(t \geq 0)$에서의 속도 $v(t)$가 $v(t)=3t^2-2t+1$일 때, 시각 $t=3$에서 점 P의 위치는?

① 9　② 12　③ 15
④ 18　⑤ 21

**Tip**

출발점이 원점일 때, 시각 $t=a$에서 점 P의 위치는

❶ $\square$ $+\int_0^a$(❷ $\square$ $-2t+1)dt$

답 ❶ 0 ❷ $3t^2$

WEEK 2 DAY 2

# 필수 체크 전략 ①

## 핵심 예제 01

함수 $f(x)=\int(3x^2-4x+1)dx$에 대하여 $f(1)=5$일 때, $f(0)$의 값은?

① 1　　② 3　　③ 5
④ 7　　⑤ 9

**Tip**

$f(x)=\int(3x^2-4x+1)dx$

$=$ ❶ ☐ $+C$ (단, $C$는 적분상수)

이므로 $f($❷ ☐$)=C$

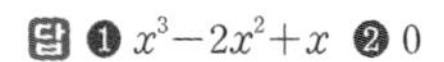
답 ❶ $x^3-2x^2+x$ ❷ 0

**풀이**

$f(x)=\int(3x^2-4x+1)dx=x^3-2x^2+x+C$

이때 $f(1)=5$이므로 $C=5$

따라서 $f(x)=x^3-2x^2+x+5$이므로 $f(0)=5$

답 ③

## 1-1

함수 $f(x)=\int(3x^2+2x-1)dx$에 대하여 $f(0)=3$일 때, $f(1)$의 값은?

① 1　　② 2　　③ 3
④ 4　　⑤ 5

## 1-2

함수 $f(x)=\int(4x^3+ax-5)dx$에 대하여 $f(0)=2$, $f(1)=-3$일 때, 상수 $a$의 값을 구하시오.

## 핵심 예제 02

함수 $f(x)$에 대하여 $f'(x)=x^3-2x$이고 $f(0)=3$일 때, $f(2)$의 값은?

① 1　　② 3　　③ 5
④ 7　　⑤ 9

**Tip**

• ❶ ☐ $=\int f'(x)dx$

• $\int x^n dx=$ ❷ ☐ $+C$ (단, $C$는 적분상수)

답 ❶ $f(x)$ ❷ $\frac{1}{n+1}x^{n+1}$

**풀이**

$f(x)=\int f'(x)dx=\int(x^3-2x)dx$

$=\frac{1}{4}x^4-x^2+C$

이때 $f(0)=3$이므로 $C=3$

따라서 $f(x)=\frac{1}{4}x^4-x^2+3$이므로 $f(2)=3$

답 ②

## 2-1

함수 $f(x)$에 대하여 $f'(x)=x^2-3$이고 $f(3)=-2$일 때, $f(-3)$의 값은?

① $-5$　　② $-4$　　③ $-3$
④ $-2$　　⑤ $-1$

## 2-2

함수 $f(x)$에 대하여 $f'(x)=4x+2$이고 $f(0)=3$일 때, $f(1)$의 값은?

① 1　　② 3　　③ 7
④ 9　　⑤ 11

## 핵심 예제 03

함수 $y=f(x)$의 그래프 위의 임의의 점 $\mathrm{P}(x, y)$에서의 접선의 기울기가 $3x^2-12$이고 함수 $f(x)$의 극솟값이 3일 때, 극댓값을 구하시오.

**Tip**

• $f'(x)=$ ❶ ☐

• $f(x)=\int($ ❷ ☐ $-12)dx$

답 ❶ $3x^2-12$ ❷ $3x^2$

**풀이**

$f'(x)=3x^2-12=3(x+2)(x-2)$

$f'(x)=0$에서 $x=-2$ 또는 $x=2$

함수 $f(x)$의 증가와 감소를 표로 나타내면 다음과 같다.

| $x$ | $\cdots$ | $-2$ | $\cdots$ | $2$ | $\cdots$ |
|---|---|---|---|---|---|
| $f'(x)$ | $+$ | $0$ | $-$ | $0$ | $+$ |
| $f(x)$ | ↗ | $f(-2)$ | ↘ | $f(2)$ | ↗ |

즉 함수 $f(x)$는 $x=-2$에서 극댓값, $x=2$에서 극솟값을 갖는다.

이때 $f(x)=\int(3x^2-12)dx=x^3-12x+C$이고 극솟값이 3이므로

$f(2)=-16+C=3 \qquad \therefore C=19$

따라서 $f(x)=x^3-12x+19$이므로

함수 $f(x)$의 극댓값은 $f(-2)=35$

답 35

## 3-1

함수 $f(x)$의 도함수가 $f'(x)=3x^2-12x$이고 함수 $f(x)$의 극댓값이 5일 때, 극솟값은?

① $-12$ ② $-17$ ③ $-22$

④ $-27$ ⑤ $-32$

## 3-2

함수 $f(x)=\int 6(x-1)(x-2)dx$의 극댓값이 2일 때, 극솟값을 구하시오.

## 핵심 예제 04

$\int_1^0 (3x-2x^2)dx$의 값은?

① $-\frac{5}{6}$ ② $-\frac{2}{3}$ ③ $\frac{1}{6}$

④ $\frac{2}{3}$ ⑤ $\frac{7}{6}$

**Tip**

함수 $y=3x-2x^2$의 부정적분은

$\int(3x-2x^2)dx=$ ❶ ☐ $-\frac{2}{3}x^3+C$ (단, $C$는 적분상수)

답 ❶ $\frac{3}{2}x^2$

**풀이**

$\int_1^0(3x-2x^2)dx=\int_0^1(2x^2-3x)dx=\left[\frac{2}{3}x^3-\frac{3}{2}x^2\right]_0^1=-\frac{5}{6}$

답 ①

## 4-1

$\int_1^3 x(x-2)dx$의 값은?

① $-\frac{2}{3}$ ② $-\frac{1}{3}$ ③ 0

④ $\frac{1}{3}$ ⑤ $\frac{2}{3}$

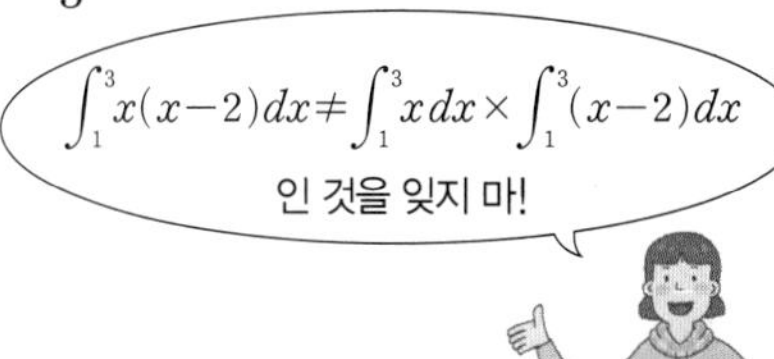


## 4-2

$\int_0^1(3x^2-2x+5)dx$의 값은?

① 1 ② 2 ③ 3

④ 4 ⑤ 5

# 필수 체크 전략 ①

## 핵심 예제 05

$\int_0^1(3x^2+4x)dx-\int_0^1 3x^2dx$의 값은?

① 0 ② 1 ③ 2
④ 3 ⑤ 4

**Tip**

$\int_0^1(3x^2+4x)dx-\int_0^1 3x^2dx$

$=\int_0^1\{(3x^2+4x)-$ ❶ $\square\}dx=\int_0^1$ ❷ $\square dx$

답 ❶ $3x^2$ ❷ $4x$

**풀이**

$\int_0^1(3x^2+4x)dx-\int_0^1 3x^2dx$

$=\int_0^1\{(3x^2+4x)-3x^2\}dx$

$=\int_0^1 4xdx=\Big[2x^2\Big]_0^1=2$

답 ③

## 핵심 예제 06

함수 $f(x)=3x^2-x$에 대하여

$\int_0^1 f(x)dx-\int_2^1 f(x)dx$의 값은?

① 4 ② 5 ③ 6
④ 7 ⑤ 8

**Tip**

- $\int_a^b f(x)dx=$ ❶ $\square\int_b^a f(x)dx$
- $\int_a^b f(x)dx+\int_b^c f(x)dx=$ ❷ $\square$

답 ❶ $-$ ❷ $\int_a^c f(x)dx$

**풀이**

$\int_0^1 f(x)dx-\int_2^1 f(x)dx$

$=\int_0^1 f(x)dx+\int_1^2 f(x)dx=\int_0^2 f(x)dx$

$=\int_0^2(3x^2-x)dx=\Big[x^3-\frac{1}{2}x^2\Big]_0^2=6$

 ③

## 5-1

$\int_0^2(2x^2+5)dx-2\int_0^2(x^2+x)dx$의 값은?

① $\frac{15}{2}$ ② 6 ③ $\frac{9}{2}$
④ 3 ⑤ $\frac{3}{2}$

## 5-2

$\int_0^3\frac{x^3}{x+2}dx+\int_0^3\frac{8}{x+2}dx$의 값은?

① 11 ② 12 ③ 13
④ 14 ⑤ 15

## 6-1

$\int_{-2}^0(3x^2-1)dx+\int_0^2(3x^2-1)dx$의 값은?

① 4 ② 6 ③ 8
④ 10 ⑤ 12

## 6-2

$\int_{-2}^3(2x-3)dx+\int_3^4(2x-3)dx-\int_2^4(2x-3)dx$의 값은?

① $-12$ ② $-6$ ③ 0
④ 6 ⑤ 12

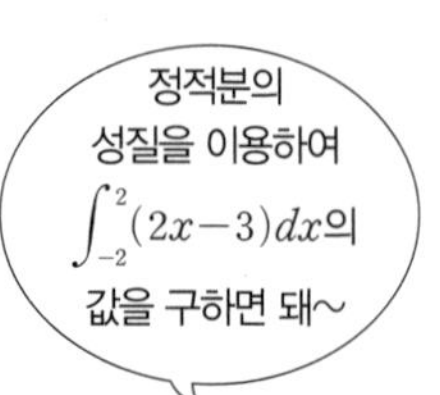

## 핵심 예제 07

$\int_0^3 (3x+|x-2|)dx$의 값은?

① 12 ② 14 ③ 16
④ 18 ⑤ 20

**Tip**

$\int_0^3 (3x+|x-2|)dx$

$=\int_0^2 \{3x$ ❶ $\square$ $(x-2)\}dx+\int_2^3 \{3x$ ❷ $\square$ $(x-2)\}dx$

답 ❶ − ❷ +

**풀이**

$\int_0^3 (3x+|x-2|)dx$

$=\int_0^2 \{3x-(x-2)\}dx+\int_2^3 \{3x+(x-2)\}dx$

$=\int_0^2 (2x+2)dx+\int_2^3 (4x-2)dx$

$=\Big[x^2+2x\Big]_0^2+\Big[2x^2-2x\Big]_2^3=8+8=16$

답 ③

## 7-1

$\int_0^3 |x-1|dx$의 값은?

① 1 ② $\frac{3}{2}$ ③ 2
④ $\frac{5}{2}$ ⑤ 3

## 7-2

$\int_0^2 |x^2(x-1)|dx$의 값은?

① $\frac{1}{2}$ ② 1 ③ $\frac{3}{2}$
④ 2 ⑤ $\frac{5}{2}$

절댓값 기호 안의 식의 값을 0으로 하는 $x$의 값을 경계로 적분 구간을 나누어 문제를 해결해 봐.

## 핵심 예제 08

연속함수 $f(x)$가 다음 조건을 만족시킨다.

> (가) 모든 실수 $x$에 대하여 $f(x+2)=f(x)$이다.
> (나) $\int_0^2 f(x)dx=5$

$\int_{-2}^{10} f(x)dx$의 값을 구하시오.

**Tip**

연속함수 $f(x)$가 모든 실수 $x$에 대하여 $f(x+2)=f(x)$이므로

$\int_{k-2}^{k} f(x)dx=\int_k^{❶\square} f(x)dx$ (단, $k$는 실수)

답 ❶ $k+2$

**풀이**

조건 (가)에서 모든 실수 $x$에 대하여 $f(x+2)=f(x)$이므로

$\cdots=\int_{-2}^{0} f(x)dx=\int_0^2 f(x)dx=\cdots=\int_8^{10} f(x)dx=\cdots$

$\therefore \int_{-2}^{10} f(x)dx=6\int_0^2 f(x)dx=6\times5=30$ ($\because$ 조건 (나))

답 30

## 8-1

연속함수 $f(x)$가 $f(x)=-x^2+1$ $(-1\le x\le 1)$이고 모든 실수 $x$에 대하여 $f(x+2)=f(x)$를 만족시킬 때, $\int_0^9 f(x)dx$의 값을 구하시오.

## 8-2

연속함수 $f(x)$가 다음 조건을 만족시킨다.

> (가) 모든 실수 $x$에 대하여 $f(x+2)=f(x-2)$이다.
> (나) $\int_{-2}^{2} f(x)dx=3$, $\int_2^4 f(x)dx=1$

$\int_0^{10} f(x)dx$의 값을 구하시오.

WEEK 2 DAY 2

# 필수 체크 전략 ②

**01** $\int_{-1}^{2}(3x^2-2x+2)dx$의 값은?

① 4 ② 6 ③ 8
④ 10 ⑤ 12

**Tip**

$\int x^n dx = \frac{1}{\boxed{❶}}x^{\boxed{❷}}+C$ (단, $C$는 적분상수)

답 ❶ $n+1$ ❷ $n+1$

**02** 함수 $f(x)$에 대하여 $f'(x)=x^3+4x$이고 $f(0)=3$일 때, $f(2)$의 값은?

① 12 ② 13 ③ 14
④ 15 ⑤ 16

**Tip**

$\boxed{❶} = \int f'(x)dx = \int (x^3+4x)dx$
$= \boxed{❷} + C$ (단, $C$는 적분상수)

답 ❶ $f(x)$ ❷ $\frac{1}{4}x^4+2x^2$

**03** 함수 $f(x)$가 $f(x)=\begin{cases} x^2 & (x<1) \\ -3x^2+4x & (x\geq 1) \end{cases}$일 때, $\int_0^2 f(x)dx$의 값은?

① $-\frac{2}{3}$ ② $-\frac{1}{3}$ ③ 0
④ $\frac{1}{3}$ ⑤ $\frac{2}{3}$

**Tip**

$\int_0^2 f(x)dx$
$= \int_0^{\boxed{❶}} x^2 dx + \int_1^2 (\boxed{❷} + 4x)dx$

답 ❶ 1 ❷ $-3x^2$

**04** $\int_{-a}^{a}(2x+3)dx=6$을 만족시키는 양수 $a$의 값은?

① $\frac{1}{2}$ ② 1 ③ $\frac{3}{2}$
④ 2 ⑤ $\frac{5}{2}$

**Tip**

$n$이 자연수일 때,
$\int_{-a}^{a} x^{2n-1}dx = \boxed{❶}$
$\int_{-a}^{a} x^{2n}dx = \boxed{❷}\int_0^a x^{2n}dx$

답 ❶ 0 ❷ 2

**05** 함수 $f(x)=3x^2+2ax$에 대하여 $\int_0^1 f(x)dx=f(1)$일 때, 상수 $a$의 값은?

① $-4$ ② $-2$ ③ 0
④ 2 ⑤ 4

**Tip**

$\int_0^1 f(x)dx = \int_0^1 (\boxed{❶})dx$
$= \Big[\boxed{❷}\Big]_0^1 = 1+a$

답 ❶ $3x^2+2ax$ ❷ $x^3+ax^2$

$n$이 양의 정수일 때, $\int_a^b x^n dx = \left[\frac{1}{n+1}x^{n+1}\right]_a^b$임을 이용하여 문제를 해결해 봐.

## 06 함수 $f(x)=\int(x^2+2x)dx$에 대하여

$\lim_{h\to 0}\frac{f(2+h)-f(2-h)}{h}$의 값은?

① 14 ② 15 ③ 16
④ 17 ⑤ 18

**Tip**

$f'(x)=\frac{d}{dx}\left\{\int(❶\ \square)dx\right\}=❷\ \square$

답 ❶ $x^2+2x$ ❷ $x^2+2x$

## 07 이차방정식 $x^2-2x-1=0$의 서로 다른 두 실근을 $\alpha$, $\beta$라 할 때, $\int_\alpha^\beta(2x-1)dx$의 값은? (단, $\alpha<\beta$)

① $\sqrt{2}$ ② 2 ③ $2\sqrt{2}$
④ 4 ⑤ $4\sqrt{2}$

**Tip**

이차방정식 $ax^2+bx+c=0$ $(a\neq 0)$의 두 근을 $\alpha$, $\beta$라 하면 이차방정식의 근과 계수의 관계에 의하여

$\alpha+\beta=❶\ \square$, $\alpha\beta=❷\ \square$

답 ❶ $-\frac{b}{a}$ ❷ $\frac{c}{a}$

## 08 곡선 $y=f(x)$ 위의 임의의 점 $(x, f(x))$에서의 접선의 기울기가 $3x^2$이고, 이 곡선이 점 $(-1, 3)$을 지날 때, $\int_0^2 f(x)dx$의 값은?

① 9 ② $\frac{39}{4}$ ③ $\frac{21}{2}$
④ $\frac{45}{4}$ ⑤ 12

**Tip**

$f(-1)=❶\ \square$, $f'(x)=❷\ \square$

답 ❶ 3 ❷ $3x^2$

## 09 함수 $y=4x^3-12x^2$의 그래프를 $y$축의 방향으로 $k$만큼 평행이동한 그래프가 함수 $y=f(x)$의 그래프와 일치한다. $\int_0^3 f(x)dx=0$을 만족시키는 상수 $k$의 값을 구하시오.

**Tip**

$f(x)=4x^3-12x^2+❶\ \square$

답 ❶ $k$

## 10 연속함수 $f(x)$가 모든 실수 $x$에 대하여 $f(x+3)=f(x)$를 만족시킬 때, 보기에서 옳은 것만을 있는 대로 고른 것은?

보기

ㄱ. $f(7)-f(-5)=0$

ㄴ. $\int_{-4}^{-1}f(x)dx=\int_2^5 f(x)dx$

ㄷ. $\int_2^8 f(x)dx=a$이면 $\int_{11}^{23}f(x)dx=2a$

① ㄱ ② ㄴ ③ ㄱ, ㄴ
④ ㄴ, ㄷ ⑤ ㄱ, ㄴ, ㄷ

**Tip**

연속함수 $f(x)$가 모든 실수 $x$에 대하여 $f(x+3)=f(x)$이므로

$\int_{k-3}^{k}f(x)dx=\int_k^{❶\ \square}f(x)dx$ (단, $k$는 실수)

답 ❶ $k+3$

$f(x+3)=f(x)$이므로 $\int_a^b f(x)dx=\int_{a+3}^{b+3}f(x)dx$ 임을 이용해 봐!

WEEK 2 DAY 3

# 필수 체크 전략 ①

## 핵심 예제 01

닫힌구간 $[1, 3]$에서 함수 $f(x)=\int_0^x (2t+1)dt$의 평균 변화율은?

① 1 ② 2 ③ 3
④ 4 ⑤ 5

**Tip**

닫힌구간 $[1, 3]$에서 함수 $f(x)$의 평균변화율은

$\dfrac{f(\text{❶ \_\_\_})-f(1)}{3-\text{❷ \_\_\_}}$

답 ❶ 3 ❷ 1

**풀이**

$f(3)-f(1)=\int_0^3 (2t+1)dt-\int_0^1 (2t+1)dt$

$=\int_1^3 (2t+1)dt=\left[t^2+t\right]_1^3=10$

따라서 닫힌구간 $[1, 3]$에서 함수 $f(x)$의 평균변화율은

$\dfrac{f(3)-f(1)}{3-1}=\dfrac{10}{2}=5$

답 ⑤

## 핵심 예제 02

함수 $f(x)=\int_0^x (2at+1)dt$에 대하여 $f'(2)=9$일 때, 상수 $a$의 값은?

① 1 ② 2 ③ 3
④ 4 ⑤ 5

**Tip**

$f'(x)=\dfrac{d}{\text{❶ \_\_\_}}\left\{\int_0^x (2at+1)dt\right\}=$ ❷ ___

답 ❶ $dx$ ❷ $2ax+1$

**풀이**

$f(x)=\int_0^x (2at+1)dt$의 양변을 $x$에 대하여 미분하면

$f'(x)=2ax+1$

이때 $f'(2)=9$이므로

$4a+1=9 \quad \therefore a=2$

답 ②

### 1-1

함수 $f(x)=\int_0^x (4t-1)dt$에 대하여 $f(3)$의 값을 구하시오.

### 1-2

함수 $f(x)=\int_0^x (2t+a)dt$의 그래프 위의 두 점 $\mathrm{A}(0, f(0))$, $\mathrm{B}(2, f(2))$를 지나는 직선의 기울기가 2일 때, 상수 $a$의 값은?

① $-2$ ② $-1$ ③ 0
④ 1 ⑤ 2

함수 $f(x)$에서 $x$의 값이 0에서 2까지 변할 때의 평균변화율이 2라는 것을 이용해 봐~

### 2-1

함수 $f(x)=\int_0^x (2t^3-t)dt$에 대하여 $f'(2)$의 값은?

① 11 ② 12 ③ 13
④ 14 ⑤ 15

### 2-2

함수 $f(x)=\int_0^x (t^2+7)dt$에 대하여 $f'(10)$의 값을 구하시오.

## 핵심 예제 03

함수 $f(x)$가 모든 실수 $x$에 대하여

$$\int_1^x f(t)dt=x^2+ax+2$$

를 만족시킬 때, $f(3)$의 값은? (단, $a$는 상수이다.)

① 1　② 2　③ 3
④ 4　⑤ 5

**Tip**

$\frac{d}{dx}\int_a^x f(t)dt=$ ❶ ______ , $\int_a^a f(t)dt=$ ❷ ______

답 ❶ $f(x)$ ❷ 0

**풀이**

$\int_1^1 f(t)dt=1+a+2=a+3=0$이므로

$a=-3$

$\int_1^x f(t)dt=x^2-3x+2$의 양변을 $x$에 대하여 미분하면

$f(x)=2x-3$

$\therefore f(3)=6-3=3$

답 ③

## 3-1

다항함수 $f(x)$가 모든 실수 $x$에 대하여

$$\int_1^x f(t)dt=x^3-2ax^2+ax$$

를 만족시킬 때, $f(3)$의 값을 구하시오. (단, $a$는 상수이다.)

## 3-2

다항함수 $f(x)$가 모든 실수 $x$에 대하여

$$\int_a^x f(t)dt=x^3-8$$

을 만족시킬 때, $f(a)$의 값을 구하시오. (단, $a$는 실수이다.)

## 핵심 예제 04

$\lim_{x\to 2}\frac{1}{x^2-4}\int_2^x (t^2+3t-2)dt$의 값은?

① 1　② 2　③ 3
④ 4　⑤ 5

**Tip**

$F'(t)=f(t)$로 놓으면

$$\lim_{x\to a}\frac{1}{x-a}\int_a^x f(t)dt=\lim_{x\to a}\frac{F(x)-F(a)}{x-a}$$

$=F'($ ❶ ______ $)=$ ❷ ______

답 ❶ $a$ ❷ $f(a)$

**풀이**

$f(t)=t^2+3t-2$, $F'(t)=f(t)$로 놓으면

$\lim_{x\to 2}\frac{1}{x^2-4}\int_2^x (t^2+3t-2)dt$

$=\frac{1}{4}\lim_{x\to 2}\frac{1}{x-2}\int_2^x f(t)dt$

$=\frac{1}{4}\lim_{x\to 2}\frac{F(x)-F(2)}{x-2}$

$=\frac{1}{4}F'(2)=\frac{1}{4}f(2)=\frac{1}{4}\times 8=2$

답 ②

## 4-1

함수 $f(x)=\int_0^x (3t^2+5)dt$에 대하여

$\lim_{x\to 2}\frac{f(x)-f(2)}{x-2}$ 의 값을 구하시오.

## 4-2

$\lim_{x\to 1}\frac{1}{x-1}\int_1^x (3t^2-2t-1)dt$의 값은?

① 0　② 1　③ 2
④ 3　⑤ 4

$\lim_{x\to a}\frac{1}{x-a}\int_a^x f(t)dt=f(a)$
임을 이용해 봐.

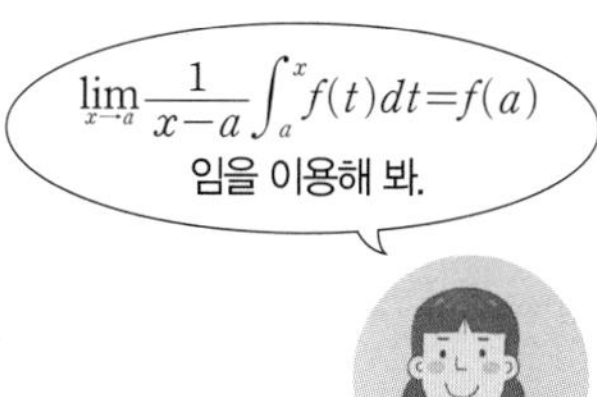

# 필수 체크 전략 ①

## 핵심 예제 05

함수 $f(x)$에 대하여

$$f(x)=3x^2+x+\int_0^2 f(t)dt$$

를 만족시킬 때, $f(2)$의 값은?

① 0 ② 1 ③ 2
④ 3 ⑤ 4

**Tip**

$\int_0^2 f(t)dt=a$로 놓으면 $f(x)=3x^2+x+$ ❶ [ ]

답 ❶ $a$

**풀이**

$\int_0^2 f(t)dt=a$ ⋯⋯㉠

로 놓으면 $f(x)=3x^2+x+a$

이를 ㉠에 대입하면

$\int_0^2 (3t^2+t+a)dt=\left[t^3+\frac{1}{2}t^2+at\right]_0^2=10+2a=a$

이므로 $a=-10$

따라서 $f(x)=3x^2+x-10$이므로

$f(2)=4$

답 ⑤

## 5-1

함수 $f(x)$에 대하여

$$f(x)=3x^2-2x+\int_0^3 f(t)dt$$

를 만족시킬 때, $f(3)$의 값은?

① 10 ② 11 ③ 12
④ 13 ⑤ 14

## 5-2

함수 $f(x)$가 모든 실수 $x$에 대하여

$$\int_0^x f(t)dt=x^3-2x^2-x\int_0^1 f(t)dt$$

를 만족시킬 때, $2f(1)$의 값은?

① $-2$ ② $-1$ ③ 0
④ 1 ⑤ 2

## 핵심 예제 06

곡선 $y=x^2-x+2$와 직선 $y=2$로 둘러싸인 부분의 넓이는?

① $\frac{1}{9}$ ② $\frac{1}{6}$ ③ $\frac{2}{9}$
④ $\frac{5}{18}$ ⑤ $\frac{1}{3}$

**Tip**

닫힌구간 $[a, b]$에서 두 곡선 $y=f(x)$, $y=g(x)$로 둘러싸인 부분의 넓이는 $\int_a^{❶}$ | ❷ [ ] $-g(x)$ | $dx$

답 ❶ $b$ ❷ $f(x)$

**풀이**

곡선 $y=x^2-x+2$와 직선 $y=2$의 교점의 $x$좌표는

$x^2-x+2=2$에서 $x^2-x=0$

$x(x-1)=0$

$\therefore x=0$ 또는 $x=1$

따라서 구하는 넓이는



$\int_0^1 \{2-(x^2-x+2)\}dx=\int_0^1(-x^2+x)dx$

$=\left[-\frac{1}{3}x^3+\frac{1}{2}x^2\right]_0^1=\frac{1}{6}$

답 ②

## 6-1

곡선 $y=x^3-9x$와 $x$축으로 둘러싸인 부분의 넓이는?

① $\frac{77}{2}$ ② 39 ③ $\frac{79}{2}$
④ 40 ⑤ $\frac{81}{2}$

## 6-2

곡선 $y=-2x^2+3x$와 직선 $y=x$로 둘러싸인 부분의 넓이가 $\frac{q}{p}$일 때, $p+q$의 값을 구하시오.

(단, $p$와 $q$는 서로소인 자연수이다.)

## 핵심 예제 07

수직선 위를 움직이는 점 P의 시각 $t$ $(t \geq 0)$에서의 속도 $v(t)$는 $v(t)=-4t+5$이다. 시각 $t=2$에서 점 P의 위치가 16일 때, 시각 $t=0$에서 점 P의 위치는?

① 11 ② 12 ③ 13
④ 14 ⑤ 15

**Tip**

수직선 위의 $x=x_0$인 점을 출발하여 움직이는 점 P의 시각 $t$ $(t \geq 0)$에서의 속도가 $v(t)$이면 시각 $t$에서의 위치는

$$\boxed{❶\quad} + \int_0^t \boxed{❷\quad}\, dt$$

답 ❶ $x_0$ ❷ $v(t)$

**풀이**

시각 $t=0$에서의 점 P의 좌표를 $x_0$, 시각 $t$에서 점 P의 위치를 $x(t)$라 하면

$$x(2)=x_0+\int_0^2 v(t)dt=x_0+\int_0^2(-4t+5)dt$$

$$=x_0+\left[-2t^2+5t\right]_0^2=x_0+2$$

이때 $x(2)=16$이므로

$x_0+2=16$ $\quad\therefore x_0=14$

답 ④

## 7-1

원점을 출발하여 수직선 위를 움직이는 점 P의 시각 $t$ $(t \geq 0)$에서의 속도 $v(t)$가 $v(t)=-3t^2+3t+6$일 때, 점 P가 출발한 후 운동 방향이 바뀌는 시각에서의 점 P의 위치를 구하시오.

## 7-2

수직선 위를 움직이는 점 P의 시각 $t$ $(t>0)$에서의 속도 $v(t)$는 $v(t)=4-at$이다. 시각 $t=2$에서 점 P의 운동 방향이 바뀌었을 때, 점 P가 처음 출발한 지점에 다시 돌아오는 시각은?

(단, $a$는 상수이다.)

① 3 ② 4 ③ 5
④ 6 ⑤ 7

## 핵심 예제 08

수직선 위를 움직이는 점 P의 시각 $t$ $(t \geq 0)$에서의 속도 $v(t)$가 $v(t)=-2t+4$일 때, 시각 $t=0$에서 $t=4$까지 점 P가 움직인 거리를 구하시오.

**Tip**

- $v(t)=-2t+4=0$에서 $t=\boxed{❶\quad}$
- 시각 $t=0$에서 $t=4$까지 점 P가 움직인 거리는

$$\int_0^4 |v(t)|dt=\int_0^4 \left|\boxed{❷\quad}\right| dt$$

답 ❶ 2 ❷ $-2t+4$

**풀이**

시각 $t=0$에서 $t=4$까지 점 P가 움직인 거리는

$$\int_0^4 |-2t+4|dt=\int_0^2(-2t+4)dt+\int_2^4(2t-4)dt$$

$$=\left[-t^2+4t\right]_0^2+\left[t^2-4t\right]_2^4=8$$

답 8

## 8-1

수직선 위를 움직이는 점 P의 시각 $t$ $(t \geq 0)$에서의 위치 $x(t)$는 $x(t)=t^4+at^3$이다. 시각 $t=2$에서 점 P의 속도가 0일 때, 시각 $t=0$에서 $t=2$까지 점 P가 움직인 거리는?

(단, $a$는 상수이다.)

① $\frac{16}{3}$ ② $\frac{20}{3}$ ③ 8
④ $\frac{28}{3}$ ⑤ $\frac{32}{3}$

## 8-2

수직선 위를 움직이는 점 P의 시각 $t$ $(t \geq 0)$에서의 속도 $v(t)$가 $v(t)=t^2-at$일 때, 시각 $t=k$에서 점 P의 운동 방향이 바뀌었다. 시각 $t=0$에서 $t=k$까지 점 P가 움직인 거리가 $\frac{9}{2}$일 때, 양수 $a$의 값을 구하시오. (단, $k$는 상수이다.)

WEEK 2 DAY 3

# 필수 체크 전략 ②

**01** 함수 $f(x)=\int_{0}^{x}(-3t^2+4t+5)dt$에 대하여 $f(2)$의 값은?

① 6 ② 7 ③ 8
④ 9 ⑤ 10

Tip

$$f(x)=\int_{0}^{x}(-3t^2+4t+5)dt$$
$$=\Big[\ \text{❶}\ \Big]_0^x=\text{❷}$$

답 ❶ $-t^3+2t^2+5t$ ❷ $-x^3+2x^2+5x$

**02** 함수 $f(x)$가 모든 실수 $x$에 대하여

$$\int_{1}^{x}f(t)dt=3x^2-5x+2$$

를 만족시킬 때, $f(1)$의 값은? (단, $a$는 상수이다.)

① $-2$ ② $-1$ ③ 0
④ 1 ⑤ 2

Tip

$$\text{❶}=\frac{d}{dx}\left\{\int_{1}^{x}f(t)dt\right\}$$
$$=\frac{d}{dx}(3x^2-5x+2)=\text{❷}$$

답 ❶ $f(x)$ ❷ $6x-5$

**03** 함수 $f(x)=\int_{0}^{x}(-2t+4)dt$가 $x=a$에서 최댓값 $M$을 가질 때, $a+M$의 값은?

① 2 ② 4 ③ 6
④ 8 ⑤ 10

Tip

$$f'(x)=\frac{d}{dx}\left\{\int_{0}^{x}(\text{❶})dt\right\}=\text{❷}$$

답 ❶ $-2t+4$ ❷ $-2x+4$

**04** 함수 $f(x)$가 모든 실수 $x$에 대하여

$$\int_{1}^{x}f(t)dt=x^3+ax^2-3x+1$$

을 만족시킬 때, $f(a)$의 값은? (단, $a$는 상수이다.)

① $-2$ ② $-1$ ③ 0
④ 1 ⑤ 2

$$\frac{d}{dx}\int_{a}^{x}f(t)dt=\text{❶},\ \int_{a}^{a}f(t)dt=\text{❷}$$

답 ❶ $f(x)$ ❷ 0

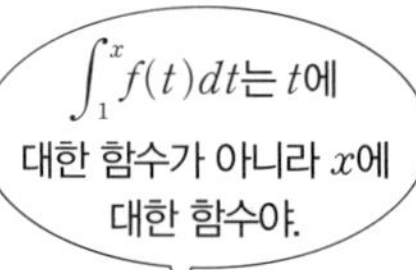

**05** 함수 $f(x)$가 모든 실수 $x$에 대하여

$$\int_{1}^{x}\left\{\frac{d}{dt}f(t)\right\}dt=x^3+ax^2-2$$

를 만족시킬 때, $f'(a)$의 값은? (단, $a$는 상수이다.)

① 1 ② 2 ③ 3
④ 4 ⑤ 5

Tip

- $\int_{1}^{x}\left\{\frac{d}{dt}f(t)\right\}dt=\int_{1}^{x}\text{❶}\,dt$
- $\int_{1}^{1}\left\{\frac{d}{dt}f(t)\right\}dt=a-1=\text{❷}$

답 ❶ $f'(t)$ ❷ 0

**06** 곡선 $y=x^2-3x+2$와 직선 $y=2$로 둘러싸인 부분의 넓이는?

① 3　② $\frac{7}{2}$　③ 4　④ $\frac{9}{2}$　⑤ 5

**Tip**

닫힌구간 $[a, b]$에서 두 곡선 $y=f(x)$, $y=g(x)$로 둘러싸인 부분의 넓이는

$\int_a^{❶\boxed{\phantom{0}}} |\boxed{❷\phantom{00}}-g(x)|dx$

답 ❶ $b$ ❷ $f(x)$

**07** 곡선 $y=x^2-4x+5$와 직선 $y=-x+5$로 둘러싸인 부분의 넓이를 $S$라 할 때, $10S$의 값을 구하시오.

**Tip**

$x^2-4x+5=$ ❶ $\boxed{\phantom{000}}$ 에서 $x^2-3x=0$

$x(x-3)=0$　$\therefore x=0$ 또는 $x=$ ❷ $\boxed{\phantom{000}}$

답 ❶ $-x+5$ ❷ 3

**08** 두 곡선 $y=2x^2-4x$와 $y=x^2-2x+3$으로 둘러싸인 부분의 넓이가 $\frac{q}{p}$일 때, $p+q$의 값을 구하시오.

(단, $p$와 $q$는 서로소인 자연수이다.)

**Tip**

$2x^2-4x=$ ❶ $\boxed{\phantom{000}}$ 에서 $x^2-2x-3=0$

$(x+1)(x-3)=0$　$\therefore x=-1$ 또는 $x=$ ❷ $\boxed{\phantom{000}}$

답 ❶ $x^2-2x+3$ ❷ 3

**09** 수직선 위를 움직이는 점 P의 시각 $t$ $(t\geq 0)$에서의 속도 $v(t)$는 $v(t)=2t-6$이다. 시각 $t=3$에서 $t=k$ $(k>3)$까지 점 P가 움직인 거리가 9일 때, 상수 $k$의 값은?

① 6　② 7　③ 8　④ 9　⑤ 10

**Tip**

시각 $t=3$에서 $t=k$ $(k>3)$까지 점 P가 움직인 거리는

$\int_3^k |v(t)|dt=\int_3^k |$ ❶ $\boxed{\phantom{000}}$ $|dt$

답 ❶ $2t-6$

**10** 원점을 출발하여 수직선 위를 움직이는 두 점 P, Q의 시각 $t$ $(t>0)$에서의 속도가 각각

$$v_{\mathrm{P}}(t)=3t^2+t,\ v_{\mathrm{Q}}(t)=2t^2+3t$$

이다. 두 점 P, Q의 속도가 같아지는 순간에서의 두 점 사이의 거리는?

① 1　② $\frac{4}{3}$　③ $\frac{5}{3}$　④ 2　⑤ $\frac{7}{3}$

**Tip**

시각 $t$에서 두 점 P, Q의 위치는 각각

$\int_0^t v_{\mathrm{P}}(t)dt=\int_0^t($ ❶ $\boxed{\phantom{000}}$ $)dt$

$\int_0^t v_{\mathrm{Q}}(t)dt=\int_0^t($ ❷ $\boxed{\phantom{000}}$ $)dt$

답 ❶ $3t^2+t$ ❷ $2t^2+3t$

# 누구나 합격 전략

**01** 함수 $f(x)$에 대하여 $\int f(x)dx=x^3-3x+C$일 때, $f(2)$의 값은? (단, $C$는 적분상수)

① 6 ② 7 ③ 8 ④ 9 ⑤ 10

**02** 함수 $f(x)$에 대하여 $f'(x)=4x^3-5$이고 $f(0)=6$일 때, $f(1)$의 값은?

① 1 ② 2 ③ 3 ④ 4 ⑤ 5

**03** $\int_0^3(3x^2-2x+1)dx$의 값은?

① 18 ② 19 ③ 20 ④ 21 ⑤ 22

**04** $\int_0^1(2x^3-3x^2+1)dx-\int_0^1(2x^3-2)dx$의 값은?

① 0 ② 1 ③ 2 ④ 3 ⑤ 4

**05** $\int_{-2}^{-1}(2x+3)dx-\int_1^{-1}(2x+3)dx$의 값은?

① 4 ② 6 ③ 8 ④ 10 ⑤ 12

**06** 함수 $f(x)=\begin{cases} x^2 & (x<1) \\ 4x-3 & (x\geq1) \end{cases}$에 대하여

$\int_0^2 f(x)dx$의 값은?

① $\frac{7}{3}$　② $\frac{8}{3}$　③ 3

④ $\frac{10}{3}$　⑤ $\frac{11}{3}$

**07** $\int_{-1}^1 (3x^3-7x+5)dx$의 값은?

① 6　② 8　③ 10

④ 12　⑤ 14

**08** 함수 $f(x)$가 모든 실수 $x$에 대하여

$$\int_1^x f(t)dt=x^2-ax+2a+3$$

을 만족시킬 때, 상수 $a$의 값은?

① $-4$　② $-2$　③ 0

④ 2　⑤ 4

**09** 곡선 $y=x^2-3x$와 $x$축 및 직선 $x=4$로 둘러싸인 부분의 넓이는?

① $\frac{17}{3}$　② 6　③ $\frac{19}{3}$

④ $\frac{20}{3}$　⑤ 7

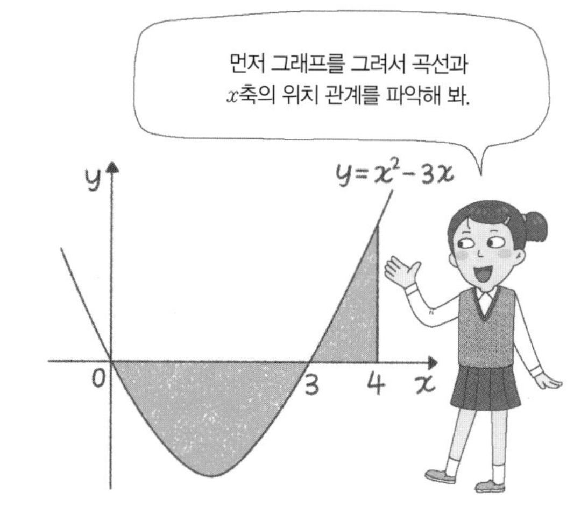


**10** 원점을 출발하여 수직선 위를 움직이는 점 P의 시각 $t$ $(t\geq0)$에서의 속도 $v(t)$가 $v(t)=3t^2-4t+1$일 때, 시각 $t=3$에서 점 P의 위치는?

① 9　② 12　③ 15

④ 18　⑤ 21

WEEK 2

# 창의·융합·코딩 전략 ①

**1** 어느 수학 연구소의 출입문의 비밀번호 $abcd$는 다음과 같이 자동으로 매일 바뀌게 설정되어 있다고 한다.

> (가) 앞의 두 자릿수 $ab$는 출입하는 날의 일이다. 예를 들어 2월 7일이면 $ab$는 07, 12월 25일이면 $ab$는 25이다.
>
> (나) 뒤의 두 자릿수 $cd$는 함수 $\int f(x)dx=x^2+x$에 대하여 $f(b)$의 값이다. 예를 들어 $f(b)=3$이면 $c=0$, $d=3$이고, $f(b)=23$이면 $c=2$, $d=3$이다.

어떤 사람이 2월 12일 수학 연구소에 들어가려고 할 때, 출입문의 비밀번호는?

① 1201 ② 1202 ③ 1203
④ 1204 ⑤ 1205

**Tip**

$f(x)=\frac{d}{dx}($ ❶ $)=$ ❷

답 ❶ $x^2+x$ ❷ $2x+1$

**2** 함수 $f(x)$를 두 프로그램 A, B에 입력했을 때, 결과가 각각 다음과 같다.

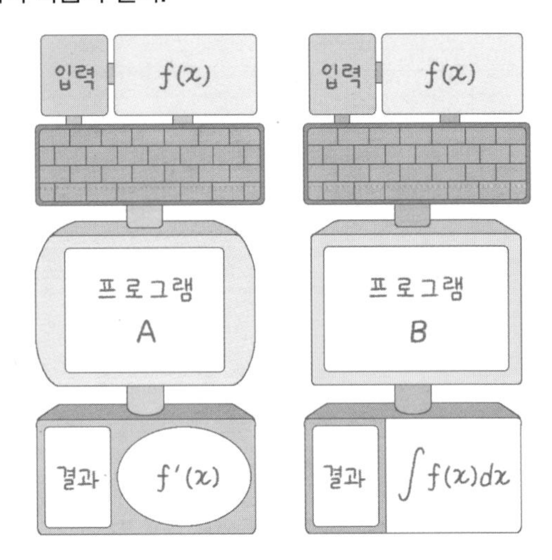


아래 대화는 진아와 민혁이가 두 프로그램 A, B를 이용하여 얻은 두 함수 $g(x)$, $h(x)$에 관한 내용이다.

$g(1)-h(1)=5$일 때, $g(2)+h(2)$의 값은?

① 15 ② 16 ③ 17
④ 18 ⑤ 19

**Tip**

- $\frac{d}{dx}(2x+1)=$ ❶
- $\frac{d}{dx}\int f(x)dx=$ ❷

답 ❶ 2 ❷ $f(x)$

## 3

하루에 $x$ kg의 치즈를 생산하는 데 드는 생산 비용을 $f(x)$만 원이라 할 때, $f'(x)$를 $x$ kg을 생산할 때의 한계 비용이라 한다. 어떤 유가공 업체에서 하루에 $x$ kg의 치즈를 생산할 때의 한계 비용 $f'(x)$가

$$f'(x)=\frac{1}{2}x+3 \text{ (만 원)}$$

일 때, $f(6)-f(2)$의 값은?

① 10 ② 15 ③ 20
④ 25 ⑤ 30

**Tip**

$\boxed{❶\quad}=\int f'(x)dx=\int (\boxed{❷\quad})dx$

답 ❶ $f(x)$ ❷ $\frac{1}{2}x+3$

## 4

용수철을 원래 길이에서 $x$ m만큼 늘이는 데 필요한 힘의 크기를 $f(x)$라 하면 원래 길이에서 $x$ m만큼 늘이는 데 필요한 일의 양 $W$ J은

$$W=\int_0^x f(t)dt$$

라 한다. $f(x)=2x$일 때, 원래 길이가 0.5 m인 용수철을 1.5 m까지 늘이는 데 필요한 일의 양은 몇 J인가?

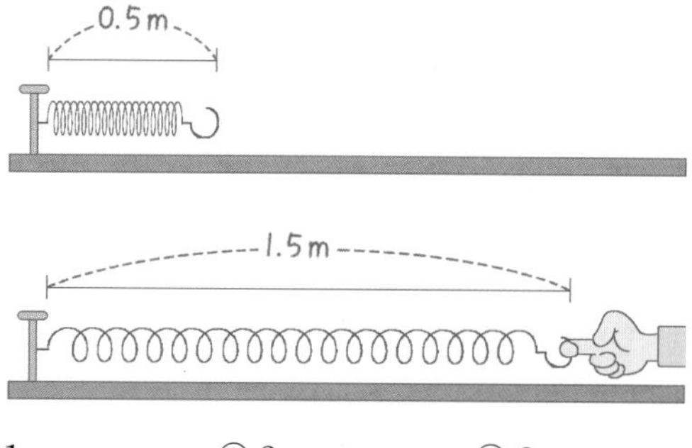


① 1 ② 2 ③ 3
④ 4 ⑤ 5

**Tip**

0.5 m인 용수철을 1.5 m까지 늘이는 것은 원래 길이에서 $\boxed{❶\quad}$ m만큼 늘이는 것이므로 필요한 일의 양 $W$는

$W=\int_0^{\boxed{❷}} f(t)dt$

답 ❶ 1 ❷ 1

# 창의·융합·코딩 전략 ②

**5** 다음은 운동역학에 대한 설명이다.

> 시각 $t$에서 어떤 물체에 작용하는 힘을 $f(t)$라 하면 함수 $y=f(t)$의 그래프와 $t$축으로 둘러싸인 도형의 넓이는 물체에 힘이 작용하는 시간 동안 물체에 작용한 충격량의 크기와 같다.

위의 설명을 바탕으로 시각 $t$에서 어떤 물체에 작용한 힘의 크기를 나타내는 함수 $f(t)$가

$$f(t)=-t^2+3t\ (0\le t\le 3)$$

일 때, 시각 $t=0$에서 $t=3$까지 이 물체에 작용한 충격량의 크기는?

① 3 ② $\frac{7}{2}$ ③ 4 ④ $\frac{9}{2}$ ⑤ 5

**Tip**

닫힌구간 $[a, b]$에서 곡선 $y=f(x)$와 $x$축으로 둘러싸인 부분의 넓이는

답 ❶ $b$ ❷ $f(x)$

**6** 찬수네 농장에서는 어느 모종나무를 비닐하우스에서 노지로 옮겨 심어 키운다. 모종나무를 비닐하우스에서 노지로 옮겨 심고 $t$년 후에 측정한 나무의 높이를 $h$ cm라 하면

$$\frac{dh}{dt}=\frac{3}{2}t+5\ (0<t<6)$$

이다. 모종나무를 비닐하우스에서 노지로 옮겨 심고 측정한 나무의 높이가 25 cm일 때, 4년 후에 측정한 모종나무의 높이는 몇 cm인가?

① 56 ② 57 ③ 58 ④ 59 ⑤ 60

**Tip**

모종나무를 노지로 옮겨 심고 측정한 나무의 높이가 25 cm 일 때, 4년 후 이 모종나무의 높이 $h$는

$$h=❶\boxed{\phantom{00}}+\int_0^4(❷\boxed{\phantom{00}})dt$$

답 ❶ 25 ❷ $\frac{3}{2}t+5$

**7** 지면에 정지해 있던 열기구가 수직 방향으로 출발한 지 $t$분 후의 속도 $v(t)$ m/min은

$$v(t)=\begin{cases} t & (0\le t<20) \\ 60-2t & (20\le t\le 40) \end{cases}$$

이라 한다. 출발한 지 35분 후의 지면으로부터 열기구의 높이는 몇 m인가?

(단, 열기구는 수직 방향으로만 움직인다.)

① 225 ② 250 ③ 275
④ 300 ⑤ 325

**Tip**

출발한 지 35분 후의 지면으로부터 열기구의 높이는

$$\int_0^{35} v(t)dt=\int_0^{❶\square} tdt+\int_{20}^{35}(❷\square)dt$$

답 ❶ 20 ❷ $60-2t$

**8** 어떤 전망대에 설치된 엘리베이터는 1층에서 출발하여 꼭대기 층까지 올라가는 동안 다음과 같이 움직인다고 한다.

> 엘리베이터는 출발 후 2초까지 $3\text{ m/s}^2$의 가속도로 올라가고, 2초 후부터 10초까지 등속도로 올라가며 10초 후부터 $-2\text{ m/s}^2$의 가속도로 올라가서 정지한다.

이 엘리베이터가 출발하여 멈출 때까지 움직인 거리는 몇 m인가?

① 61 ② 62 ③ 63
④ 64 ⑤ 65

**Tip**

- 1층에서 출발하여 $t$초 후 엘리베이터가 움직이는 가속도를 $a(t)$, 속도를 $v(t)$라 하면
  $$v(t)=\int_0^t ❶\square\, dt$$
- 엘리베이터가 멈추는 순간의 속도는 ❷□이다.

답 ❶ $a(t)$ ❷ 0

# 후편 마무리 전략

## 핵심 한눈에 보기

### 접선의 방정식

점 $(0, -1)$에서 곡선 $y=x^2-x$에 그은 접선의 방정식을 구하여 보자.

$f(x)=x^2-x$라 하면 $f'(x)=2x-1$
접점의 좌표를 $(a, a^2-a)$라 하면 접선의 기울기는 $f'(a)=2a-1$
따라서 접선의 방정식은 $y=(2a-1)x-a^2$ ……㉠
이 접선이 점 $(0, -1)$을 지나므로
$-1=-a^2$, $(a+1)(a-1)=0$ $\quad\therefore a=-1$ 또는 $a=1$
$a$의 값을 ㉠에 대입하면 구하는 접선의 방정식은 $y=-3x-1$ 또는 $y=x-1$

곡선 $y=f(x)$ 위의 점 $(a, f(a))$에서의 접선의 방정식은 $y-f(a)=f'(a)(x-a)$야.

### 평균값 정리

함수 $f(x)$가 닫힌구간 $[a, b]$에서 연속이고 열린구간 $(a, b)$에서 미분가능하면 $\dfrac{f(b)-f(a)}{b-a}=f'(c)$인 $c$가 열린구간 $(a, b)$에 적어도 하나 존재한다.

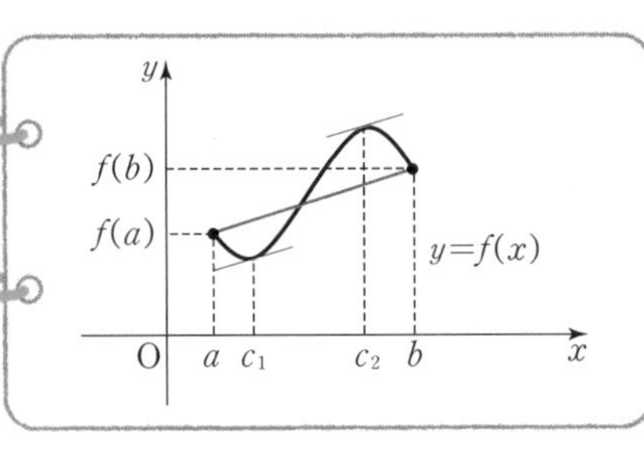


평균값 정리에서 $f(a)=f(b)$이면 롤의 정리와 같아.

### 함수의 증가와 감소, 극대와 극소

미분가능한 함수 $f(x)$가 $x=a$에서 극값을 가지면 $f'(a)=0$이야.

**함수의 증가와 감소**

함수 $f(x)$가 어떤 구간에서 미분가능하고 이 구간의 모든 $x$에서
(1) $f'(x)>0$이면 $f(x)$는 이 구간에서 증가
(2) $f'(x)<0$이면 $f(x)$는 이 구간에서 감소

**함수의 극대와 극소**

함수 $f(x)$가 미분가능하고 $f'(a)=0$일 때, $x=a$의 좌우에서 $f'(x)$의 부호가
(1) 양(+)에서 음(−)으로 바뀌면 $f(x)$는 $x=a$에서 극대이고 극댓값은 $f(a)$
(2) 음(−)에서 양(+)으로 바뀌면 $f(x)$는 $x=a$에서 극소이고 극솟값은 $f(a)$

## 부정적분과 정적분

## 두 곡선 사이의 넓이

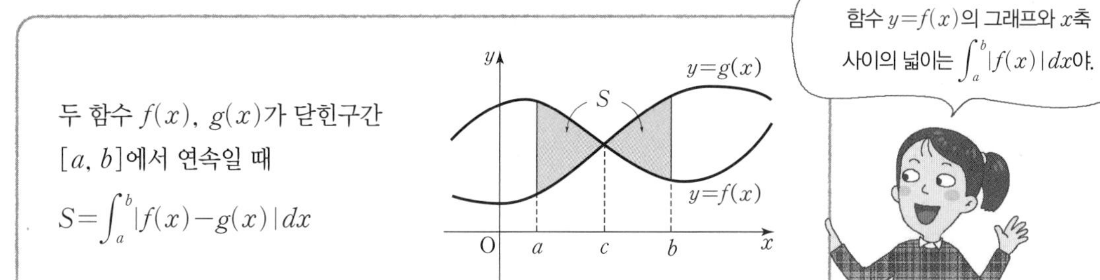


두 함수 $f(x)$, $g(x)$가 닫힌구간 $[a, b]$에서 연속일 때

$S=\int_a^b|f(x)-g(x)|dx$

함수 $y=f(x)$의 그래프와 $x$축 사이의 넓이는 $\int_a^b|f(x)|dx$야.

## 속도와 거리

수직선 위를 움직이는 점 P의 시각 $t$에서의 속도를 $v(t)$, 시각 $t=a$에서의 위치를 $x_0$이라 할 때

(1) 시각 $t$에서 점 P의 위치 $x$는 $x=x_0+\int_a^t v(t)dt$

(2) 시각 $t=a$에서 $t=b$까지 점 P의 위치의 변화량은

$\int_a^b v(t)dt$

(3) 시각 $t=a$에서 $t=b$까지 점 P가 움직인 거리 $s$는

$s=\int_a^b|v(t)|dt$

# 신유형·신경향 전략

**01** 해안가의 두 지점 A$(0,\ 2)$, B$(2,\ 0)$을 연결하는 곡선 모양의 대교는 이차함수 $y=-x^2+x+2$의 그래프의 일부와 일치한다. 현재 사용 중인 곡선 모양의 대교의 안전 문제로 인하여 두 지점 A, B를 연결하는 직선 모양의 대교가 새롭게 건설될 예정이라고 한다. 현재 사용 중인 대교 위의 지점 P$(a,\ b)$와 건설 예정인 직선 대교와의 거리가 최대일 때, $a+b$의 값을 구하시오.

(단, 현재 사용 중인 대교와 직선 대교는 같은 평면 위에 있는 것으로 생각한다.)

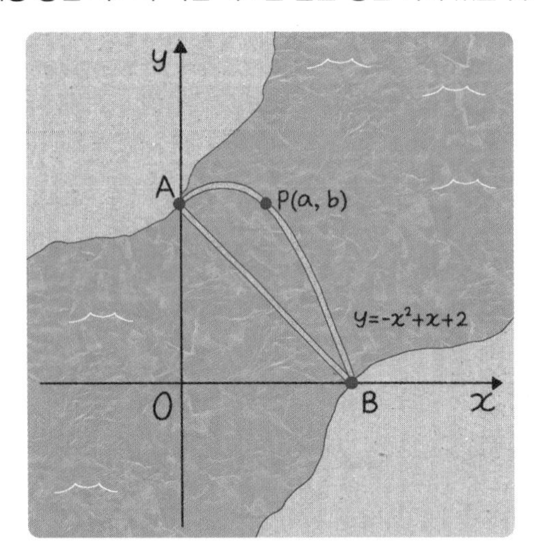


**Tip**

- 점 P와 직선 AB 사이의 거리는 점 P를 지나고 직선 AB와 ❶ ＿＿ 한 직선 사이의 거리와 같다.
- 점 P와 직선 AB 사이의 거리가 최대일 때는 점 P에서의 접선이 직선 AB와 ❷ ＿＿ 할 때이다.

답 ❶ 평행 ❷ 평행

**02** 다음은 운동과 피로에 관한 내용이다.

> 무산소성 해당 과정의 부산물인 젖산이 혈액이나 근육 내에 축적되면 근육 및 혈액을 산성화(pH의 저하)시켜 피로를 유발한다.
> 젖산은 일반적으로 운동 수행을 방해하는 주요 물질로 알려져 있는데, 젖산이 증가하는 것은 세포질 내에서 초성포도산을 충분히 이용하지 못하기 때문이다.
> 젖산은 스프린팅, 계단 오르기와 같이 짧은 시간 동안 강도 높게 지속되는 운동을 할 때, 근글리코겐으로부터 생성된다.

어떤 축구 선수가 경기를 마치고, $t\ (0<t\le5)$시간 후 측정한 혈중 젖산 농도를 $f(t)$ mg/dL라 하면

$$f(t)=\frac{1}{54}t^3-\frac{1}{3}t^2+\frac{3}{2}t+7$$

이 성립한다고 한다. 이 축구 선수가 경기를 마친 후 혈중 젖산 농도가 증가하여 피로감이나 통증을 느끼는 시각이 $a<t<b$일 때, $a+b$의 값을 구하시오.

**Tip**

함수 $f(x)$가 어떤 구간에서 ❶ ＿＿ 가능하고 이 구간의 모든 $x$에 대하여 $f'(x)$ ❷ ＿＿ 0이면 $f(x)$는 이 구간에서 증가한다.

답 ❶ 미분 ❷ >

**03** 두 자동차 A, B가 같은 지점에서 동시에 출발하여 직선 도로를 한 방향으로 달리고 있다. 시각 $t$ $(t\geq 0)$에서의 A, B의 위치가 각각 미분가능한 함수 $f(t)$, $g(t)$이고, 다음이 성립한다고 한다.

> (가) $f(10)=g(10)$
> (나) $5\leq t\leq 15$에서 $f'(t)<g'(t)$이다.

$5\leq t\leq 15$에서 두 자동차 A, B의 위치에 대하여 옳은 설명을 한 학생을 고르시오.

**Tip**

- 두 자동차 A, B가 시각 $t=$ ❶ [ ] 일 때 같은 위치에 있다.
- $5\leq t\leq 15$일 때 자동차 ❷ [ ] 의 속도가 더 빠르다

답 ❶ 10 ❷ B

**04** 비행기 운항에 도움을 주는 관성 항법 장치는 비행기가 나아가는 각 시점에서의 접선의 기울기를 계산하여 그것을 적분함으로써 현재의 위치를 결정한다. 비행기의 운항 경로를 나타내는 함수 $y=f(x)$의 그래프가 점 $(0, 1)$을 지나고, 운항 중인 비행기의 어느 시점에서의 접선의 기울기가 $f'(x)=6x^2+2$일 때, $f(2)$의 값을 구하시오.

**Tip**

비행기의 운항 경로를 나타내는 함수 $y=f(x)$에 대하여

❶ [ ] $=\int f'(x)dx$

$f(0)=$ ❷ [ ]

답 ❶ $f(x)$ ❷ 1

## 05 다음은 어느 날 대기 오염 경보가 발효된 지 $x$ $(0\le x\le 6)$시간 후에 대기 중의 미세 먼지 농도를 나타내는 함수 $y=f(x)$의 그래프이다.

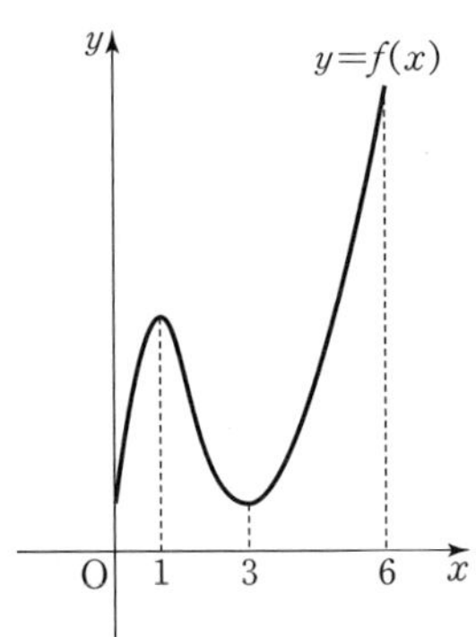


최고차항의 계수가 1인 삼차함수 $f(x)$는 $x=1$에서 극대, $x=3$에서 극소이다. 함수 $f(x)$의 극댓값을 $p$, 극솟값을 $q$라 할 때, $p-q$의 값을 구하시오.

극댓값과 극솟값의 차를 어떻게 구할 수 있을까?

이차함수 $f'(x)$를 정적분하여 구할 수 있어!

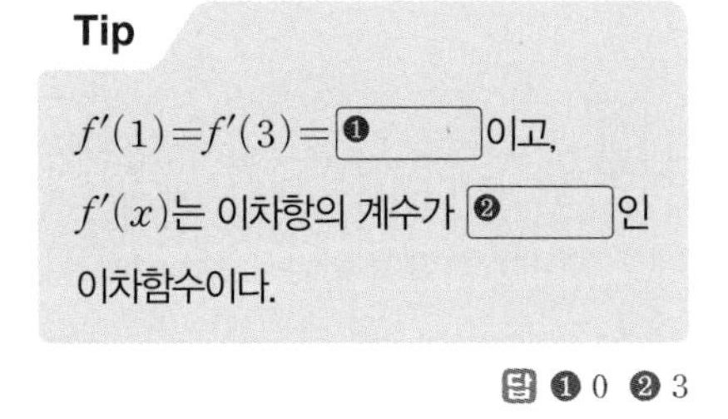


답 ❶ 0 ❷ 3

## 06 다음 그림은 정사각형 모양의 타일에 두 함수 $y=f(x)$, $y=g(x)$의 그래프를 이용하여 디자인한 것이다.

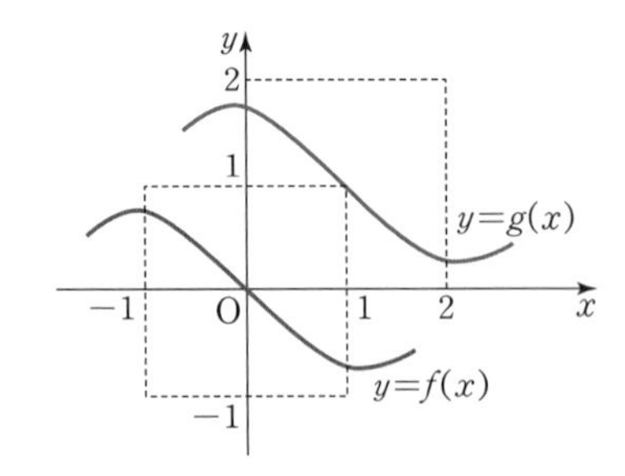


연속함수 $y=f(x)$는 모든 실수 $x$에 대하여 $f(-x)=-f(x)$이고,
함수 $y=g(x)$의 그래프는 함수 $y=f(x)$의 그래프를 $x$축의 방향으로 1만큼, $y$축의 방향으로 1만큼 평행이동한 것이다. $\int_0^2 g(x)dx$의 값을 구하시오.

**Tip**

- 함수 $y=f(x)$의 그래프는 ❶ 에 대하여 대칭이다.
- 함수 $y=g(x)$의 그래프는 점 ❷ 에 대하여 대칭이다.

답 ❶ 원점 ❷ $(1, 1)$

## 07 다음 그림은 어느 철교의 모습을 나타내는 함수 $y=f(x)$의 그래프이다.

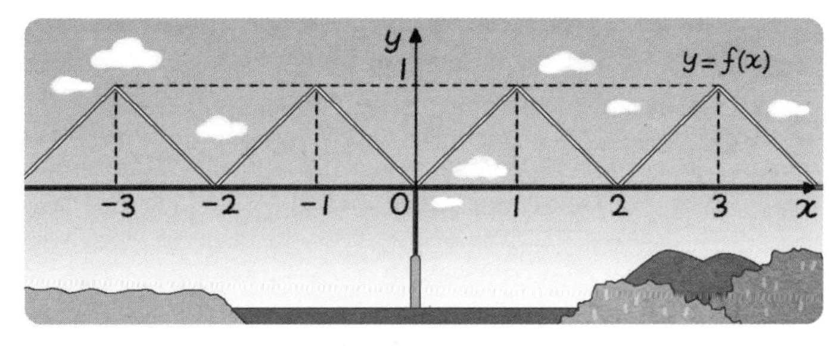


함수 $f(x)$가 다음 조건을 만족시킨다.

> (가) 모든 실수 $x$에 대하여 $f(x+2)=f(x)$이다.
> (나) $-1 \le x < 1$에서 $f(x)=|x|$이다.

함수 $g(x)=\int_{-2}^{x} f(t)dt$에 대하여 $g(a)=5$를 만족시키는 상수 $a$의 값을 구하시오.

**Tip**

- $g(a)=\int_{-2}^{a} f(t)dt$의 값은 닫힌구간 $[-2, a]$에서 함수 $y=f(x)$의 그래프와 $x$축으로 둘러싸인 부분의 ❶ ☐ 와 같다.
- $f(x+2)=f(x)$이므로 $\int_{❷ ☐}^{k} f(x)dx=\int_{k}^{k+2} f(x)dx$ (단, $k$는 실수)

답 ❶ 넓이 ❷ $k-2$

## 08 원점을 출발하여 수직선 위를 움직이는 점 P의 시각 $t$ $(0 \le t \le 6)$에서의 속도 $v(t)$의 그래프가 다음과 같을 때, 보기에서 옳은 것만을 있는 대로 고른 학생을 찾으시오.

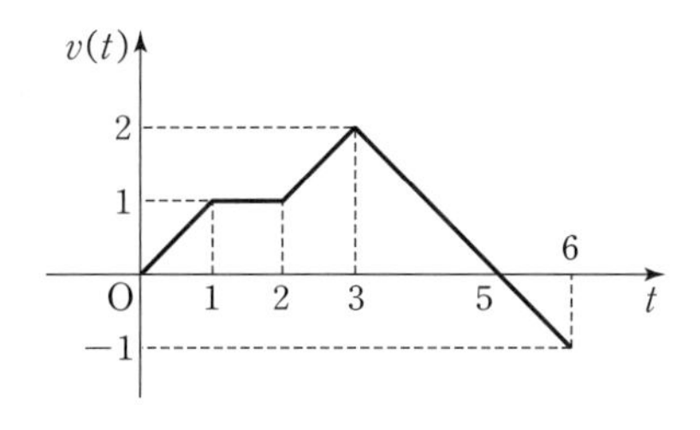


> 보기
> ㄱ. 시각 $t=1$에서 점 P는 멈추지 않았다.
> ㄴ. 점 P와 원점에서 가장 멀리 떨어져 있을 때의 위치는 5이다.
> ㄷ. 시각 $t=0$에서 $t=6$까지 점 P가 움직인 거리는 $\frac{11}{2}$이다.

**Tip**

- 시각 $t=a$에서의 점 P의 위치는 $\int_{0}^{a}$ ❶  $dt$
- 시각 $t=0$에서 $t=a$까지 점 P가 움직인 거리는 $\int_{0}^{a}$ ❷ ☐ $dt$

답 ❶ $v(t)$ ❷ $|v(t)|$

# 1·2등급 확보 전략 1회

## 01

함수 $f(x)=x^4-4x^3+6x^2+4$의 그래프 위의 점 $(a, b)$에서의 접선의 기울기가 4일 때, $a+b$의 값은?

① 4 ② 6 ③ 8
④ 10 ⑤ 12

## 02

다항함수 $f(x)$에 대하여 $\lim_{x\to1}\frac{f(x)-5}{x-1}=2$일 때,
함수 $g(x)=xf(x)$의 그래프 위의 점 $(1, a)$에서의 접선이 점 $(0, b)$를 지난다. $a+b$의 값은?

① 2 ② 3 ③ 4
④ 5 ⑤ 6

## 03

곡선 $y=x^2$ 위의 점 $(t, t^2)$에서의 접선과 원점 사이의 거리를 $f(t)$라 할 때, $\lim_{t\to\infty}\frac{f(t)}{t}$의 값은?

① $\frac{1}{3}$ ② $\frac{1}{2}$ ③ $\frac{2}{3}$
④ 1 ⑤ 2

## 04

함수 $f(x)=x^3+ax^2+9x+b$가 $x=1$에서 극댓값 0을 가질 때, 상수 $a$, $b$에 대하여 $ab$의 값은?

① 18 ② 20 ③ 22
④ 24 ⑤ 26

## 05

함수 $f(x)=x^3-9x^2+24x+a$의 극댓값이 10일 때, 상수 $a$의 값은?

① $-12$　② $-10$　③ $-8$
④ $-6$　⑤ $-4$

## 06

함수 $f(x)=x^4+ax^3+bx^2+cx+6$이 다음 조건을 만족시킨다.

> (가) 모든 실수 $x$에 대하여 $f(-x)=f(x)$이다.
> (나) 함수 $f(x)$는 극솟값 $-10$을 갖는다.

$f(3)$의 값은? (단, $a$, $b$, $c$는 상수이다.)

① $-15$　② $-5$　③ 0
④ 5　⑤ 15

## 07

직선 $x=a$가 함수 $f(x)=x^3-ax^2-36x+10$의 그래프의 극대인 점과 극소인 점 사이를 지나도록 하는 정수 $a$의 최댓값은?

① 2　② 3　③ 4
④ 5　⑤ 6

## 08

어떤 약을 복용하고 $t$ $(t\geq 0)$시간이 지난 후의 약효를 $K(t)$라 하면

$$K(t)=-\frac{1}{3}\left(\frac{2}{3}t^3-2t^2-6t\right)$$

가 성립한다고 한다. 이 약의 약효가 $t=a$에서 최대일 때, 상수 $a$의 값은?

① 1　② 2　③ 3
④ 4　⑤ 5

## 09

$1\le x\le 4$에서 함수 $f(x)=x^3-3x^2+a$의 최댓값을 $M$, 최솟값을 $m$이라 하자. $M+m=20$일 때, 상수 $a$의 값은?

① $-5$ ② $-4$ ③ $-3$
④ 3 ⑤ 4

## 10

두 함수 $f(x)=x^4-4x+a$, $g(x)=-x^2+2x-a$의 그래프가 오직 한 점에서 만날 때, 상수 $a$의 값은?

① 1 ② 2 ③ 3
④ 4 ⑤ 5

## 11

$-2\le x\le 1$에서 방정식 $x^3+3x^2+a=0$이 서로 다른 두 실근을 갖도록 하는 정수 $a$의 개수는?

① 2 ② 3 ③ 4
④ 5 ⑤ 6

## 12

곡선 $y=x^3-3x^2+2x-3$과 직선 $y=2x+k$가 서로 다른 두 점에서 만나도록 하는 모든 실수 $k$의 값의 곱은?

① 18 ② 21 ③ 24
④ 27 ⑤ 30

# 13

두 함수 $f(x)=5x^3-10x^2+2k-2$, $g(x)=5x^2+k$에 대하여 $0<x<3$에서 부등식 $f(x)\geq g(x)$가 성립하도록 하는 상수 $k$의 최솟값은?

① 20 ② 21 ③ 22
④ 23 ⑤ 24

# 14

수직선 위를 움직이는 점 P의 시각 $t$ $(t\geq 0)$에서의 위치 $x$가

$$x=t^3-3t^2+at+5$$

이다. 점 P가 움직이는 방향이 바뀌지 않도록 하는 상수 $a$의 최솟값은?

① 1 ② 2 ③ 3
④ 4 ⑤ 5

# 15

수직선 위를 움직이는 점 P의 시각 $t$ $(t\geq 0)$에서의 위치 $x$가

$$x=-\frac{1}{3}t^3+3t^2+k$$

이다. 점 P의 가속도가 0일 때, 점 P의 위치는 원점이다. 상수 $k$의 값은?

① $-18$ ② $-12$ ③ $-8$
④ $-4$ ⑤ 0

# 16

수직선 위를 움직이는 점 P의 시각 $t$ $(t\geq 0)$에서의 위치 $x$가

$$x=2t^3-kt^2$$

이다. 시각 $t=1$에서 점 P가 운동 방향을 바꿀 때, 시각 $t=k$에서의 점 P의 가속도는? (단, $k$는 양수이다.)

① 30 ② 33 ③ 36
④ 39 ⑤ 42

# 1·2등급 확보 전략 2회

## 01

곡선 $y=f(x)$ 위의 임의의 점 $(x, f(x))$에서의 접선의 기울기가 $6x^2+4$이고, 이 곡선과 직선 $y=x+5$가 $y$축 위에서 만날 때, $\lim_{x \to 2-} f(x-1)$의 값은?

① 5 ② 7 ③ 9
④ 11 ⑤ 13

## 02

곡선 $y=f(x)$ 위의 임의의 점 $(x, f(x))$에서의 접선의 기울기가 $2x-3$이고, 이 곡선이 원점을 지날 때, 곡선 $y=f(x)$ 위의 점 $(2, f(2))$에서의 접선과 원점 사이의 거리는?

① 1 ② $\sqrt{2}$ ③ 2
④ $2\sqrt{2}$ ⑤ $3\sqrt{2}$

## 03

함수 $f(x)=x+1$에 대하여

$$\int_0^2 \{f(x)\}^2 dx = k\left\{\int_0^2 f(x)dx\right\}^2$$

일 때, 상수 $k$의 값은?

① $\frac{11}{24}$ ② $\frac{1}{2}$ ③ $\frac{13}{24}$
④ $\frac{7}{12}$ ⑤ $\frac{5}{8}$

## 04

$\int_{-a}^{a}(5x+1)dx=10$을 만족시키는 양수 $a$의 값은?

① 1 ② 2 ③ 3
④ 4 ⑤ 5

## 05

$\int_{0}^{6}|2x-4|dx$의 값은?

① 12 ② 14 ③ 16
④ 18 ⑤ 20

## 06

$\int_{-2}^{1}\frac{2x^3}{x-3}dx+\int_{-2}^{1}\frac{54}{3-x}dx$의 값은?

① 50 ② 51 ③ 52
④ 53 ⑤ 54

## 07

$\int_{0}^{10}(x+1)^2dx-\int_{0}^{10}(x-1)^2dx$의 값은?

① 50 ② 100 ③ 200
④ 400 ⑤ 800

## 08

함수 $f(x)=\begin{cases} 2x+2 & (x<0) \\ -x^2+2x+2 & (x\geq 0) \end{cases}$에 대하여

$\int_{-a}^{a}f(x)dx$의 최댓값은? (단, $a$는 양수이다.)

① 5 ② $\frac{16}{3}$ ③ $\frac{17}{3}$
④ 6 ⑤ $\frac{19}{3}$

## 09

함수 $f(x)$가 모든 실수 $x$에 대하여

$$\int_{1}^{x} f(t)dt=x^2+ax+3$$

을 만족시킬 때, $f(5)$의 값은? (단, $a$는 상수이다.)

① 2 ② 3 ③ 4 ④ 5 ⑤ 6

## 10

$\lim_{x\to 2}\frac{1}{x-2}\int_{2}^{x}(-t^2+6t-1)dt$의 값은?

① 7 ② 8 ③ 9 ④ 10 ⑤ 11

## 11

함수 $f(x)$에 대하여

$$f(x)=x^3-2x^2+x\int_{0}^{2} f(t)dt$$

를 만족시킬 때, $f'(1)$의 값은?

① $-\frac{2}{3}$ ② $-\frac{1}{3}$ ③ 0 ④ $\frac{1}{3}$ ⑤ $\frac{2}{3}$

## 12

곡선 $y=3x^2-6x+1$과 직선 $y=1$로 둘러싸인 부분의 넓이는?

① 3 ② $\frac{10}{3}$ ③ $\frac{11}{3}$ ④ 4 ⑤ $\frac{13}{3}$

## 13

곡선 $y=x^2-5x+5$와 직선 $y=x+5$로 둘러싸인 부분의 넓이는?

① 36 ② 40 ③ 44
④ 48 ⑤ 52

## 14

수직선 위를 움직이는 점 P의 시각 $t$ $(t\geq 0)$에서의 속도 $v(t)$는 $v(t)=-3t^2+50$이다. 시각 $t=3$에서 점 P의 위치가 11일 때, 시각 $t=0$에서 점 P의 위치는?

① 21 ② 22 ③ 23
④ 24 ⑤ 25

## 15

수직선 위를 움직이는 점 P의 시각 $t$ $(t\geq 0)$에서의 속도 $v(t)$는 $v(t)=2t-4$이다. 점 P가 시각 $t=2$에서 $t=k$ $(k>2)$까지 움직인 거리가 16일 때, 상수 $k$의 값은?

① 4 ② 5 ③ 6
④ 7 ⑤ 8

## 16

원점을 출발하여 수직선 위를 움직이는 점 P의 시각 $t$ $(t\geq 0)$에서의 속도 $v(t)$의 그래프가 다음과 같다.

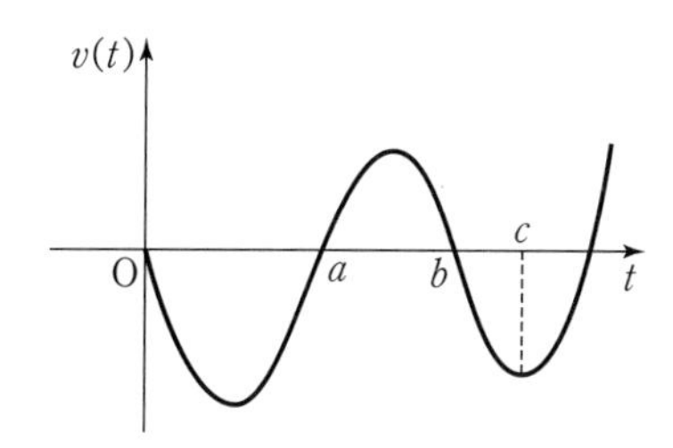


점 P가 출발한 후 처음으로 운동 방향을 바꿀 때의 위치는 $-50$이고, 시각 $t=c$에서 점 P의 위치는 $-42$이다.

$\int_0^b v(t)dt=\int_b^c v(t)dt$일 때, 시각 $t=a$에서 $t=b$까지 점 P가 움직인 거리는?

① 28 ② 29 ③ 30
④ 31 ⑤ 32

memo
시
험
대
박

book.chunjae.co.kr

교재 내용 문의 ························ 교재 홈페이지 ▸ 고등 ▸ 교재상담
교재 내용 외 문의 ···················· 교재 홈페이지 ▸ 고객센터 ▸ 1:1문의
발간 후 발견되는 오류 ················ 교재 홈페이지 ▸ 고등 ▸ 학습지원 ▸ 학습자료실

수능공략 필승학습!
단기간에 끝장내자!

실전에 강한
# 수능전략

# BOOK 3

정답과 해설

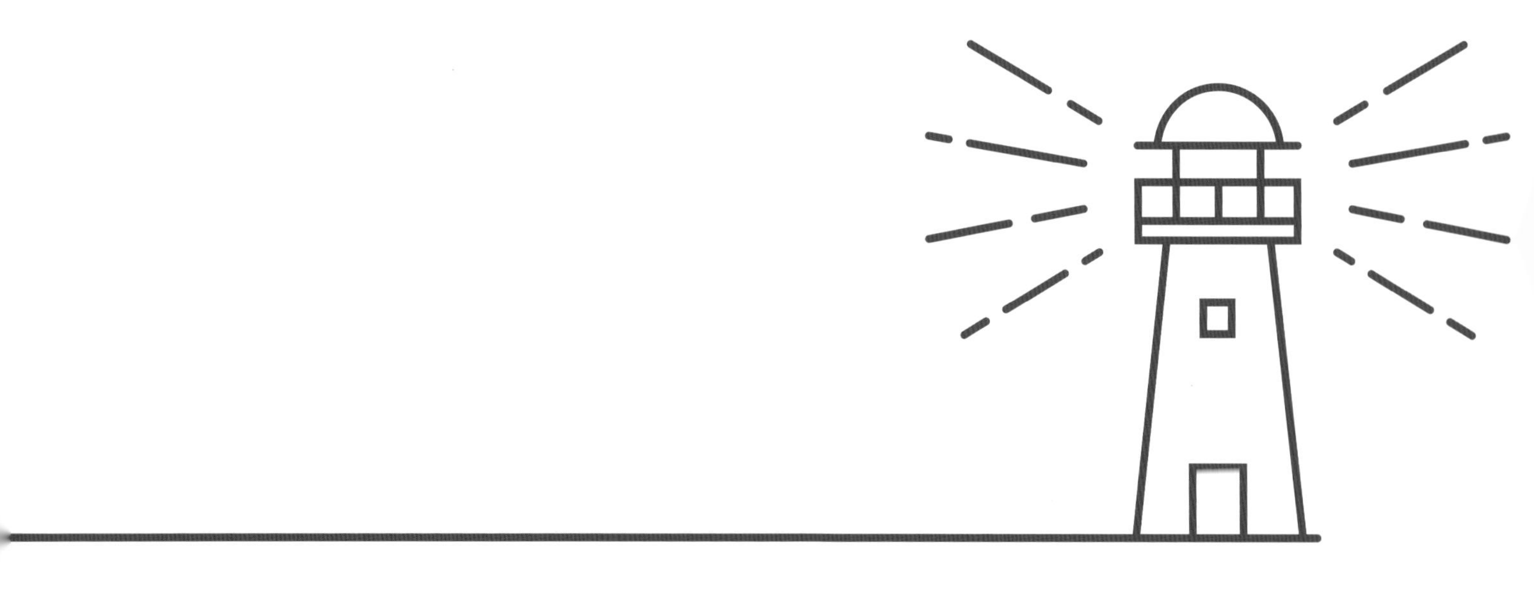

# 수능전략

수·학·영·역

## 수학Ⅱ

## BOOK 3

정답과 해설

## 수학 II (전편)

WEEK

# 1

# 함수의 극한과 연속

DAY

## 1 개념 돌파 전략 ②

12~13쪽

1 ③  2 ④  3 ①  4 ④  5 ⑤  6 ②

**1** $\lim_{x\to 2}\sqrt{x^2+5}=\sqrt{2^2+5}=\sqrt{9}=3$

**2** $x>1$일 때, $f(x)=x^2$

$\therefore \lim_{x\to 2+}f(x)=\lim_{x\to 2+}x^2=4$

**3** $x<1$일 때, $|x-1|=-(x-1)$

$\therefore \lim_{x\to 1-}\frac{x^2-1}{|x-1|}$

$=\lim_{x\to 1-}\frac{(x-1)(x+1)}{-(x-1)}$

$=-\lim_{x\to 1-}(x+1)$

$=-(1+1)=-2$

**4** $\lim_{x\to 1}\{2f(x)+3g(x)\}$

$=2\lim_{x\to 1}f(x)+3\lim_{x\to 1}g(x)$

$=2\times 2+3\times 3=13$

**5** $\lim_{x\to 1}\frac{(x-1)(3x-1)}{x-1}=\lim_{x\to 1}(3x-1)$

$=3\lim_{x\to 1}x-\lim_{x\to 1}1$

$=3\times 1-1=2$

**6** 함수 $f(x)$가 $x=2$에서 연속이려면 $\lim_{x\to 2}f(x)=f(2)$

이때

$\lim_{x\to 2-}f(x)=\lim_{x\to 2-}(2x+3)=7$

$\lim_{x\to 2+}f(x)=\lim_{x\to 2+}(-x+a)=-2+a$

$f(2)=-2+a$

이므로 $-2+a=7$

$\therefore a=9$

**LECTURE** 함수가 연속일 조건

두 함수 $g(x)$, $h(x)$가 연속함수일 때,

함수 $f(x)=\begin{cases} g(x) & (x\ge a) \\ h(x) & (x<a)\end{cases}$가 모든 실수 $x$에서 연속이려면

⇨ $\lim_{x\to a-}h(x)=\lim_{x\to a+}g(x)=f(a)$

DAY

## 2 필수 체크 전략 ①

14~17쪽

| | | | |
|---|---|---|---|
| 1-1 ⑤ | 1-2 ⑤ | 2-1 2 | 2-2 3 |
| 3-1 ④ | 3-2 ① | 4-1 ③ | 4-2 ⑤ |
| 5-1 ② | 5-2 −4 | 6-1 ③ | 6-2 ③ |
| 7-1 ② | 7-2 8 | 8-1 ④ | 8-2 −1 |

**1-1** $\lim_{x\to 2}(x^2-2)=2^2-2=2$

**1-2** $\lim_{x\to 0}(x^2+1)+\lim_{x\to\infty}\left(2-\frac{1}{x}\right)$

$=(0^2+1)+(2-0)=3$

**2-1** $-x=t$로 놓으면 $x\to 0-$일 때, $t\to 0+$이므로

$\lim_{x\to 0-}f(-x)=\lim_{t\to 0+}f(t)$

$\therefore \lim_{x\to 0-}f(-x)+\lim_{x\to 2+}f(x)=\lim_{t\to 0+}f(t)+\lim_{x\to 2+}f(x)$

$=1+1=2$

**2-2** $\lim_{x\to 0+}f(x)=1$, $\lim_{x\to 1}f(x)=2$이므로

$\lim_{x\to 0+}f(x)+\lim_{x\to 1}f(x)=1+2=3$

**3-1** $\lim_{x \to 3} \frac{(x-3)(3x-5)}{x^2-2x-3} = \lim_{x \to 3} \frac{(x-3)(3x-5)}{(x-3)(x+1)}$

$= \lim_{x \to 3} \frac{3x-5}{x+1}$

$= \frac{3 \times 3 - 5}{3+1} = 1$

**3-2** $\lim_{x \to 2} \frac{x^3+x^2-6x}{x^2-5x+6} = \lim_{x \to 2} \frac{x(x+3)(x-2)}{(x-3)(x-2)}$

$= \lim_{x \to 2} \frac{x(x+3)}{x-3}$

$= \frac{2(2+3)}{2-3} = -10$

**4-1** $\lim_{x \to 2} \frac{\sqrt{x^2+5}-3}{x-2}$

$= \lim_{x \to 2} \frac{(\sqrt{x^2+5}-3)(\sqrt{x^2+5}+3)}{(x-2)(\sqrt{x^2+5}+3)}$

$= \lim_{x \to 2} \frac{x^2-4}{(x-2)(\sqrt{x^2+5}+3)}$

$= \lim_{x \to 2} \frac{(x-2)(x+2)}{(x-2)(\sqrt{x^2+5}+3)}$

$= \lim_{x \to 2} \frac{x+2}{\sqrt{x^2+5}+3}$

$= \frac{4}{\sqrt{9}+3} = \frac{2}{3}$

**4-2** $\lim_{x \to 1} \frac{x^2-1}{\sqrt{x+3}-2}$

$= \lim_{x \to 1} \frac{(x^2-1)(\sqrt{x+3}+2)}{(\sqrt{x+3}-2)(\sqrt{x+3}+2)}$

$= \lim_{x \to 1} \frac{(x^2-1)(\sqrt{x+3}+2)}{x-1}$

$= \lim_{x \to 1} \frac{(x-1)(x+1)(\sqrt{x+3}+2)}{x-1}$

$= \lim_{x \to 1} (x+1)(\sqrt{x+3}+2)$

$= 2 \times 4 = 8$

**5-1** $\lim_{x \to \infty} \frac{-3+5x-4x^2}{1+2x^2} = \frac{-4}{2} = -2$

**오답 피하기**

$\lim_{x \to \infty} \frac{-3+5x-4x^2}{1+2x^2} = \lim_{x \to \infty} \frac{-\frac{3}{x^2}+\frac{5}{x}-4}{\frac{1}{x^2}+2}$

$= \frac{0+0-4}{0+2} = \frac{-4}{2} = -2$

따라서 구하는 극한값은 분자, 분모의 최고차항의 계수의 비와 같다.

**5-2** 모든 실수 $x$에 대하여 $f(3-x)=f(3+x)$이므로

함수 $f(x)$의 그래프는 직선 $x=3$에 대하여 대칭이다.

함수 $f(x)$의 최고차항의 계수가 2이므로

$f(x)=2(x-3)^2+k$ ($k$는 상수)라 하면

$f(x)-2x^2=-12x+18+k$

$\therefore \lim_{x \to \infty} \frac{f(x)-2x^2}{3x+1}$

$= \lim_{x \to \infty} \frac{-12x+18+k}{3x+1}$

$= \frac{-12}{3} = -4$

**6-1** $\lim_{x \to \infty} \frac{2x^2+1}{x^2+2} \times \lim_{x \to \infty} (\sqrt{x^2+3x}-x)$

$= 2 \times \lim_{x \to \infty} \frac{(\sqrt{x^2+3x}-x)(\sqrt{x^2+3x}+x)}{\sqrt{x^2+3x}+x}$

$= 2 \times \lim_{x \to \infty} \frac{3x}{\sqrt{x^2+3x}+x} = 2 \times \frac{3}{2} = 3$

**6-2** 분모, 분자를 각각 유리화하면

$\lim_{x \to \infty} \frac{\sqrt{x+a^2}-\sqrt{x+b^2}}{\sqrt{2x-a}-\sqrt{2x-b}}$

$= \lim_{x \to \infty} \left\{ \frac{(\sqrt{x+a^2}-\sqrt{x+b^2})(\sqrt{x+a^2}+\sqrt{x+b^2})}{(\sqrt{2x-a}-\sqrt{2x-b})(\sqrt{2x-a}+\sqrt{2x-b})} \times \frac{\sqrt{2x-a}+\sqrt{2x-b}}{\sqrt{x+a^2}+\sqrt{x+b^2}} \right\}$

$= \lim_{x \to \infty} \frac{(a^2-b^2)(\sqrt{2x-a}+\sqrt{2x-b})}{(-a+b)(\sqrt{x+a^2}+\sqrt{x+b^2})}$

$= \lim_{x \to \infty} \frac{-(a+b)(\sqrt{2x-a}+\sqrt{2x-b})}{\sqrt{x+a^2}+\sqrt{x+b^2}}$

이때 이차방정식 $x^2+4x-6=0$의 두 근이 $a$, $b$이므로

근과 계수의 관계에 의하여

$a+b=-4$

$$\therefore \lim_{x\to\infty}\frac{\sqrt{x+a^2}-\sqrt{x+b^2}}{\sqrt{2x-a}-\sqrt{2x-b}}$$

$$=4\lim_{x\to\infty}\frac{\sqrt{2x-a}+\sqrt{2x-b}}{\sqrt{x+a^2}+\sqrt{x+b^2}}$$

$$=4\times\frac{2\sqrt{2}}{2}=4\sqrt{2}$$

**7-1** $x-3=t$로 놓으면 $x\to3$일 때, $t\to0$이므로

$$\lim_{x\to3}\frac{f(x-3)}{x^2-9}$$

$$=\lim_{x\to3}\frac{f(x-3)}{(x-3)(x+3)}$$

$$=\lim_{x\to3}\left\{\frac{1}{x+3}\times\frac{f(x-3)}{x-3}\right\}$$

$$=\lim_{x\to3}\frac{1}{x+3}\times\lim_{x\to3}\frac{f(x-3)}{x-3}$$

$$=\frac{1}{6}\lim_{x\to3}\frac{f(x-3)}{x-3}$$

$$=\frac{1}{6}\lim_{t\to0}\frac{f(t)}{t}=\frac{1}{6}\times2=\frac{1}{3}$$

**7-2** $x-2=t$로 놓으면 $x\to2$일 때, $t\to0$이므로

$$\lim_{x\to2}\frac{f(x-2)}{x^2-2x}=\lim_{x\to2}\frac{f(x-2)}{x(x-2)}$$

$$=\lim_{x\to2}\left\{\frac{1}{x}\times\frac{f(x-2)}{x-2}\right\}$$

$$=\lim_{x\to2}\frac{1}{x}\times\lim_{x\to2}\frac{f(x-2)}{x-2}$$

$$=\frac{1}{2}\lim_{x\to2}\frac{f(x-2)}{x-2}$$

$$=\frac{1}{2}\lim_{t\to0}\frac{f(t)}{t}=4$$

$$\therefore \lim_{x\to0}\frac{f(x)}{x}=4\times2=8$$

**8-1** $$\lim_{x\to2}\frac{2f(x)-g(x)}{f(x)+2g(x)}=\frac{2\lim_{x\to2}f(x)-\lim_{x\to2}g(x)}{\lim_{x\to2}f(x)+2\lim_{x\to2}g(x)}$$

$$=\frac{2\times3-2}{3+2\times2}=\frac{4}{7}$$

**8-2** $h(x)=3f(x)-g(x)$라 하면

$\lim h(x)=2,\ g(x)=3f(x)-h(x)$

$$\therefore \lim_{x\to\infty}\frac{4f(x)-5g(x)}{2f(x)+3g(x)}$$

$$=\lim_{x\to\infty}\frac{4f(x)-5\{3f(x)-h(x)\}}{2f(x)+3\{3f(x)-h(x)\}}$$

$$=\lim_{x\to\infty}\frac{-11f(x)+5h(x)}{11f(x)-3h(x)}$$

$$=\lim_{x\to\infty}\frac{-11+5\frac{h(x)}{f(x)}}{11-3\frac{h(x)}{f(x)}}$$

$$=\frac{-11+5\lim_{x\to\infty}\frac{h(x)}{f(x)}}{11-3\lim_{x\to\infty}\frac{h(x)}{f(x)}}$$

$$=\frac{-11+5\times0}{11-3\times0}=-1$$

## DAY 2 필수 체크 전략 ②

18~19쪽

| | | | |
|---|---|---|---|
| 01 ⑤ | 02 ② | 03 ⑤ | 04 ④ |
| 05 ③ | 06 ④ | 07 ① | 08 ② |

**01** $$\lim_{x\to\infty}\frac{(2x+1)(3x-5)}{3x^2+x+2}=\lim_{x\to\infty}\frac{6x^2-7x-5}{3x^2+x+2}$$

$$=\frac{6}{3}=2$$

**02** $-x=t$로 놓으면 $x\to-\infty$일 때, $t\to\infty$이므로

$$\lim_{x\to-\infty}\frac{2x-\sqrt{x^2+3}}{1-x}=\lim_{t\to\infty}\frac{-2t-\sqrt{t^2+3}}{1+t}$$

$$=\frac{-2-1}{1}=-3$$

**03** 조건 ㈎에서 $-x=t$로 놓으면 $x\to-\infty$일 때, $t\to\infty$이므로

$$\lim_{x\to-\infty}\frac{6-5x-2x^2}{2x^2+x-1}=\lim_{t\to\infty}\frac{6+5t-2t^2}{2t^2-t-1}$$

$$=\frac{-2}{2}=-1$$

$\therefore a=-1$

조건 ㈏에서

$$\lim_{x \to 2} \frac{x^2-4}{\sqrt{x+2}-2} = \lim_{x \to 2} \frac{(x^2-4)(\sqrt{x+2}+2)}{(\sqrt{x+2}-2)(\sqrt{x+2}+2)}$$

$$= \lim_{x \to 2} \frac{(x-2)(x+2)(\sqrt{x+2}+2)}{x-2}$$

$$= \lim_{x \to 2} (x+2)(\sqrt{x+2}+2) = 16$$

이므로 $b=16$

따라서 $f(x)=x^2-x+16$이므로

$$\lim_{x \to 1} \frac{f(x)}{x^2+1} = \frac{f(1)}{2} = \frac{16}{2} = 8$$

**04** $x-2=t$로 놓으면 $x \to 1+$일 때, $t \to -1+$이므로

$$\lim_{x \to 1+} g(x) = \lim_{x \to 1+} \{f(x)+f(x-2)\}$$

$$= \lim_{x \to 1+} f(x) + \lim_{x \to 1+} f(x-2)$$

$$= \lim_{x \to 1+} f(x) + \lim_{t \to -1+} f(t)$$

$$= 3+1=4$$

**05** 함수 $h(x)=(x+a)f(x)$가 $x=0$에서 극한값이 존재하려면 $\lim_{x \to 0-} h(x) = \lim_{x \to 0+} h(x)$

이때

$$\lim_{x \to 0-} h(x) = \lim_{x \to 0-} (x+a)f(x)$$

$$= a \lim_{x \to 0-} f(x)$$

$$= a \times 0 = 0$$

$$\lim_{x \to 0+} h(x) = \lim_{x \to 0+} (x+a)f(x)$$

$$= a \lim_{x \to 0+} f(x)$$

$$= a \times 1 = a$$

$\therefore a=0$

**06** $\lim_{x \to 2} f(x)=4$, $\lim_{x \to 2} \{f(x)-g(x)\}=2$에서

$$\lim_{x \to 2} \{f(x)-g(x)\} = \lim_{x \to 2} f(x) - \lim_{x \to 2} g(x)$$

$$= 4 - \lim_{x \to 2} g(x) = 2$$

이므로 $\lim_{x \to 2} g(x)=2$

$$\therefore \lim_{x \to 2} \{5g(x)+f(x)g(x)\}$$

$$= 5\lim_{x \to 2} g(x) + \lim_{x \to 2} f(x) \times \lim_{x \to 2} g(x)$$

$$= 5 \times 2 + 4 \times 2 = 18$$

**07** 직선 $y=ax+a$와 이차함수 $y=x^2+k$의 그래프가 접하므로 이차방정식 $ax+a=x^2+k$가 중근을 가져야 한다.

이때 이차방정식 $x^2-ax+k-a=0$의 판별식을 $D$라 하면

$D=a^2-4(k-a)=0$

$4k=a^2+4a$에서

$$k=f(a)=\frac{a^2+4a}{4}$$

$$\therefore \lim_{a \to -4} \frac{f(a)}{a+4} = \lim_{a \to -4} \frac{a^2+4a}{4(a+4)}$$

$$= \lim_{a \to -4} \frac{a(a+4)}{4(a+4)}$$

$$= \lim_{a \to -4} \frac{a}{4} = -1$$

**LECTURE** 이차함수의 그래프와 직선의 위치 관계

이차함수의 그래프와 직선의 위치 관계는 두 방정식을 연립한 이차방정식의 판별식을 $D$라 할 때

(1) $D>0$ ⇨ 서로 다른 두 점에서 만난다.

(2) $D=0$ ⇨ 한 점에서 만난다. (접한다.)

(3) $D<0$ ⇨ 만나지 않는다.

**08** 함수 $g(x)=\frac{2x+2}{x-1}=\frac{4}{x-1}+2$의 그래프는 다음 그림과 같다.

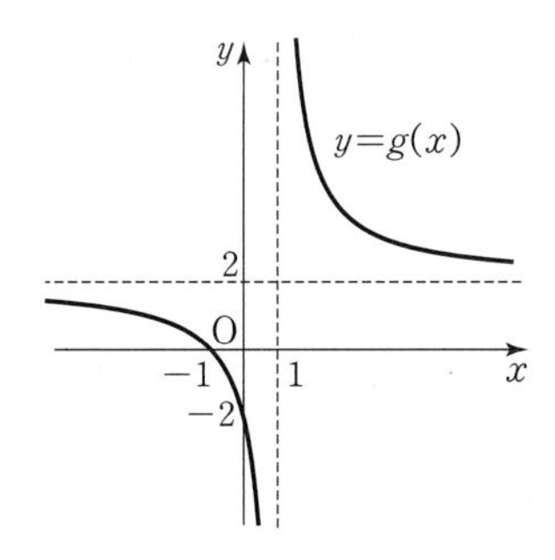


이때 $g(x)=t$로 놓으면 $x \to \infty$일 때, $t \to 2+$이고 $x \to -\infty$일 때, $t \to 2-$이므로

$$\lim_{x \to \infty} f(g(x)) - \lim_{x \to -\infty} f(g(x))$$

$$= \lim_{t \to 2+} f(t) - \lim_{t \to 2-} f(t) = 2-4=-2$$

DAY

## 3 필수 체크 전략 ①

20~23쪽

| | | | |
|---|---|---|---|
| **1-1** 0 | **1-2** 8 | **2-1** 2 | **3-1** $-1$ |
| **4-1** ② | **4-2** 4 | **5-1** ㄱ, ㄷ | **6-1** 2 |
| **6-2** 7 | **7-1** ④ | **7-2** ② | **8-1** ⑤ |

**1-1** $\lim_{x\to2}\frac{x^2-4}{x^2+ax}=b\ (b\neq0)$에서 $x\to2$일 때, (분자)$\to0$이므로 (분모)$\to0$이다.

즉 $4+2a=0$이므로 $a=-2$

주어진 식에 $a=-2$를 대입하면

$$\lim_{x\to2}\frac{x^2-4}{x^2+ax}=\lim_{x\to2}\frac{x^2-4}{x^2-2x}=\lim_{x\to2}\frac{(x-2)(x+2)}{x(x-2)}=\lim_{x\to2}\frac{x+2}{x}=\frac{4}{2}=2$$

이므로 $b=2$

$\therefore a+b=-2+2=0$

**1-2** $\lim_{x\to4}\frac{\sqrt{x+a}-b}{x-4}=\frac{1}{6}$에서 $x\to4$일 때, (분모)$\to0$이므로 (분자)$\to0$이다.

즉 $\sqrt{4+a}-b=0$이므로 $b=\sqrt{4+a}$

주어진 식에 $b=\sqrt{4+a}$를 대입하면

$$\lim_{x\to4}\frac{\sqrt{x+a}-b}{x-4}$$
$$=\lim_{x\to4}\frac{\sqrt{x+a}-\sqrt{4+a}}{x-4}$$
$$=\lim_{x\to4}\frac{(\sqrt{x+a}-\sqrt{4+a})(\sqrt{x+a}+\sqrt{4+a})}{(x-4)(\sqrt{x+a}+\sqrt{4+a})}$$
$$=\lim_{x\to4}\frac{x-4}{(x-4)(\sqrt{x+a}+\sqrt{4+a})}$$
$$=\lim_{x\to4}\frac{1}{\sqrt{x+a}+\sqrt{4+a}}$$
$$=\frac{1}{2\sqrt{4+a}}=\frac{1}{6}$$

이므로 $\sqrt{4+a}=3$ $\quad\therefore a=5$

따라서 $a=5,\ b=3$이므로

$a+b=5+3=8$

**2-1** 함수 $g(x)=\begin{cases}x^2+ax+b & (-1<x<1)\\ 3 & (x\le-1,\ x\ge1)\end{cases}$이 모든 실수 $x$에 대하여 극한이 존재하려면 함수 $g(x)$는 $x=-1,\ x=1$에서 극한이 존재해야 한다.

(i) $x=-1$일 때

$\lim_{x\to-1-}3=\lim_{x\to-1+}(x^2+ax+b)$이므로

$3=1-a+b$ $\quad\therefore -a+b=2$ $\quad\cdots\cdots$㉠

(ii) $x=1$일 때

$\lim_{x\to1-}(x^2+ax+b)=\lim_{x\to1+}3$이므로

$1+a+b=3$ $\quad\therefore a+b=2$ $\quad\cdots\cdots$㉡

㉠, ㉡을 연립하여 풀면 $a=0,\ b=2$

$\therefore 2a+b=2\times0+2=2$

**3-1** 조건 (나)에서 $f(x)-2x^2$은 최고차항의 계수가 3인 일차식이다.

$f(x)-2x^2=3x+a$ ($a$는 상수)로 놓으면

$f(x)=2x^2+3x+a$이므로 $f(1)=5+a=3$

$\therefore a=-2$

즉 $f(x)=2x^2+3x-2$이므로 $\lim_{x\to k}f(x)=2k^2+3k-2$

따라서 방정식 $2k^2+3k-2=0$을 만족시키는 모든 상수 $k$의 값의 곱은 이차방정식의 근과 계수의 관계에 의하여 $-1$이다.

> **LECTURE** 이차방정식의 근과 계수의 관계
>
> 이차방정식 $ax^2+bx+c=0\ (a\neq0)$의 두 근을 $\alpha,\ \beta$라 할 때
>
> (1) $\alpha+\beta=-\frac{b}{a}$ $\qquad$ (2) $\alpha\beta=\frac{c}{a}$

**4-1** $\lim_{x\to-1}(-x^2-x-1)=-1,\ \lim_{x\to-1}(x^2+3x+1)=-1$

이므로 함수의 극한의 대소 관계에 의하여

$\lim_{x\to-1}f(x)=-1$

**4-2** 함수 $f(x)$가 모든 실수 $x$에 대하여

$2x+1\le f(x)\le 2x+4$이므로 $x>0$일 때

$(2x+1)^2\le\{f(x)\}^2\le(2x+4)^2$

$\frac{(2x+1)^2}{x^2+1}\le\frac{\{f(x)\}^2}{x^2+1}\le\frac{(2x+4)^2}{x^2+1}$

이때

$\lim_{x\to\infty}\frac{(2x+1)^2}{x^2+1}=4,$

$\lim_{x\to\infty}\frac{(2x+4)^2}{x^2+1}=4$

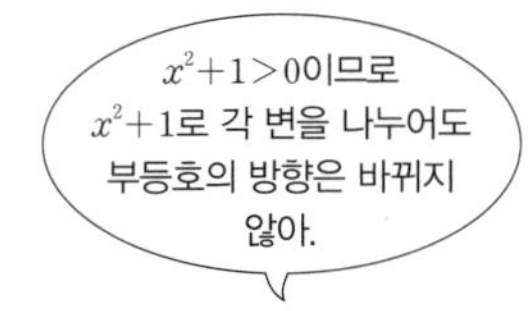

이므로 함수의 극한의 대소 관계에 의하여

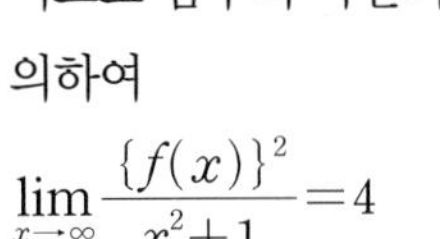

$\lim_{x\to\infty}\frac{\{f(x)\}^2}{x^2+1}=4$

**5-1** ㄱ. $\lim_{x\to 0-}f(x)=\lim_{x\to 0+}f(x)=0$이므로 $\lim_{x\to 0}f(x)=0$

ㄴ. $\lim_{x\to 1+}f(x)=0$

ㄷ. $g(x)=(x-1)f(x)$라 하면

$\lim_{x\to 1-}g(x)=0\times 1=0,\ \lim_{x\to 1+}g(x)=0\times 0=0,$

$g(1)=0\times 1=0$

이므로 $\lim_{x\to 1}g(x)=g(1)$

즉 함수 $g(x)=(x-1)f(x)$는 $x=1$에서 연속이다.

따라서 옳은 것은 ㄱ, ㄷ이다.

**6-1** 함수 $f(x)$가 $x=1$에서 연속이려면 $\lim_{x\to 1}f(x)=f(1)$

이때

$\lim_{x\to 1-}f(x)=\lim_{x\to 1-}(x^2-1)=0$

$\lim_{x\to 1+}f(x)=\lim_{x\to 1+}(-2x+a)=a-2$

$f(1)=0$

이므로 $a-2=0$ $\therefore a=2$

**6-2** 함수 $f(x)$가 $x=2$에서 연속이려면 $\lim_{x\to 2}f(x)=f(2)$

이때 $f(2)=a$이고,

$$\lim_{x\to 2}f(x)=\lim_{x\to 2}\frac{x^2+3x-10}{x-2}=\lim_{x\to 2}\frac{(x-2)(x+5)}{x-2}=\lim_{x\to 2}(x+5)=7$$

이므로 $a=7$

**7-1** $x\neq 3$일 때, $f(x)=\frac{x^2-3x}{x-3}$

이때 함수 $f(x)$가 $x=3$에서 연속이므로

$$f(3)=\lim_{x\to 3}f(x)=\lim_{x\to 3}\frac{x^2-3x}{x-3}=\lim_{x\to 3}\frac{x(x-3)}{x-3}=\lim_{x\to 3}x=3$$

**7-2** $x\neq 4$일 때, $f(x)=\frac{\sqrt{x-3}-1}{x-4}$

이때 함수 $f(x)$가 $x=4$에서 연속이므로

$$f(4)=\lim_{x\to 4}f(x)=\lim_{x\to 4}\frac{\sqrt{x-3}-1}{x-4}=\lim_{x\to 4}\frac{(\sqrt{x-3}-1)(\sqrt{x-3}+1)}{(x-4)(\sqrt{x-3}+1)}=\lim_{x\to 4}\frac{x-4}{(x-4)(\sqrt{x-3}+1)}=\lim_{x\to 4}\frac{1}{\sqrt{x-3}+1}=\frac{1}{2}$$

**8-1** 함수 $f(x)$는 모든 실수 $x$에서 연속이므로 $x=2$에서 연속이다.

$\therefore \lim_{x\to 2}f(x)=f(2)$

이때

$\lim_{x\to 2-}f(x)=\lim_{x\to 2-}\frac{1}{2}x=1$

$\lim_{x\to 2+}f(x)=\lim_{x\to 2+}(ax+b)=2a+b$

$f(2)=2a+b$

이므로 $2a+b=1$ ……㉠

한편, $f(x+4)=f(x)$에서 $f(4)=f(0)$

이므로 $4a+b=0$ ……㉡

㉠, ㉡을 연립하여 풀면 $a=-\frac{1}{2}$, $b=2$

따라서 $2\le x\le 4$일 때, $f(x)=-\frac{1}{2}x+2$이므로

$f(3)=-\frac{3}{2}+2=\frac{1}{2}$

두 함수 $f(x)$, $g(x)$가 연속함수이면 $f(x)+g(x)$도 연속함수야.

DAY 3 필수 체크 전략 ②

24~25쪽

| | | | |
|---|---|---|---|
| 01 ① | 02 ③ | 03 ④ | 04 ③ |
| 05 ⑤ | 06 ④ | 07 ④ | 08 ② |

**01** $\lim_{x\to\infty}\frac{bx+1}{ax^2+2x-3}=2$가 성립하므로 분모와 분자는 같은 차수의 다항식이어야 한다. $\therefore a=0$

즉 $\lim_{x\to\infty}\frac{bx+1}{2x-3}=2$이므로 $\frac{b}{2}=2$ $\therefore b=4$

$\therefore a+b=0+4=4$

**02** $\lim_{x\to\infty}(\sqrt{x^2+ax}-\sqrt{x^2-ax})$

$=\lim_{x\to\infty}\frac{(\sqrt{x^2+ax}-\sqrt{x^2-ax})(\sqrt{x^2+ax}+\sqrt{x^2-ax})}{\sqrt{x^2+ax}+\sqrt{x^2-ax}}$

$=\lim_{x\to\infty}\frac{2ax}{\sqrt{x^2+ax}+\sqrt{x^2-ax}}$

$=\frac{2a}{2}=a$

$\therefore a=6$

**03** 조건 (가)에서 모든 실수 $x$에 대하여 $f(-x)=-f(x)$이므로 $f(x)$는 차수가 홀수인 항으로만 이루어진 삼차함수이다. 즉 $f(x)=ax^3+bx$ ($a$, $b$는 상수, $a\neq0$)로 놓을 수 있다.

조건 (나)에서 $\lim_{x\to-2}\frac{f(x)}{x+2}=8$이고 $x\to-2$일 때, (분모)$\to0$이므로 (분자)$\to0$이다.

즉 $\lim_{x\to-2}f(x)=0$이므로 $f(-2)=0$

$-8a-2b=0$ $\therefore b=-4a$ ……㉠

이때

$\lim_{x\to-2}\frac{f(x)}{x+2}=\lim_{x\to-2}\frac{ax^3-4ax}{x+2}$

$=\lim_{x\to-2}\frac{ax(x+2)(x-2)}{x+2}$

$=\lim_{x\to-2}ax(x-2)$

$=8a=8$

이므로 $a=1$

㉠에 $a=1$을 대입하면 $b=-4$

따라서 $f(x)=x^3-4x$이므로

$f(1)=1-4=-3$

**04** 조건 (가)에서 함수 $f(x)$가 모든 양의 실수 $x$에 대하여 $2x^2+ax\le f(x)\le 3x^2+ax$이므로

$\frac{2x^2+ax}{2x}\le\frac{f(x)}{2x}\le\frac{3x^2+ax}{2x}$ ($\because x>0$)

이때

$\lim_{x\to0+}\frac{2x^2+ax}{2x}=\lim_{x\to0+}\frac{2x+a}{2}=\frac{a}{2}$

$\lim_{x\to0+}\frac{3x^2+ax}{2x}=\lim_{x\to0+}\frac{3x+a}{2}=\frac{a}{2}$

이므로 함수의 극한의 대소 관계에 의하여

$\lim_{x\to0+}\frac{f(x)}{2x}=\frac{a}{2}$

조건 (나)에서 $\frac{a}{2}=3$이므로 $a=6$

**05** 함수 $f(x)$가 모든 실수 $x$에서 연속이므로 $x=1$에서 연속이다.

$\therefore \lim_{x\to1}f(x)=f(1)$

$\lim_{x\to1}f(x)=\lim_{x\to1}\frac{x^2-ax-2}{x-1}=b$ ……㉠

에서 $x\to1$일 때, (분모)$\to0$이므로 (분자)$\to0$이다.

즉 $\lim_{x\to1}(x^2-ax-2)=0$이므로

$-a-1=0$ $\therefore a=-1$

㉠에 $a=-1$을 대입하면

$\lim_{x\to1}\frac{x^2+x-2}{x-1}=\lim_{x\to1}\frac{(x+2)(x-1)}{x-1}$

$=\lim_{x\to1}(x+2)=3$

이므로 $b=3$

$\therefore a+b=-1+3=2$

**06** ㄱ. 함수 $f(x)$는 $x=-1$에서 불연속이므로

$\lim_{x\to-1}f(x)\neq f(-1)$

ㄴ. $\lim_{x\to1-}f(x)g(x)=\lim_{x\to1-}f(x)\lim_{x\to1-}g(x)$

$=1\times(-1)=-1$

$\lim_{x\to1+}f(x)g(x)=\lim_{x\to1+}f(x)\lim_{x\to1+}g(x)$

$=(-1)\times1=-1$

이므로 $\lim_{x\to1}f(x)g(x)=-1$

ㄷ. ㄴ에서 $\lim_{x\to1}f(x)g(x)=-1$이고, $f(1)=-1$, $g(1)=1$이므로 $f(1)g(1)=-1$

$\therefore \lim_{x\to1}f(x)g(x)=f(1)g(1)$

즉 함수 $y=f(x)g(x)$는 $x=1$에서 연속이다.
따라서 옳은 것은 ㄴ, ㄷ이다.

**07** $\lim_{x\to1}\frac{f(x)}{x-1}=-8$에서 $x\to1$일 때, (분모)$\to0$이므로 (분자)$\to0$이다.
즉 $\lim_{x\to1}f(x)=0$이므로 $f(1)=0$
또 $\lim_{x\to-1}\frac{f(x)}{x+1}=16$에서 $x\to-1$일 때, (분모)$\to0$이므로 (분자)$\to0$이다.
즉 $\lim_{x\to-1}f(x)=0$이므로 $f(-1)=0$
이때 $f(x)$는 삼차함수이므로
$f(x)=(x-1)(x+1)(ax+b)$ ($a$, $b$는 상수, $a\neq0$)로 놓을 수 있다.
주어진 식에 $f(x)$를 각각 대입하면
$$\lim_{x\to1}\frac{f(x)}{x-1}=\lim_{x\to1}\frac{(x-1)(x+1)(ax+b)}{x-1}=\lim_{x\to1}(x+1)(ax+b)=2(a+b)=-8$$
이므로 $a+b=-4$ ……㉠
$$\lim_{x\to-1}\frac{f(x)}{x+1}=\lim_{x\to-1}\frac{(x-1)(x+1)(ax+b)}{x+1}=\lim_{x\to-1}(x-1)(ax+b)=2a-2b=16$$
이므로 $a-b=8$ ……㉡
㉠, ㉡을 연립하여 풀면 $a=2$, $b=-6$
따라서 $f(x)=(x-1)(x+1)(2x-6)$이므로
방정식 $f(x)=0$의 모든 실근의 합은
$1+(-1)+3=3$

**08** $\lim_{x\to\infty}g(x)=\lim_{x\to\infty}\frac{f(x)-2x^2}{x-2}=3$에서 $f(x)-2x^2$은 최고차항의 계수가 3인 일차식이다.
즉 $f(x)-2x^2=3x+b$ ($b$는 상수)로 놓을 수 있다.
이때 함수 $g(x)$는 모든 실수 $x$에서 연속이므로 $x=2$에서 연속이다.
$\therefore \lim_{x\to2}g(x)=g(2)$
$$\lim_{x\to2}g(x)=\lim_{x\to2}\frac{f(x)-2x^2}{x-2}=\lim_{x\to2}\frac{3x+b}{x-2}=a \quad \cdots\cdots㉠$$
에서 $x\to2$일 때, (분모)$\to0$이므로 (분자)$\to0$이다.
즉 $\lim_{x\to2}(3x+b)=0$에서 $b=-6$
㉠에 $b=-6$을 대입하면
$$\lim_{x\to2}\frac{3x-6}{x-2}=\lim_{x\to2}\frac{3(x-2)}{x-2}=\lim_{x\to2}3=3$$
이므로 $a=3$
한편, $f(x)-2x^2=3x-6$에서 $f(x)=2x^2+3x-6$이므로 $f(1)=2+3-6=-1$
$\therefore a+f(1)=3+(-1)=2$

## 누구나 합격 전략

26~27쪽

| | | | | |
|---|---|---|---|---|
| 01 ④ | 02 ⑤ | 03 ④ | 04 ⑤ | 05 ③ |
| 06 ② | 07 ① | 08 ⑤ | 09 ③ | 10 ① |

**01** $\lim_{x\to2}(x+2)(x^2-3)=(2+2)(2^2-3)=4$

**02** $\lim_{x\to0}\frac{2x}{x^2+x}=\lim_{x\to0}\frac{2x}{x(x+1)}=\lim_{x\to0}\frac{2}{x+1}=\frac{2}{1}=2$

**03** $$\lim_{x\to\infty}\frac{3x^2-4x+5}{x^2+1}=\lim_{x\to\infty}\frac{3-\frac{4}{x}+\frac{5}{x^2}}{1+\frac{1}{x^2}}=\frac{3}{1}=3$$

구하는 극한값은 분자, 분모의 최고차항의 계수의 비와 같아.

**04** $\lim_{x\to-1-}f(x)+f(0)+\lim_{x\to1+}f(x)=1+2+(-1)=2$

**05** $\lim_{x\to1+}f(x)=\lim_{x\to1+}x^2=1$
$\lim_{x\to1-}f(x)=\lim_{x\to1-}(-x^2+3)=-1+3=2$
$\therefore \lim_{x\to1+}f(x)-\lim_{x\to1-}f(x)=1-2=-1$

**06** $\lim_{x\to2}\frac{f(x)}{g(x)}=\frac{\lim_{x\to2}f(x)}{\lim_{x\to2}g(x)}=\frac{3}{-1}=-3$

**07** $\lim_{x\to\infty}\frac{x^2-1}{x^2}=1$, $\lim_{x\to\infty}\frac{x^2+3}{x^2}=1$

이므로 함수의 극한의 대소 관계에 의하여

$\lim_{x\to\infty}f(x)=1$

**08** $\lim_{x\to-1}\frac{2x^2+ax+b}{x+1}=5$에서 $x\to-1$일 때, (분모)$\to0$

이므로 (분자)$\to0$이다.

즉 $2-a+b=0$이므로 $b=a-2$

주어진 식에 $b=a-2$를 대입하면

$$\begin{aligned}\lim_{x\to-1}\frac{2x^2+ax+b}{x+1}&=\lim_{x\to-1}\frac{2x^2+ax+a-2}{x+1}\\&=\lim_{x\to-1}\frac{(x+1)(2x+a-2)}{x+1}\\&=\lim_{x\to-1}(2x+a-2)\\&=a-4=5\end{aligned}$$

이므로 $a=9$, $b=7$

$\therefore a+b=9+7=16$

**09** (i) $x=0$일 때, $\lim_{x\to0-}f(x)=1$, $\lim_{x\to0+}f(x)=2$이므로

$\lim_{x\to0-}f(x)\neq\lim_{x\to0+}f(x)$

따라서 함수 $f(x)$는 $x=0$에서 극한값이 존재하지 않으므로 $x=0$에서 불연속이다.

(ii) $x=2$일 때, $\lim_{x\to2}f(x)=2$, $f(2)=0$이므로

$\lim_{x\to2}f(x)\neq f(2)$

따라서 함수 $f(x)$는 $x=2$에서 극한값은 존재하지만 그 값이 함숫값과 다르므로 불연속이다.

(i), (ii)에서 $a=2$, $b=1$

$\therefore a+b=2+1=3$

**10** 함수 $f(x)$가 $x=2$에서 연속이려면 $\lim_{x\to2}f(x)=f(2)$

이때

$\lim_{x\to2-}f(x)=\lim_{x\to2-}(2x+1)=5$

$\lim_{x\to2+}f(x)=\lim_{x\to2+}(x^2-x+a)=a+2$

$f(2)=a+2$

이므로 $a+2=5$

$\therefore a=3$

## 창의·융합·코딩 전략 ① 28~29쪽

| 1 ④ | 2 ③ | 3 ③ | 4 ⑤ |
|---|---|---|---|

**1** $\log_2 4=\log_2 2^2=2$

$\lim_{x\to1}(2x+1)=3$

$\lim_{x\to1}\frac{x^2-1}{x-1}=\lim_{x\to1}\frac{(x-1)(x+1)}{x-1}=\lim_{x\to1}(x+1)=2$

$\lim_{x\to0}\sqrt{3x+4}=\sqrt{4}=2$

이때 대각선에 놓인 세 수의 합은

$\log_2 4+\lim_{x\to1}\frac{x^2-1}{x-1}+\lim_{x\to0}\sqrt{3x+4}=2+2+2=6$

즉 게임판의 가로, 세로, 대각선에 놓인 세 수의 합은 6으로 같다.

따라서 게임판의 빈칸에 알맞은 수를 써넣으면 다음과 같으므로 구하는 값은

$1+3+1+1+3=9$

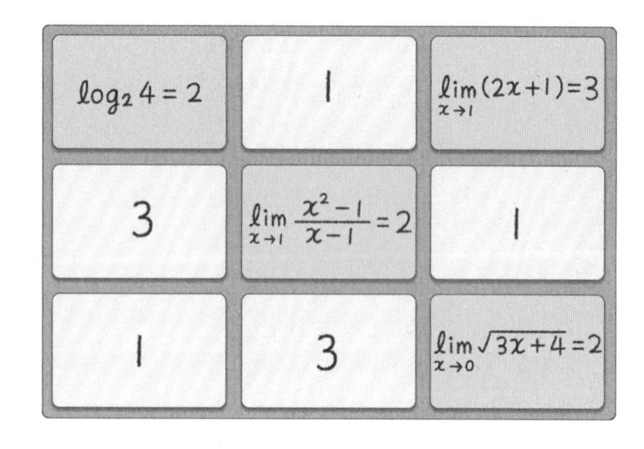


**2** 디딤돌에 적힌 식의 값을 구하면 다음과 같다.

A: $\sqrt[3]{8}=\sqrt[3]{2^3}=2$

B: $\sqrt[5]{1}=1$

C: $\lim_{x\to0}(x+1)=1$

D: $\lim_{x\to1}\frac{(x-1)(x+2)}{x-1}=\lim_{x\to1}(x+2)=3$

E: $\lim_{x\to0+}\frac{x}{|x|}=\lim_{x\to0+}\frac{x}{x}=\lim_{x\to0+}1=1$

F: $x+1=t$로 놓으면 $x\to1+$일 때, $t\to2+$이므로

$\lim_{x\to1+}[x+1]=\lim_{t\to2+}[t]=2$

이때 디딤돌에 적힌 식의 값의 합이 7인 경우는 1단계에서 A: 2, 2단계에서 D: 3, 3단계에서 F: 2뿐이다.

따라서 하천을 무사히 건너기 위해 밟아야 하는 디딤돌의 순서는 A−D−F이다.

**3** $t(t\geq 0)$초 후의 원의 방정식을 구하면

$x^2+(y+5-t)^2=1$

이 원과 $x$축이 만나는 점의 $x$좌표는

$x^2+(5-t)^2=1$에서 $x^2=1-(5-t)^2$

$\therefore x=\pm\sqrt{1-(5-t)^2}$

$x$의 값이 정의되려면 $1-(5-t)^2\geq 0$

$(5-t)^2\leq 1$, $-1\leq 5-t\leq 1$

$\therefore 4\leq t\leq 6$

즉 $t$의 값에 따른 원과 $x$축이 만나는 점의 개수 $f(t)$는

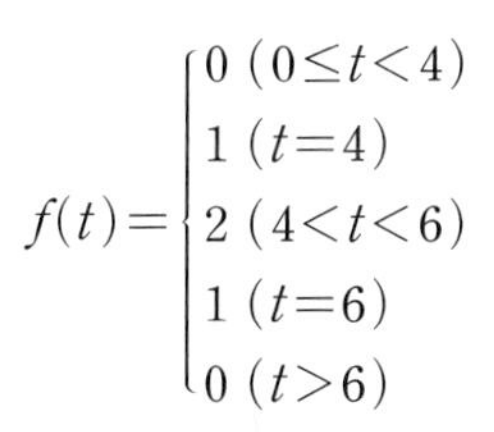

$$f(t)=\begin{cases}0 & (0\leq t<4)\\ 1 & (t=4)\\ 2 & (4<t<6)\\ 1 & (t=6)\\ 0 & (t>6)\end{cases}$$

이므로 함수 $f(t)$의 그래프는 다음과 같다.

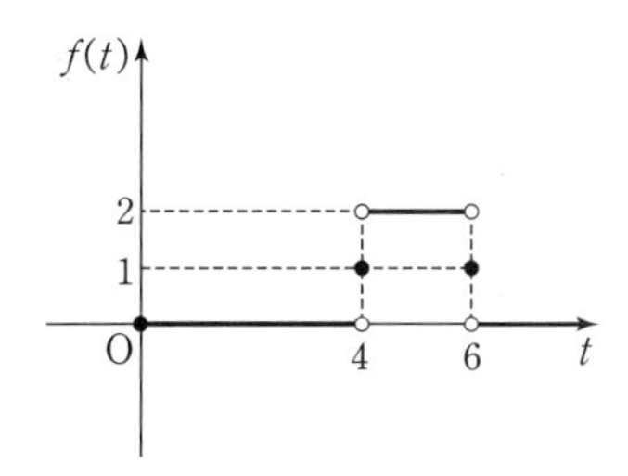


이때 $\lim_{t\to 4+}f(t)-f(4)=2-1=1$이므로

$\lim_{t\to 4+}f(t)=f(4)+1$이다.

따라서 $\lim_{t\to a+}f(t)=f(a)+1$을 만족시키는 상수 $a$의 값은 4이다.

**오답 피하기**

$\lim_{t\to a+}f(t)=f(a)+1$에서 $\lim_{t\to a+}f(t)-f(a)=1$

즉 $\lim_{t\to a+}f(t)\neq f(a)$이므로 함수 $f(t)$는 $t=a$에서 연속이 아니다.

이때 함수 $f(t)$는 $t=4$, $t=6$에서 불연속이므로 $a=4$ 또는 $a=6$일 때, $\lim_{t\to a+}f(t)=f(a)+1$을 만족시키는지 확인하여 상수 $a$의 값을 구한다.

**4** 곡선 $y=\sqrt{x}$를 $x$축의 방향으로 $a$만큼 평행이동한 곡선의 방정식이 $y=\sqrt{x-a}$이므로 $g(x)=\sqrt{x-a}$

이때 곡선 $y=g(x)$와 $x$축의 교점은 $\mathrm{A}(a, 0)$

또 점 A를 지나고 $x$축에 수직인 직선과 곡선 $y=\sqrt{x}$의 교점은 $\mathrm{B}(a, \sqrt{a})$

태민: 선분 AB의 길이를 $l(a)$라 하면 $l(a)=\sqrt{a}$이므로

$\lim_{a\to 16+}l(a)=\lim_{a\to 16+}\sqrt{a}=\boxed{4}$

윤서: △OAB의 넓이를 $S(a)$라 하면

$S(a)=\frac{1}{2}\times\overline{\mathrm{OA}}\times\overline{\mathrm{AB}}=\frac{1}{2}a\sqrt{a}$

이때 $\lim_{a\to\boxed{(나)}}S(a)=4$에서 (나)에 알맞은 수를 $t$라 하면

$\lim_{a\to t}S(a)=\frac{1}{2}t\sqrt{t}=4$

즉 $t\sqrt{t}=8$에서 $t^3=64$ $\quad\therefore t=4$

따라서 (가) 4, (나) 4이므로 구하는 값은

$4+4=8$

## 창의·융합·코딩 전략 ②

30~31쪽

**5** ② **6** ④ **7** ③ **8** ⑤

**5** 기본 1시간에 8000원이고, 1시간 초과 후 매 30분마다 2000원이 추가되므로 함수 $f(x)$는

$$f(x)=\begin{cases}8000 & (0\leq x\leq 1)\\ 10000 & (1<x\leq 1.5)\\ 12000 & (1.5<x\leq 2)\\ 14000 & (2<x\leq 2.5)\\ 16000 & (2.5<x\leq 3)\\ 18000 & (3<x\leq 3.5)\\ 20000 & (3.5<x\leq 10)\end{cases}$$

따라서 $0<x\leq 10$에서 함수 $f(x)$가 불연속이 되는 $x$의 값은 1, 1.5, 2, 2.5, 3, 3.5로 그 개수는 6이다.

**6** 직선 $y=mx+2$가 점 $\mathrm{A}(1, 4)$를 지날 때,

$4=m+2$ $\quad\therefore m=2$

직선 $y=mx+2$가 점 $\mathrm{B}(1, 1)$을 지날 때,

$1=m+2$ $\quad\therefore m=-1$

직선 $y=mx+2$가 점 $\mathrm{C}(4, 1)$을 지날 때,

$1=4m+2$ $\quad\therefore m=-\frac{1}{4}$

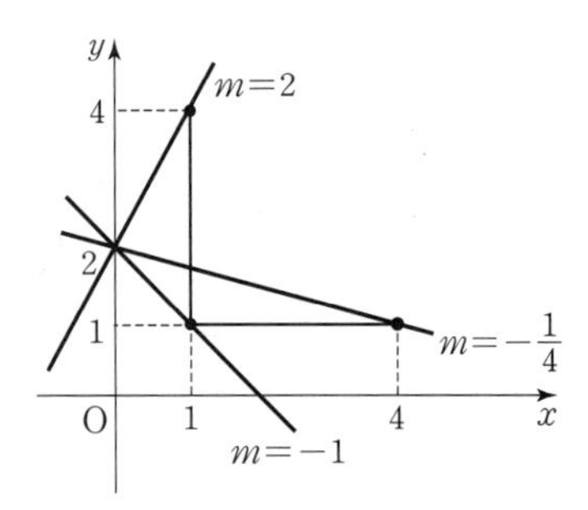


이때 직선 $y=mx+2$는 $m$의 값에 관계없이 점 $(0,\ 2)$를 지나므로 L자 모양의 도형과 직선 $y=mx+2$의 교점의 개수 $g(m)$은

$$g(m)=\begin{cases} 0 & (m<-1) \\ 1 & (m=-1) \\ 2 & \left(-1<m\le -\frac{1}{4}\right) \\ 1 & \left(-\frac{1}{4}<m\le 2\right) \\ 0 & (m>2) \end{cases}$$

이므로 함수 $g(m)$의 그래프는 다음과 같다.

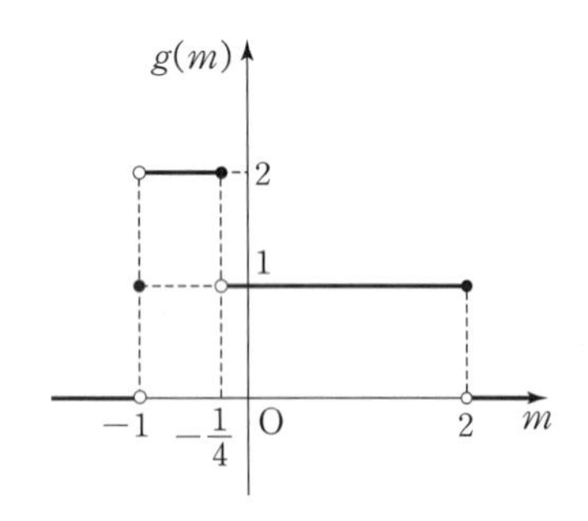


따라서 함수 $g(m)$이 불연속이 되는 $m$의 값은

$-1,\ -\frac{1}{4},\ 2$이므로 구하는 값은

$-1\times\left(-\frac{1}{4}\right)\times 2=\frac{1}{2}$

**7** 두 함수 $f(x)$, $g(x)$의 그래프는 다음과 같다.

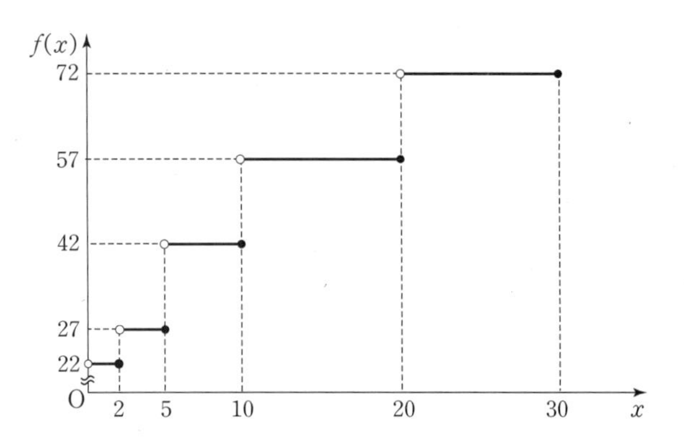


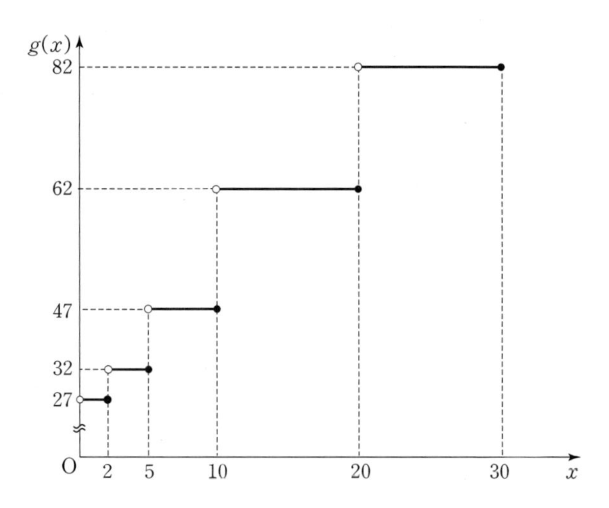


$\therefore \lim_{x\to 4}f(x)+\lim_{x\to 10+}f(x)-\lim_{x\to 10-}g(x)$

$=27+57-47=37$

**8** ㄱ. 함수 $f(x)$는 $x=5$에서 연속이므로

$\lim_{x\to 5}f(x)=f(5)=30$

ㄴ. 함수 $f(x)$에 대하여 $x=a$에서의 좌극한값이 우극한값보다 큰 경우이므로 $a=10$

ㄷ. 함수 $f(x)$의 그래프에서 $x=15$일 때, 모니터의 전력 사용량이 증가하기 시작하므로 태선이는 15분 후 컴퓨터를 다시 사용하기 시작하였다.

따라서 옳은 것은 ㄱ, ㄴ, ㄷ이다.

**오답 피하기**

(i) $0<a<10$일 때, $\lim_{x\to a-}f(x)=\lim_{x\to a+}f(x)$

(ii) $a=10$일 때, $\lim_{x\to a-}f(x)>\lim_{x\to a+}f(x)$

(iii) $10<a<15$일 때, $\lim_{x\to a-}f(x)=\lim_{x\to a+}f(x)$

(iv) $a=15$일 때, $\lim_{x\to a-}f(x)<\lim_{x\to a+}f(x)$

(v) $15<a<20$일 때, $\lim_{x\to a-}f(x)=\lim_{x\to a+}f(x)$

수학 II (전편)

WEEK 2

# 연속함수의 성질과 미분

DAY 1 개념 돌파 전략 ②

38~39쪽

1 ③ 2 ⑤ 3 ② 4 ② 5 ③ 6 ⑤

**1** $\lim_{x\to2}(x^2+x)f(x)=\lim_{x\to2}(x^2+x)\times\lim_{x\to2}f(x)$

$=(2^2+2)\times f(2)$

$=6\times3=18$

**2** 닫힌구간 $\left[-1, -\frac{1}{2}\right]$에서 함수 $f(x)$는 연속함수이므로 최대 · 최소 정리에 의하여 최댓값과 최솟값이 존재한다.

오답 피하기

(1) 닫힌구간이 아닌 구간에서 정의된 연속함수는 최댓값 또는 최솟값을 갖지 않을 수도 있다.

(2) 함수 $f(x)$가 연속이 아니면 닫힌구간에서도 최댓값 또는 최솟값을 갖지 않을 수도 있다.

**3** 연속함수 $f(x)$에 대하여 $f(0)=a+2$, $f(2)=a-1$이고, 방정식 $f(x)=0$이 열린구간 $(0, 2)$에서 오직 하나의 실근을 가지므로

$f(0)f(2)=(a+2)(a-1)<0$ $\therefore -2<a<1$

따라서 정수 $a$의 값은 $-1$, $0$이므로 그 합은

$-1+0=-1$

**4** 함수 $f(x)=x^2-ax+1$에 대하여 $x$의 값이 1에서 3까지 변할 때의 평균변화율은

$\frac{f(3)-f(1)}{3-1}=\frac{(3^2-3a+1)-(1^2-a+1)}{3-1}$

$=\frac{8-2a}{2}=4-a=1$

$\therefore a=3$

**5** 함수 $f(x)=x^2+x$에 대하여

$\lim_{h\to0}\frac{f(1+h)-f(1)}{h}$

$=\lim_{h\to0}\frac{\{(1+h)^2+(1+h)\}-(1^2+1)}{h}$

$=\lim_{h\to0}\frac{h^2+3h}{h}$

$=\lim_{h\to0}(h+3)=3$

다른 풀이

$f(x)=x^2+x$에서 $f'(x)=2x+1$

$\therefore \lim_{h\to0}\frac{f(1+h)-f(1)}{h}=f'(1)=2\times1+1=3$

**6** $f(x)=x^2+x+3$에서 $f'(x)=2x+1$

$\therefore f'(7)=2\times7+1=15$

도함수의 성질을 사용하면 미분계수를 구하는 데 편리해!

DAY 2 필수 체크 전략 ①

40~43쪽

| | | | |
|---|---|---|---|
| 1-1 ⑤ | 1-2 ④ | 2-1 ③ | |
| 3-1 ② | 3-2 ④ | 4-1 ② | 4-2 ⑤ |
| 5-1 ② | 5-2 2 | 6-1 7 | 6-2 ④ |
| 7-1 ⑤ | 7-2 ③ | 8-1 8 | 8-2 ② |

**1-1** 두 함수 $f(x)=x^2+5$, $g(x)=x+1$에 대하여

①, ② 두 함수 $f(x)$, $g(x)$는 다항함수이므로 두 함수 $f(x)+g(x)$, $f(x)g(x)$는 실수 전체의 집합에서 연속이다.

③, ④ 모든 실수 $x$에 대하여 $f(x)=x^2+5\geq5$이므로 두 함수 $\sqrt{f(x)}$, $\frac{1}{f(x)}$은 실수 전체의 집합에서 연속이다.

⑤ 함수 $\frac{f(x)}{g(x)}=\frac{x^2+5}{x+1}$는 $x=-1$에서 정의되지 않으므로 함수 $\frac{f(x)}{g(x)}$는 $x=-1$에서 불연속이다.

따라서 실수 전체의 집합에서 항상 연속인 함수가 아닌 것은 ⑤이다.

**1-2** 함수 $g(x)=\frac{3}{(x-1)^2+a}$이 실수 전체의 집합에서 연속이려면 모든 실수 $x$에 대하여 $(x-1)^2+a\neq0$이어야 한다.

즉 이차방정식 $x^2-2x+1+a=0$이 실근을 갖지 않아야 하므로 이 이차방정식의 판별식을 $D$라 하면

$\frac{D}{4}=1^2-(1+a)<0 \qquad \therefore a>0$

따라서 구하는 정수 $a$의 최솟값은 1이다.

**2-1** 닫힌구간 $[k-1, k+1]$에서 함수 $f(x)$가 항상 최댓값과 최솟값을 가지려면 함수 $f(x)$는 $x=1$에서 연속이어야 한다.

즉 $\lim_{x\to1-}f(x)=\lim_{x\to1+}f(x)=f(1)$

이때

$\lim_{x\to1-}x=1,\ \lim_{x\to1+}(a-x)=a-1,\ f(1)=a-1$

이므로 $a-1=1$

$\therefore a=2$

**3-1** $f(x)=2x^3-x^2-x+1$이라 하면 함수 $f(x)$는 모든 실수 $x$에서 연속이다.

이때

$f(-2)=-17<0,\ f(-1)=-1<0$

$f(0)=1>0,\ f(1)=1>0$

$f(2)=11>0,\ f(3)=43>0$

이므로 $f(-1)f(0)<0$

따라서 사잇값의 정리에 의하여 주어진 방정식의 실근이 존재하는 구간은 $(-1, 0)$이다.

> **LECTURE** 사잇값의 정리의 활용
>
> 함수 $f(x)$가 닫힌구간 $[a, b]$에서 연속이고 $f(a)f(b)<0$이면 방정식 $f(x)=0$은 열린구간 $(a, b)$에서 적어도 하나의 실근을 갖는다.

**3-2** $g(x)=f(x)-2x$라 하면 함수 $f(x)$가 연속함수이므로 함수 $g(x)$도 연속함수이다.

이때

$g(0)=f(0)=2>0,\ g(1)=f(1)-2=3>0$

$g(2)=f(2)-4=0,\ g(3)=f(3)-6=4>0$

$g(4)=f(4)-8=-8<0,\ g(5)=f(5)-10=-6<0$

이므로

$g(2)=0,\ g(3)g(4)<0$

따라서 사잇값의 정리에 의하여 방정식 $g(x)=0$, 즉 $f(x)=2x$는 구간 $(3, 4)$에서 $x=2$ 이외의 실근을 갖는다.

**4-1** $f(x)=x^3+2x+k-1$이라 하면 함수 $f(x)$는 모든 실수 $x$에서 연속이다.

이때 방정식 $f(x)=0$이 열린구간 $(0, 2)$에서 오직 하나의 실근을 가지려면 $f(0)f(2)<0$이어야 한다. 즉

$f(0)=k-1,\ f(2)=k+11$

이므로

$f(0)f(2)=(k-1)(k+11)<0 \qquad \therefore -11<k<1$

따라서 정수 $k$의 개수는 11이다.

**4-2** $g(x)=f(x)-1$이라 하면 함수 $f(x)$가 연속함수이므로 함수 $g(x)$도 연속함수이다.

이때 방정식 $g(x)=0$이 열린구간 $(0, 1)$에서 오직 하나의 실근을 가지려면 $g(0)g(1)<0$이어야 한다. 즉

$g(0)=f(0)-1=k+2$

$g(1)=f(1)-1=k-4$

이므로

$g(0)g(1)=(k+2)(k-4)<0 \qquad \therefore -2<k<4$

따라서 정수 $k$의 개수는 5이다.

**5-1** 함수 $f(x)=2x^2-3$에 대하여 $x$의 값이 $-2$에서 1까지 변할 때의 평균변화율은

$$\frac{f(1)-f(-2)}{1-(-2)}=\frac{(2\times1^2-3)-\{2\times(-2)^2-3\}}{1-(-2)}=\frac{-6}{3}=-2$$

**5-2** 함수 $f(x)=x^3+ax$에 대하여 $x$의 값이 $-1$에서 2까지 변할 때의 평균변화율은

$$\frac{f(2)-f(-1)}{2-(-1)}=\frac{(2^3+2a)-\{(-1)^3-a\}}{2-(-1)}$$
$$=\frac{9+3a}{3}$$
$$=a+3=5$$

$\therefore a-2$

**6-1** $\lim_{h\to0}\frac{f(3+h)-f(3)}{h}$

$$=\lim_{h\to0}\frac{\{(3+h)^2+(3+h)\}-(3^2+3)}{h}$$
$$=\lim_{h\to0}\frac{h^2+7h}{h}=\lim_{h\to0}(h+7)=7$$

**다른 풀이**

$f(x)=x^2+x$에서 $f'(x)=2x+1$

$$\therefore \lim_{h\to0}\frac{f(3+h)-f(3)}{h}=f'(3)$$
$$=2\times3+1=7$$

**6-2** $\lim_{h\to0}\frac{f(2-h)-f(2)}{h}$

$$=\lim_{h\to0}\frac{\{(2-h)^3+(2-h)^2-2(2-h)\}-(2^3+2^2-2\times2)}{h}$$
$$=\lim_{h\to0}\frac{-h^3+7h^2-14h}{h}$$
$$=\lim_{h\to0}(-h^2+7h-14)=-14$$

**7-1** 함수 $f(x)=x^2-3x$에 대하여 $x$의 값이 0에서 4까지 변할 때의 평균변화율은

$$\frac{f(4)-f(0)}{4-0}=\frac{(4^2-3\times4)-0}{4}=\frac{4}{4}=1$$

또

$$f'(c)=\lim_{x\to c}\frac{f(x)-f(c)}{x-c}$$
$$=\lim_{x\to c}\frac{(x^2-3x)-(c^2-3c)}{x-c}$$
$$=\lim_{x\to c}\frac{(x-c)(x+c-3)}{x-c}$$
$$=\lim_{x\to c}(x+c-3)=2c-3$$

따라서 $2c-3=1$이므로 $c=2$

**LECTURE** $x=a$에서의 미분계수 $f'(a)$

$$f'(a)=\lim_{x\to a}\frac{f(x)-f(a)}{x-a}$$
$$=\lim_{h\to0}\frac{f(a+h)-f(a)}{h}$$

**7-2** 함수 $f(x)=x^2+ax$에 대하여 $x$의 값이 0에서 4까지 변할 때의 평균변화율은

$$\frac{f(4)-f(0)}{4-0}=\frac{(4^2+4a)-0}{4}$$
$$=4+a=5$$

이므로 $a=1$

$$\therefore \lim_{x\to a}\frac{f(x)-f(a)}{x-a}=\lim_{x\to1}\frac{f(x)-f(1)}{x-1}$$
$$=\lim_{x\to1}\frac{(x^2+x)-(1^2+1)}{x-1}$$
$$=\lim_{x\to1}\frac{x^2+x-2}{x-1}$$
$$=\lim_{x\to1}\frac{(x+2)(x-1)}{x-1}$$
$$=\lim_{x\to1}(x+2)=3$$

**8-1** $\lim_{x\to1}\frac{\{f(x)\}^2-4}{x-1}$

$$=\lim_{x\to1}\frac{\{f(x)\}^2-\{f(1)\}^2}{x-1}\ (\because f(1)=2)$$
$$=\lim_{x\to1}\frac{\{f(x)-f(1)\}\{f(x)+f(1)\}}{x-1}$$
$$=2f(1)\times\lim_{x\to1}\frac{f(x)-f(1)}{x-1}$$
$$=4f'(1)=8\ (\because f'(1)=2)$$

인수분해를 이용하면 주어진 식을 간단히 정리할 수 있어.

**8-2** $\lim_{x\to2}\frac{f(x)}{x^2-4}=\frac{1}{2}$에서 $x\to2$일 때, (분모)$\to0$이므로 (분자)$\to0$이다.

즉 $\lim_{x\to2}f(x)=0$이므로 $f(2)=0$

주어진 식에 $f(2)=0$을 대입하면

$$\lim_{x\to2}\frac{f(x)}{x^2-4}=\lim_{x\to2}\frac{f(x)-f(2)}{x^2-4}$$
$$=\left\{\lim_{x\to2}\frac{f(x)-f(2)}{x-2}\times\frac{1}{x+2}\right\}$$
$$=\frac{1}{4}\lim_{x\to2}\frac{f(x)-f(2)}{x-2}$$
$$=\frac{1}{4}f'(2)=\frac{1}{2}$$

이므로 $f'(2)=2$

$$\therefore \lim_{h\to0}\frac{f(2+2h)}{h}=\lim_{h\to0}\frac{f(2+2h)-f(2)}{2h}\times2$$
$$=2f'(2)=4$$

DAY

## 2 필수 체크 전략 ②

44~45쪽

| | | | | |
|---|---|---|---|---|
| **01** 1 | **02** ① | **03** ④ | **04** ② | **05** ③ |
| **06** ② | **07** 12 | **08** ⑤ | **09** ③ | **10** 6 |

**01** 주어진 조건에서 $k>0$이므로 함수 $g(x)=|f(x)|$의 그래프는 다음과 같다.

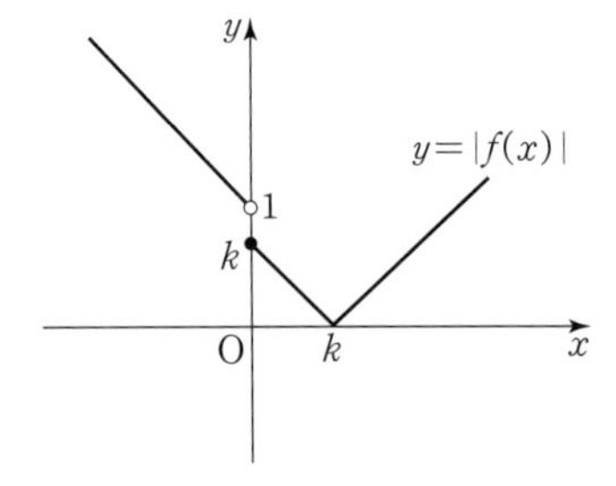


따라서 함수 $g(x)=|f(x)|$가 연속함수가 되도록 하는 양수 $k$의 값은 1이다.

**다른 풀이**

함수 $g(x)=|f(x)|$는 $x=0$에서 연속이므로

$\lim_{x\to0-}g(x)=\lim_{x\to0-}|f(x)|=\lim_{x\to0-}|-x+1|=1$

$\lim_{x\to0+}g(x)=\lim_{x\to0+}|f(x)|=\lim_{x\to0+}|x-k|=k$

$g(0)=|f(0)|=k$

$\therefore k=1$

**02** 함수 $g(x)$는 $x=2$에서 불연속이므로

함수 $f(x)g(x)$가 모든 실수 $x$에서 연속이려면 $x=2$에서 연속이어야 한다. 즉

$\lim_{x\to2-}f(x)g(x)=\lim_{x\to2+}f(x)g(x)=f(2)g(2)$

이때

$\lim_{x\to2-}f(x)g(x)=\lim_{x\to2-}3(x+k)=3(2+k)$

$\lim_{x\to2+}f(x)g(x)=\lim_{x\to2+}(x+k)(x-2)=0$

$f(2)g(2)=0$

이므로 $3(2+k)=0$

$\therefore k=-2$

**03** 실수 전체의 집합에서 연속인 두 함수 $f(x)$, $g(x)$에 대하여

①, ②, ③ 연속함수의 성질에 따라 실수 전체의 집합에서 연속이다.

⑤ 모든 실수 $x$에 대하여 $\{g(x)\}^2+1\neq0$이므로 함수 $\frac{f(x)}{\{g(x)\}^2+1}$는 실수 전체의 집합에서 연속이다.

④ $g(a)=-1$을 만족시키는 실수 $a$가 존재할 수 있으므로 함수 $\frac{f(x)-3}{g(x)+1}$은 실수 전체의 집합에서 연속이 아니다.

따라서 실수 전체의 집합에서 항상 연속인 함수가 아닌 것은 ④이다.

**04** 조건 (가)에서 이차방정식의 근과 계수의 관계에 의하여

$f(1)+g(2)=2$

$6+g(2)=2$　　$\therefore g(2)=-4$

$g(2)=2a+b=-4$　　$\cdots\cdots$㉠

또 조건 (나)에서 $g(1)=0$이므로

$a+b=0$　　$\cdots\cdots$㉡

㉠, ㉡을 연립하여 풀면

$a=-4$, $b=4$

따라서 $g(x)=-4x+4$이므로

$g\left(\frac{1}{2}\right)=-4\times\frac{1}{2}+4=2$

**05** $f(x)=x^3-2x+k-1$이라 하면 함수 $f(x)$는 모든 실수 $x$에서 연속이다.

이때 방정식 $f(x)=0$이 열린구간 $(0, 2)$에서 오직 하나의 실근을 가지려면 $f(0)f(2)<0$이어야 한다. 즉

$f(0)=k-1$, $f(2)=k+3$

이므로

$(k-1)(k+3)<0 \qquad \therefore -3<k<1$

따라서 정수 $k$의 개수는 3이다.

**06** 함수 $f(x)=2x^2-x$에 대하여 $x$의 값이 $a$에서 $a+1$까지 변할 때의 평균변화율은

$$\frac{f(a+1)-f(a)}{(a+1)-a}$$
$$=\frac{2(a+1)^2-(a+1)-(2a^2-a)}{a+1-a}$$
$$=4a+1=-3$$
$$\therefore a=-1$$

**07** $$\lim_{x\to1}\frac{f(x^2)-3}{x-1}$$
$$=\lim_{x\to1}\frac{f(x^2)-f(1)}{x^2-1}\times(x+1)\ (\because f(1)=3)$$
$$=2\lim_{x\to1}\frac{f(x^2)-f(1)}{x^2-1}$$
$$=2f'(1)$$
$$=2\times6=12\ (\because f'(1)=6)$$

오답 피하기

$x^2=t$라 하면 $x\to1$일 때 $t\to1$이므로

$$\lim_{x\to1}\frac{f(x^2)-f(1)}{x^2-1}=\lim_{t\to1}\frac{f(t)-f(1)}{t-1}=f'(1)$$

**08** 조건 (가)에서

$f(-1-2h)=f(1+2h)$, $f(-1)=f(1)$이므로

$$\lim_{h\to0}\frac{f(-1-2h)-f(-1)}{h}$$
$$=\lim_{h\to0}\frac{f(1+2h)-f(1)}{h}$$
$$=\lim_{h\to0}\frac{f(1+2h)-f(1)}{2h}\times2$$
$$=2f'(1)$$
$$=2\times4=8$$

**09** ㄱ. $\frac{f(a)}{a}$는 두 점 $(0, 0)$, $(a, f(a))$를 지나는 직선의 기울기이고, $\frac{f(b)}{b}$는 두 점 $(0, 0)$, $(b, f(b))$를 지나는 직선의 기울기이므로

$$\frac{f(a)}{a}>\frac{f(b)}{b}$$

ㄴ. 점 $(b, f(b))$에서의 접선의 기울기인 $f'(b)$는 직선 $y=x$의 기울기인 1보다 작으므로

$f'(b)<1$

ㄷ. 두 점 $(a, f(a))$와 $(b, f(b))$를 지나는 직선의 기울기는 1보다 작으므로

$$\frac{f(b)-f(a)}{b-a}<1$$

$\therefore f(b)-f(a)<b-a\ (\because a<b)$

따라서 옳은 것은 ㄱ, ㄴ이다.

**10** $\frac{1}{n}=h$라 하면 $n\to\infty$일 때, $h\to0$이므로

$$\lim_{n\to\infty}n\left\{f\left(3+\frac{1}{n}\right)-f(3)\right\}$$
$$=\lim_{n\to\infty}\frac{f\left(3+\frac{1}{n}\right)-f(3)}{\frac{1}{n}}$$
$$=\lim_{h\to0}\frac{f(3+h)-f(3)}{h}$$
$$=f'(3)=6$$

DAY **3** 필수 체크 전략 ①

46~49쪽

| | | | |
|---|---|---|---|
| 1-1 ① | 1-2 50 | 2-1 ③ | 2-2 34 |
| 3-1 ④ | 3-2 2 | 4-1 ③ | 4-2 ④ |
| 5-1 35 | 6-1 ② | 6-2 ⑤ | |
| 7-1 ⑤ | 7-2 13 | 8-1 ⑤ | 8-2 ⑤ |

**1-1** $f(x)=x^3-3x^2+4x+10$에서

$f'(x)=3x^2-6x+4$

$\therefore f'(1)=3-6+4=1$

**1-2** $f(x)=1+\frac{1}{2}x^2+\frac{1}{4}x^4+\cdots+\frac{1}{100}x^{100}$에서

$f'(x)=0+x+x^3+x^5+\cdots+x^{99}$

따라서 $x=1$에서의 미분계수는

$f'(1)=1\times 50=50$

**2-1** $\lim_{x\to 0}\frac{f(x)}{x}=3$에서 $x\to 0$일 때, (분모)$\to 0$이므로

(분자)$\to 0$이다.

즉 $\lim_{x\to 0}f(x)=0$이므로 $f(0)=0$

주어진 식에 $f(0)=0$을 대입하면

$\lim_{x\to 0}\frac{f(x)}{x}=\lim_{x\to 0}\frac{f(x)-f(0)}{x-0}=f'(0)=3$

이때 $f(x)=x^3+ax$에서 $f'(x)=3x^2+a$

$\therefore f'(0)=a=3$

**다른 풀이**

$\lim_{x\to 0}\frac{f(x)}{x}=\lim_{x\to 0}\frac{x^3+ax}{x}=\lim_{x\to 0}(x^2+a)=a$

이므로 $a=3$

**2-2** $\lim_{h\to 0}\frac{f(2+h)-f(2)}{5h}=\frac{1}{5}\lim_{h\to 0}\frac{f(2+h)-f(2)}{h}$

$=\frac{1}{5}f'(2)=8$

이므로 $f'(2)=40$

이때 $f(x)=3x^3+ax+2$에서 $f'(x)=9x^2+a$이므로

$f'(2)=9\times 2^2+a=40 \qquad \therefore a=4$

따라서 $f(x)=3x^3+4x+2$이므로

$f(2)=3\times 2^3+4\times 2+2=34$

**3-1** $f(x)=(x+1)(x^2+2)$에서

$f'(x)=(x^2+2)+(x+1)\times 2x$

$\therefore f'(-2)=(4+2)+(-2+1)\times(-4)$

$=6+4=10$

**3-2** $f(x)=(x^3+2)(ax^2-3x)$에서

$f'(x)=3x^2(ax^2-3x)+(x^3+2)(2ax-3)$

이때 $f'(1)=3(a-3)+3(2a-3)=9a-18$

이므로 $9a-18=0$

$\therefore a=2$

**4-1** $g(x)=(x^2+x+1)f(x)$에서

$g'(x)=(2x+1)f(x)+(x^2+x+1)f'(x)$

이때 $x=1$을 대입하면

$g'(1)=3f(1)+3f'(1)=3$

$\therefore f(1)+f'(1)=1 \qquad \cdots\cdots ㉠$

또 $g(1)=3f(1)=6$이므로 $f(1)=2$

㉠에 $f(1)=2$를 대입하면

$2+f'(1)=1 \qquad \therefore f'(1)=-1$

**4-2** $(x^2-4)f(x)=g(x)-8$에서

$$f(x)=\begin{cases}\frac{g(x)-8}{x^2-4} & (x\neq 2)\\ f(2) & (x=2)\end{cases}$$

이고 함수 $f(x)$는 $x=2$에서 미분가능하므로 $x=2$에서 연속이다.

즉 $\lim_{x\to 2}f(x)=f(2)$이므로 $\lim_{x\to 2}\frac{g(x)-8}{x^2-4}=f(2)$

$\therefore f(2)=\lim_{x\to 2}\frac{g(x)-8}{x^2-4}=\lim_{x\to 2}\frac{g(x)-8}{(x-2)(x+2)}$

$=\lim_{x\to 2}\frac{1}{x+2}\times\lim_{x\to 2}\frac{g(x)-8}{x-2}$

$=\frac{1}{4}\lim_{x\to 2}\frac{g(x)-g(2)}{x-2}$ $(\because g(2)=8)$

$=\frac{1}{4}g'(2)=\frac{3}{4}$ $(\because g'(2)=3)$

**5-1** 조건 (가)의 $\lim_{x\to 2}\frac{f(x)-2}{x-2}=1$에서 $x\to 2$일 때,

(분모)$\to 0$이므로 (분자)$\to 0$이다.

즉 $\lim_{x\to 2}\{f(x)-2\}=0$이므로 $f(2)=2$

$\therefore \lim_{x\to 2}\frac{f(x)-2}{x-2}=\lim_{x\to 2}\frac{f(x)-f(2)}{x-2}$

$=f'(2)=1$

조건 (나)의 $\lim_{x\to 2}\frac{g(x)-3}{x^2-4}=4$에서 $x\to 2$일 때,

(분모)$\to 0$이므로 (분자)$\to 0$이다.

즉 $\lim_{x\to 2}\{g(x)-3\}=0$이므로 $g(2)=3$

주어진 식에 $g(2)=3$을 대입하면

$\lim_{x\to 2}\frac{g(x)-3}{x^2-4}=\lim_{x\to 2}\frac{g(x)-g(2)}{(x+2)(x-2)}$

$=\frac{1}{4}\lim_{x\to 2}\frac{g(x)-g(2)}{x-2}$

$=\frac{1}{4}g'(2)=4$

이므로 $g'(2)=16$

이때 $h(x)=f(x)g(x)$에서

$h'(x)=f'(x)g(x)+f(x)g'(x)$

$\therefore h'(2)=f'(2)g(2)+f(2)g'(2)$

$=1\times3+2\times16$

$=35$

**6-1** 함수 $f(x)$가 $x=1$에서 미분가능하므로 $x=1$에서 연속이다. 즉 $\lim_{x\to1}f(x)=f(1)$

이때

$\lim_{x\to1-}f(x)=\lim_{x\to1-}(ax^2+2)=a+2$

$\lim_{x\to1+}f(x)=\lim_{x\to1+}(2x+b)=2+b$

$f(1)=a+2$

이므로 $a+2=b+2$, $a=b$ ······㉠

한편, $f(x)=\begin{cases}ax^2+2 & (x\le1)\\ 2x+b & (x>1)\end{cases}$에서

$f'(x)=\begin{cases}2ax & (x<1)\\ 2 & (x>1)\end{cases}$이고, $f'(1)$이 존재하므로

$\lim_{x\to1-}f'(x)=\lim_{x\to1+}f'(x)$

$\lim_{x\to1-}2ax=\lim_{x\to1+}2$

$2a=2$, $a=1$

이때 ㉠에서 $b=1$

$\therefore a+b=1+1=2$

**다른 풀이**

연속인 조건에서 $a=b$이고 $f'(1)$이 존재하므로

$$\lim_{x\to1-}\frac{f(x)-f(1)}{x-1}=\lim_{x\to1-}\frac{(ax^2+2)-(a+2)}{x-1}=\lim_{x\to1-}\frac{a(x^2-1)}{x-1}=\lim_{x\to1-}a(x+1)=2a$$

$$\lim_{x\to1+}\frac{f(x)-f(1)}{x-1}=\lim_{x\to1+}\frac{(2x+b)-(a+2)}{x-1}=\lim_{x\to1+}\frac{2(x-1)}{x-1}=\lim_{x\to1+}2=2$$

즉 $2a=2$

$\therefore a=b=1$

**6-2** 함수 $f(x)$가 $x=-1$에서 미분가능하므로 $x=-1$에서 연속이다. 즉 $\lim_{x\to-1}f(x)=f(-1)$

이때

$\lim_{x\to-1-}f(x)=\lim_{x\to-1-}2=2$

$\lim_{x\to-1+}f(x)=\lim_{x\to-1+}(x^2+ax+b)=1-a+b$

$f(-1)=1-a+b$

이므로 $2=1-a+b$, $b=a+1$ ······㉠

한편, $f(x)=\begin{cases}2 & (x<-1)\\ x^2+ax+b & (x\ge-1)\end{cases}$에서

$f'(x)=\begin{cases}0 & (x<-1)\\ 2x+a & (x>-1)\end{cases}$이고, $f'(-1)$이 존재하므로

$\lim_{x\to-1-}f'(x)=\lim_{x\to-1+}f'(x)$

$\lim_{x\to-1-}0=\lim_{x\to-1+}(2x+a)$

$0=-2+a$, $a=2$

㉠에 $a=2$를 대입하면 $b=2+1=3$

$\therefore a+b=2+3=5$

**7-1** $\lim_{x\to1}\frac{f(x)-2}{x-1}=5$에서 $x\to1$일 때, (분모)$\to0$이므로 (분자)$\to0$이다.

즉 $\lim_{x\to1}\{f(x)-2\}=0$이므로 $f(1)=2$

주어진 식에 $f(1)=2$를 대입하면

$\lim_{x\to1}\frac{f(x)-2}{x-1}=\lim_{x\to1}\frac{f(x)-f(1)}{x-1}=f'(1)=5$

이때 함수 $f(x)$가 모든 실수 $x$에서 미분가능하므로 모든 실수 $x$에서 연속이다.

즉 $f(x)=f(x+3)$이므로

$f(1)=f(4)$, $f'(1)=f'(4)$

$\therefore f(4)+f'(4)=f(1)+f'(1)=2+5=7$

**7-2** 닫힌구간 $[0, 2]$에서 $f(x)=x^3+ax^2+bx$는 다항함수이므로

$f'(x)=3x^2+2ax+b$

즉 $f(x)=f(x+2)$이므로

$f(0)=f(2)$에서 $0=4a+2b+8$

$2a+b=-4$ ......㉠

$f'(0)=f'(2)$에서 $b=12+4a+b$, $a=-3$

㉠에 $a=-3$을 대입하면 $b=2$

$\therefore a^2+b^2=(-3)^2+2^2=13$

**8-1** 함수 $f(x)f'(x)$가 삼차함수이므로 함수 $f(x)$는 최고차항의 계수가 1인 이차함수이다.

즉 $f(x)=x^2+ax+b$ ($a$, $b$는 상수)로 놓으면

$f'(x)=2x+a$

주어진 식에 $f'(x)=2x+a$를 대입하면

$(x^2+ax+b)(2x+a)=2x^3-9x^2+13x-6$

$2x^3+3ax^2+(a^2+2b)x+ab=2x^3-9x^2+13x-6$

양변의 계수를 비교하면

$3a=-9$, $a^2+2b=13$, $ab=-6$이므로

$a=-3$, $b=2$

따라서 $f(x)=x^2-3x+2$이므로

$f(-2)=(-2)^2-3\times(-2)+2=12$

**오답 피하기**

$f(x)=x^n+ax^{n-1}+bx^{n-2}+\cdots$ $(n\geq1)$으로 놓고 주어진 식에 대입한 후, 최고차항의 계수, 차수를 비교하여 다항함수 $f(x)$를 구한다.

**8-2** 함수 $f(x)$는 최고차항의 계수가 $a$인 삼차함수이므로

$f(x)=ax^3+bx^2+cx+d$ ($a$, $b$, $c$, $d$는 상수, $a\neq0$)

이때 $f'(x)=3ax^2+2bx+c$이고, 주어진 식에 이를 대입하면

$xf'(x)+af(x)-4x$

$=x(3ax^2+2bx+c)+a(ax^3+bx^2+cx+d)-4x$

$=(a^2+3a)x^3+(2b+ab)x^2$

$\quad+(c+ac-4)x+ad=0$ ......㉠

모든 실수 $x$에 대하여 ㉠이 항상 성립하므로

$a^2+3a=0$, $2b+ab=0$, $c+ac-4=0$, $ad=0$

이때 $a\neq0$이므로 $a=-3$, $b=0$, $c=-2$, $d=0$

따라서 $f(x)=-3x^3-2x$이므로

$f(-1)=-3\times(-1)^3-2\times(-1)=5$

DAY **3** 필수 체크 전략 ②　　　50~51쪽

| | | | | |
|---|---|---|---|---|
| 01 ① | 02 ③ | 03 6 | 04 ⑤ | 05 ④ |
| 06 ④ | 07 6 | 08 3 | 09 ① | 10 ② |

**01** $f(x)=x^3-5x^2+3x-2$에서

$f'(x)=3x^2-10x+3$

$\therefore f'(2)=3\times2^2-10\times2+3=-5$

**02** $\lim_{h\to0}\frac{f(1+2h)-f(1-2h)}{h}$

$=\lim_{h\to0}\frac{f(1+2h)-f(1)+f(1)-f(1-2h)}{h}$

$=\lim_{h\to0}\frac{\{f(1+2h)-f(1)\}-\{f(1-2h)-f(1)\}}{h}$

$=\lim_{h\to0}\frac{f(1+2h)-f(1)}{2h}\times2$

$\quad+\lim_{h\to0}\frac{f(1-2h)-f(1)}{-2h}\times2$

$=2f'(1)+2f'(1)$

$=4f'(1)=4\times3=12$

$\lim_{■\to0}\frac{f(a+■)-f(a)}{■}$에서 ■부분이 같아지도록 변형해 볼까?

**03** $\lim_{x\to\infty}\frac{f(x)-x^2}{x-2}=2$에서 $f(x)-x^2=2x+b$이므로

$f(x)=x^2+2x+b$ ($b$는 상수)

$\lim_{x\to2}\frac{f(x)}{x-2}=a$에서 $x\to2$일 때, (분모)$\to0$이므로

(분자)$\to0$이다. 즉 $\lim_{x\to2}f(x)=0$이므로 $f(2)=0$

주어진 식에 $f(2)=0$을 대입하면

$\lim_{x\to2}\frac{f(x)}{x-2}=\lim_{x\to2}\frac{f(x)-f(2)}{x-2}$

$=\lim_{x\to2}\frac{(x^2+2x+b)-(2^2+2\times2+b)}{x-2}$

$=\lim_{x\to2}\frac{(x^2-4)+2(x-2)}{x-2}$

$=\lim_{x\to2}\frac{(x-2)(x+4)}{x-2}$

$=\lim_{x\to2}(x+4)=6$

$\therefore a=6$

**다른 풀이**

$f(2)=0$이므로 $a=\lim_{x\to2}\frac{f(x)-f(2)}{x-2}=f'(2)$

이때 $f(x)=x^2+2x+b$이므로 $f'(x)=2x+2$

$\therefore a=2\times2+2=6$

**04** $\lim_{x\to0}\frac{f(x)+2}{x}=5$에서 $x\to0$일 때, (분모)$\to0$이므로 (분자)$\to0$이다.

즉 $\lim_{x\to0}\{f(x)+2\}=0$이므로 $f(0)=-2$

$\therefore b=-2$

주어진 식에 $f(0)=-2$를 대입하면

$\lim_{x\to0}\frac{f(x)+2}{x}=\lim_{x\to0}\frac{f(x)-f(0)}{x}=f'(0)=5$

이때 $f(x)=x^3+ax-2$에서 $f'(x)=3x^2+a$이므로

$a=5$

$\therefore a+b=5+(-2)=3$

**05** 함수 $f(x)=(x-1)(x^2+2x+3)$의 그래프와 $x$축의 교점이 $\mathrm{A}(a, f(a))$이므로 $f(a)=0$

$f(a)=(a-1)(a^2+2a+3)=0$에서 이차방정식

$a^2+2a+3=0$은 실근을 갖지 않으므로

$a=1$

따라서 $f'(x)=(x^2+2x+3)+(x-1)(2x+2)$이므로

$f'(a)=f'(1)=1^2+2\times1+3=6$

**06** $\lim_{x\to1}\frac{f(x)-5}{x-1}=9$에서 $x\to1$일 때, (분모)$\to0$이므로 (분자)$\to0$이다.

즉 $\lim_{x\to1}\{f(x)-5\}=0$이므로 $f(1)=5$

주어진 식에 $f(1)=5$를 대입하면

$\lim_{x\to1}\frac{f(x)-5}{x-1}=\lim_{x\to1}\frac{f(x)-f(1)}{x-1}=f'(1)=9$

이때 $g(x)=xf(x)$에서 $g'(x)=f(x)+xf'(x)$

$\therefore g'(1)=f(1)+f'(1)=5+9=14$

**07** $\lim_{x\to0}\frac{x}{f(x)-1}=2$에서 극한값이 0이 아니므로 $x\to0$일 때, (분자)$\to0$이면 (분모)$\to0$이다.

즉 $\lim_{x\to0}\{f(x)-1\}=0$이므로 $f(0)=1$

주어진 식에 $f(0)=1$을 대입하면

$$\lim_{x\to0}\frac{x}{f(x)-1}=\lim_{x\to0}\frac{x}{f(x)-f(0)}=\lim_{x\to0}\frac{1}{\frac{f(x)-f(0)}{x}}=\frac{1}{f'(0)}=2$$

이므로 $f'(0)=\frac{1}{2}$

한편, $\lim_{x\to1}\frac{g(x-1)-2}{x-1}=5$에서 $x\to1$일 때, (분모)$\to0$이므로 (분자)$\to0$이다.

즉 $\lim_{x\to1}\{g(x-1)-2\}=0$이므로 $g(0)=2$

이때 $h=x-1$로 놓으면 $x\to1$일 때 $h\to0$이므로

$$\lim_{x\to1}\frac{g(x-1)-2}{x-1}=\lim_{x\to1}\frac{g(x-1)-g(0)}{x-1}=\lim_{h\to0}\frac{g(h)-g(0)}{h}=g'(0)=5$$

$$\therefore \lim_{x\to0}\frac{f(x)g(x)-2}{x}=\lim_{x\to0}\frac{f(x)g(x)-f(0)g(0)}{x}=f'(0)g(0)+f(0)g'(0)=\frac{1}{2}\times2+1\times5=6$$

**오답 피하기**

$p(x)=f(x)g(x)$로 놓으면 $p(0)=f(0)g(0)$이므로

$$\lim_{x\to0}\frac{f(x)g(x)-2}{x}=\lim_{x\to0}\frac{p(x)-p(0)}{x}=p'(0)=f'(0)g(0)+f(0)g'(0)$$

**08** 함수 $f(x)$가 $x=1$에서 미분가능하므로 $x=1$에서 연속이다.

즉 $\lim_{x\to1}f(x)=f(1)$

이때

$\lim_{x\to1-}f(x)=\lim_{x\to1-}(x^3+1)=2$

$\lim_{x\to1+}f(x)=\lim_{x\to1+}(ax^2-bx+1)=a-b+1$

$f(1)=a-b+1$

이므로 $a-b+1=2$, $a-b=1$ ……㉠

한편, $f(x)=\begin{cases} x^3+1 & (x<1) \\ ax^2-bx+1 & (x\ge1) \end{cases}$에서

$f'(x)=\begin{cases} 3x^2 & (x<1) \\ 2ax-b & (x>1) \end{cases}$이고, $f'(1)$이 존재하므로

$\lim_{x\to1-}f'(x)=\lim_{x\to1+}f'(x)$

$\lim_{x\to1-}3x^2=\lim_{x\to1+}(2ax-b)$

$2a-b=3$ ……㉡

㉠, ㉡을 연립하여 풀면

$a=2$, $b=1$

$\therefore a+b=2+1=3$

**오답 피하기**

$f(x)=\begin{cases} x^3+1 & (x<1) \\ ax^2-bx+1 & (x\ge1) \end{cases}$에서 함수 $f(x)$가 $x=1$에서 미분가능하려면 $x=1$에서의 좌미분계수와 우미분계수가 같아야 한다.

**09** 함수 $g(x)$가 모든 실수 $x$에서 미분가능하므로 $x=0$에서 미분가능하다.

이때 $g(x)=\begin{cases} x^2-3x & (x<0) \\ xf(x) & (x\ge0) \end{cases}$에서

$g'(x)=\begin{cases} 2x-3 & (x<0) \\ f(x)+xf'(x) & (x>0) \end{cases}$이고, $g'(0)$이 존재하므로

$\lim_{x\to0-}g'(x)=\lim_{x\to0+}g'(x)$

$\lim_{x\to0-}(2x-3)=\lim_{x\to0+}\{f(x)+xf'(x)\}$

$\therefore f(0)=-3$

**10** 함수 $f(x)$는 최고차항의 계수가 1인 삼차함수이므로

$f(x)=x^3+ax^2+bx+c$ ($a$, $b$, $c$는 상수)로 놓으면

$f'(x)=3x^2+2ax+b$

$f(1)=0$에서 $1+a+b+c=0$

$a+b+c=-1$ ……㉠

$f'(1)=0$에서 $3+2a+b=0$

$2a+b=-3$ ……㉡

한편, 조건 ㈏에서

$$\lim_{x\to2}\frac{f(x)-f(2)}{x^2-4}=\lim_{x\to2}\frac{f(x)-f(2)}{x-2}\times\frac{1}{x+2}=\frac{f'(2)}{4}=\frac{3}{4}$$

이므로 $f'(2)=3$

이때 $f'(2)=12+4a+b$이므로

$4a+b=-9$ ……㉢

㉠, ㉡, ㉢을 연립하여 풀면

$a=-3$, $b=3$, $c=-1$

따라서

$f(x)=x^3-3x^2+3x-1$, $f'(x)=3x^2-6x+3$

이므로

$f'(0)+f(0)=3+(-1)=2$

## 누구나 합격 전략

52~53쪽

| | | | | |
|---|---|---|---|---|
| 01 ⑤ | 02 ③ | 03 ④ | 04 ① | 05 ① |
| 06 ⑤ | 07 ② | 08 ④ | 09 ⑤ | 10 ③ |

**01** 두 함수 $f(x)=x^2+1$, $g(x)=x+2$에 대하여

①, ②, ③, ④ 함수 $f(x)$, $g(x)$는 실수 전체의 집합에서 연속이므로 네 함수 $f(x)$, $g(x)$, $f(x)+g(x)$, $f(x)g(x)$는 실수 전체의 집합에서 연속이다.

⑤ 함수 $\frac{1}{g(x)}=\frac{1}{x+2}$은 $x=-2$에서 정의되지 않으므로 함수 $\frac{1}{g(x)}$은 $x=-2$에서 불연속이다.

따라서 실수 전체의 집합에서 항상 연속인 함수가 아닌 것은 ⑤이다.

**02** $x^2-3x-10=0$에서 $(x-5)(x+2)=0$이므로

$x=-2$ 또는 $x=5$

함수 $\frac{1}{f(x)}$은 $x=-2$, $x=5$에서 정의되지 않으므로

$x=-2$, $x=5$에서 불연속이다.

$\therefore a+b=3$

**03** 닫힌구간 $\left[-\frac{1}{2}, \frac{1}{2}\right]$에서 함수 $y=f(x)$는 연속이므로 최대·최소 정리에 의하여 최댓값과 최솟값이 존재한다.

**오답 피하기**

함수 $y=f(x)$의 그래프에서

불연속인 점 ⇨ 연결되어 있지 않고 끊어져 있는 점

**04** $f(x)=x^3-3x+4$라 하면 함수 $f(x)$는 모든 실수 $x$에서 연속이다.

이때

$f(-3)=-14<0$, $f(-2)=2>0$

$f(-1)=6>0$, $f(0)=4>0$

$f(1)=2>0$, $f(2)=6>0$

이므로 $f(-3)f(-2)<0$

따라서 사잇값의 정리에 의하여 방정식 $f(x)=0$은 열린구간 $(-3, -2)$에서 적어도 하나의 실근을 갖는다.

**05** 함수 $f(x)=-x^2+1$에 대하여 $x$의 값이 0에서 2까지 변할 때의 평균변화율은

$$\frac{f(2)-f(0)}{2-0}=\frac{(-2^2+1)-(-0^2+1)}{2-0}=\frac{-4}{2}=-2$$

**06** $f(x)=3x^2+1$에서 $f'(x)=6x$

$$\therefore \lim_{h\to0}\frac{f(1+h)-f(1)}{h}=f'(1)=6\times1=6$$

**07** $f(x)=3x^2-x+1$에서 $f'(x)=6x-1$

**08** $f(x)=(x^2+6x)(2x-3)$에서

$f'(x)=(2x+6)(2x-3)+(x^2+6x)\times2$

$\therefore f'(3)=(2\times3+6)\times(2\times3-3)+(3^2+6\times3)\times2$

$=36+54=90$

**09** $f(x)=x^2+ax+b$에서 $f'(x)=2x+a$

이때 $f(2)=3$에서

$4+2a+b=3$, $b=-2a-1$ ……㉠

또 $f'(0)=2$에서 $a=2$

㉠에 $a=2$를 대입하면 $b=-2\times2-1=-5$

$\therefore a-b=2-(-5)=7$

**10** 함수 $f(x)$가 $x=2$에서 미분가능하므로 $x=2$에서 연속이다. 즉 $\lim_{x\to2}f(x)=f(2)$

이때

$\lim_{x\to2-}f(x)=\lim_{x\to2-}(ax+b)=2a+b$

$\lim_{x\to2+}f(x)=\lim_{x\to2+}2x^2=8$

$f(2)=8$

이므로 $2a+b=8$, $b=-2a+8$ ……㉠

한편, $f(x)=\begin{cases}ax+b & (x<2)\\ 2x^2 & (x\ge2)\end{cases}$에서

$f'(x)=\begin{cases}a & (x<2)\\ 4x & (x>2)\end{cases}$이고, $f'(2)$가 존재하므로

$\lim_{x\to2-}f'(x)=\lim_{x\to2+}f'(x)$, $\lim_{x\to2-}a=\lim_{x\to2+}4x$

$a=8$

㉠에 $a=8$을 대입하면 $b=-8$

$\therefore a+b=8+(-8)=0$

**다른 풀이**

함수 $f(x)$가 $x=2$에서 미분가능하므로 $x=2$에서 좌미분계수와 우미분계수가 같아야 한다.

$\lim_{x\to2-}\frac{f(x)-f(2)}{x-2}=\lim_{x\to2-}\frac{(ax+b)-8}{x-2}$이고,

$$\lim_{x\to2+}\frac{f(x)-f(2)}{x-2}=\lim_{x\to2+}\frac{2x^2-8}{x-2}=\lim_{x\to2+}\frac{2(x-2)(x+2)}{x-2}=\lim_{x\to2+}2(x+2)=8$$

이므로 $\lim_{x\to2-}\frac{(ax+b)-8}{x-2}=8$ ……㉠

㉠에서 $x\to2-$일 때, (분모)$\to0$이므로 (분자)$\to0$이다.

즉 $\lim_{x\to2-}(ax+b-8)=0$이므로

$2a+b-8=0$, $b=8-2a$

㉠에 $b=8-2a$를 대입하면

$$\lim_{x\to2-}\frac{ax+(8-2a)-8}{x-2}=\lim_{x\to2-}\frac{a(x-2)}{x-2}=a=8$$

$b=8-2a$에서 $a+b=8-a$

$\therefore a+b=8-8=0$

## 창의·융합·코딩 전략 ①

54~55쪽

1 ① 2 ⑤ 3 ④ 4 3

**1** 오전 8시부터 오후 9시까지의 지안이가 기록한 체온에 대응하는 함수의 그래프는 연속이다.

A: 오후 3시에서 오후 6시 사이와 오후 6시에서 오후 9시 사이에서 지안이의 체온이 36 ℃인 순간이 적어도 한 번씩 존재한다.

B: 지안이가 기록한 체온의 최댓값은 36.5 ℃이므로 지안이의 체온이 36.5 ℃를 초과했다고 할 수 없다.

C: 지안이의 체온이 가장 낮을 때는 오후 3시와 오후 9시 사이에 있다.

따라서 옳은 설명을 한 학생은 A이다.

**오답 피하기**

지안이의 체온의 최댓값을 36.5 ℃라 하면 지안이가 기록한 체온에 대응하는 한 함수의 그래프의 예는 다음과 같다.

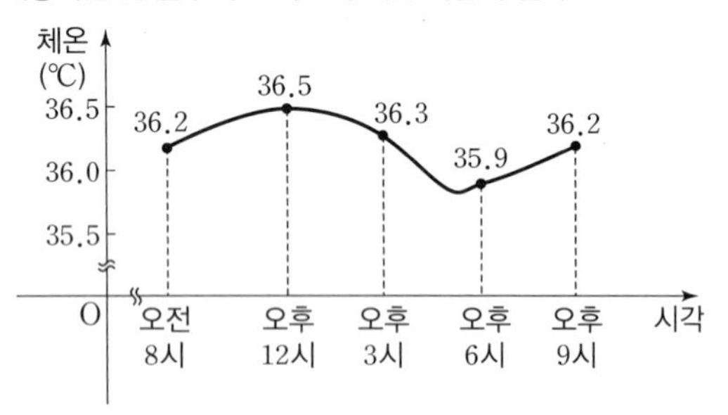


이때 지안이가 기록한 체온에 대응하는 함수의 그래프는 모두 연속이므로 사잇값의 정리를 이용할 수 있다.

**2** 섭씨온도와 화씨온도는 일대일대응이고 섭씨온도를 $x$ ℃, 화씨온도를 $y$ °F라 하면 구하는 관계식은

$$y=32+\frac{212-32}{100-0}x$$

$$\therefore y=\frac{9}{5}x+32$$

따라서 섭씨온도에 대한 화씨온도의 평균변화율은 직선 $y=\frac{9}{5}x+32$의 기울기와 같으므로 $\frac{9}{5}$이다.

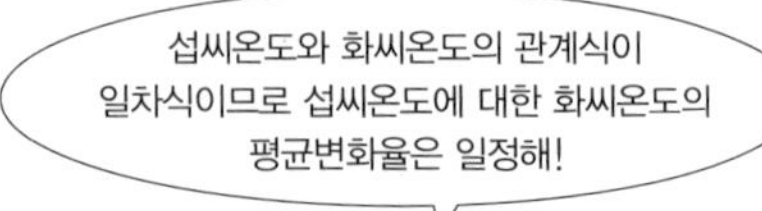

**3** 닫힌구간 $[0, t]$에서 이 도형이 나타내는 영역의 넓이가 $f(t)$이므로

$$f(1)=1\times1=1$$

$$f(3)=1\times1+\frac{1}{2}\times(1+2)\times1+1\times2=\frac{9}{2}$$

$$\therefore \frac{f(3)-f(1)}{3-1}=\frac{\frac{9}{2}-1}{3-1}=\frac{7}{4}$$

**4** 스키 점프 트랙 전체를 나타내는 그래프에 대응하는 함수를 $f(x)$라 하면

$$f(x)=\begin{cases} -\frac{3}{5}x+1 & (x<0) \\ ax^3+bx^2+cx+1 & (0\le x\le 2) \\ -\frac{1}{6}x+\frac{1}{3} & (x>2) \end{cases}$$

이므로 $f'(x)=\begin{cases} -\frac{3}{5} & (x<0) \\ 3ax^2+2bx+c & (0<x<2) \\ -\frac{1}{6} & (x>2) \end{cases}$ ······㉠

이때 열린구간 $(-1, 3)$에서 함수 $f(x)$가 미분가능하려면 $x=0$, $x=2$에서 미분가능하고 연속이어야 한다.

(i) $x=2$에서 연속성

함수 $f(x)$가 $x=2$에서 연속이려면 $\lim_{x\to2}f(x)=f(2)$이어야 한다.

이때

$$\lim_{x\to2-}f(x)=\lim_{x\to2-}(ax^3+bx^2+cx+1)=8a+4b+2c+1$$

$$\lim_{x\to2+}f(x)=\lim_{x\to2+}\left(-\frac{1}{6}x+\frac{1}{3}\right)=0$$

$$f(2)=0$$

이므로 $8a+4b+2c+1=0$

$$4a+2b+c=-\frac{1}{2}$$ ······㉡

(ii) $x=0$에서 미분가능성

$f'(0)$이 존재해야 하므로 ㉠에서

$$\lim_{x\to0-}f'(x)=\lim_{x\to0+}f'(x)$$

$$\lim_{x\to0-}\left(-\frac{3}{5}\right)=\lim_{x\to0+}(3ax^2+2bx+c)$$

$$-\frac{3}{5}=c$$ ······㉢

(iii) $x=2$에서 미분가능성

$f'(2)$가 존재해야 하므로 ㉠에서

$\lim_{x \to 2-} f'(x) = \lim_{x \to 2+} f'(x)$

$\lim_{x \to 2-} (3ax^2+2bx+c) = \lim_{x \to 2+} \left(-\frac{1}{6}\right)$

$12a+4b+c=-\frac{1}{6}$ ······㉣

㉡, ㉢, ㉣을 연립하여 풀면

$a=\frac{7}{120}$, $b=-\frac{1}{15}$, $c=-\frac{3}{5}$

$\therefore$ $120a+15b+5c$

$=120 \times \frac{7}{120}+15 \times \left(-\frac{1}{15}\right)+5 \times \left(-\frac{3}{5}\right)$

$=7-1-3=3$

**오답 피하기**

함수 $f(x)=\begin{cases} -\frac{3}{5}x+1 & (x<0) \\ ax^3+bx^2+cx+1 & (0 \le x \le 2) \\ -\frac{1}{6}x+\frac{1}{3} & (x>2) \end{cases}$에 대하여

$\lim_{x \to 0-} f(x) = \lim_{x \to 0-} \left(-\frac{3}{5}x+1\right)=1$

$\lim_{x \to 0+} f(x) = \lim_{x \to 0+} (ax^3+bx^2+cx+1)=1$

$f(0)=1$

이므로 $\lim_{x \to 0} f(x)=f(0)$

따라서 함수 $f(x)$는 $x=0$에서 연속이다.

## 창의·융합·코딩 전략 ②

56~57쪽

| 5 ② | 6 ③ | 7 ③ | 8 ① |
|---|---|---|---|

**5** 자동차 A가 총 10 km인 단속 구간을 통과하는 데 걸린 시간을 $t$시간이라 하면

(단속 구간에서 자동차 A의 평균 속도)$=\frac{10}{t}$

이때 자동차 A가 제한 속도 100 km/h를 초과하지 않으려면

$\frac{10}{t} \le 100$ $\therefore$ $t \ge \frac{1}{10}$

따라서 자동차 A가 단속 구간을 통과하는 데 걸린 시간의 최솟값은 $\frac{1}{10}$시간이므로 구하는 값은 $\frac{1}{10} \times 60 = 6$(분)이다.

**6** 지열: 출발 후, 2분 동안 달린 거리는 자동차 B가 더 크므로 자동차 B의 평균변화율이 더 크다.

예리: 출발 후, 3분 동안 달린 거리는 두 자동차 A, B가 서로 같으므로 두 자동차 A, B의 평균변화율은 서로 같다.

나영: 출발 후, 4분 후 달린 거리는 자동차 A가 더 크므로 두 자동차 A, B는 서로 만나지 않는다.

따라서 옳은 것을 말한 학생은 지열, 예리이다.

**LECTURE** 평균변화율

연속함수 $f(x)$에 대하여 닫힌구간 $[a, b]$에서의 평균변화율은 $\frac{f(b)-f(a)}{b-a}$

**7** $f(x)=(x-1)(x+3)$에서

$f'(x)=(x+3)+(x-1)$

$=2x+2$

이때 세 수 ㈎, ㈏, ㈐를 순서대로 구해 보면

㈎$=f'(1)=2+2=4$

㈏$=\log_2 4=2$

㈐$=f'(2)=2 \times 2+2=6$

$\therefore$ ㈎+㈏+㈐$=4+2+6=12$

함수의 곱의 미분법을 이용하여 $f'(x)$를 구한 다음 그 식에 $x$의 값을 대입하면 돼.

**8** 전선에 흐르는 전류의 세기는 어떤 시각에서 전하량의 순간변화율이므로

$Q(t)=\frac{1}{3}t^3+t^2$에서 $Q'(t)=t^2+2t$

$\therefore$ $Q'(15)=15^2+30=255$

# 전편 마무리 전략

## 신유형·신경향 전략

60~63쪽

| | | | |
|---|---|---|---|
| 01 2 | 02 5 | 03 수진 | 04 $-4$ |
| 05 12 | 06 200원 | 07 ㄴ, ㄷ | 08 $\frac{29}{3}$ |

**01** 세 정수 $p$, $q$, $r$에 대하여

(i) $\lim_{x \to 1+} f(x)=1$이므로 $p=1$

(ii) $\lim_{x \to 3} f(x)=0$, $f(3)=0$

즉 $\lim_{x \to 3} f(x)=f(3)$이므로 함수 $f(x)$는 $x=3$에서 연속이다. $\therefore q=3$

(iii) $\lim_{x \to 2-} f(x)=1$, $\lim_{x \to 2+} f(x)=-1$이므로

$\lim_{x \to 2-} f(x)-\lim_{x \to 2+} f(x)=1-(-1)=2$

$\therefore r=2$

(i)~(iii)에서 $p+q-r=1+3-2=2$

**02** $\lim_{x \to 1} \frac{x^2+ax}{x-1}$의 값이 주사위의 한 눈의 수인 것에서

$x \to 1$일 때, (분모)$\to 0$이므로 (분자)$\to 0$이다.

즉 $\lim_{x \to 1} (x^2+ax)=0$에서 $1+a=0$

$\therefore a=-1$

주어진 식에 $a=-1$을 대입하면

$$\lim_{x \to 1} \frac{x^2+ax}{x-1}=\lim_{x \to 1} \frac{x^2-x}{x-1}$$
$$=\lim_{x \to 1} \frac{x(x-1)}{x-1}$$
$$=\lim_{x \to 1} x=1$$

따라서 주사위를 던져 나온 눈의 수는 1이다.

한편, 마주 보는 두 면에 적힌 눈의 수의 합이 모두 같은 경우는 두 눈의 수의 합이 7인 경우이다.

즉 주사위를 던져 나온 눈의 수가 1일 때, 바닥에 맞닿아 보이지 않는 면의 눈의 수는 $7-1=6$이다.

따라서 $b=6$이므로

$a+b=-1+6=5$

**03** ㄱ. 함수 $y=f(x)$의 그래프에서 $\lim_{x \to 1-} f(x)=2$,

$\lim_{x \to 1+} f(x)=2$이므로 $\lim_{x \to 1} f(x)=2$

ㄴ. 함수 $f(x)$는 닫힌구간 $[0, 2]$에서 최댓값이 존재하지 않는다.

ㄷ. $\lim_{x \to 1} f(x)f(x+1)=\lim_{x \to 1} f(x)\times\lim_{x \to 1} f(x+1)$
$=2\times 0=0$

$f(1)f(1+1)=f(1)f(2)=1\times 0=0$

이므로 $\lim_{x \to 1} f(x)f(x+1)=f(1)f(2)$

즉 함수 $f(x)f(x+1)$은 $x=1$에서 연속이다.

따라서 옳은 것은 ㄱ, ㄷ이므로 구하는 학생은 수진이다.

**04** 조건 (가)에서 $\lim_{x \to -1} \frac{f(x)}{x+1}=2$이므로 [정리 1]에 의하여

$f(-1)=0$

조건 (나)에서 $\lim_{x \to 0} \frac{1}{f(x)}$의 값이 존재하지 않으므로

[정리 2]에 의하여 $f(0)=0$

$f(x)=x(x+1)h(x)$ ($h(x)$는 다항식)로 놓으면

$$\lim_{x \to -1} \frac{f(x)}{x+1}=\lim_{x \to -1} \frac{x(x+1)h(x)}{x+1}$$
$$=\lim_{x \to -1} xh(x)$$
$$=-h(-1)=2$$

$\therefore h(-1)=-2$

이때 다항함수 $f(x)$ 중 차수가 가장 낮은 함수가 $g(x)$이므로 $h(x)=-2$일 때이다.

따라서 $g(x)=-2x(x+1)$이므로

$g(1)=-2\times 2=-4$

**05** $a$의 값에 따라 $f(a)$의 값을 구하면 다음과 같다.

(i) $a<1$일 때

원 $C$와 정사각형 PQRS가 만나지 않으므로

$f(a)=0$

(ii) $a=1$일 때

원 $C$는 정사각형 PQRS의 $\overline{PQ}$와 한 점에서 만나므로 $f(1)=1$

(iii) $1<a\le 2$일 때

원 $C$는 정사각형 PQRS의 $\overline{PQ}$와 두 점에서 만나므로 $f(a)=2$

(iv) $2<a<3$일 때

원 $C$는 정사각형 PQRS의 $\overline{PQ}$와 두 점에서 만나고, $\overline{PS}$, $\overline{QR}$와 각각 한 점에서 만나므로 $f(a)=4$

(v) $a=3$일 때

원 $C$는 정사각형 PQRS의 네 변과 각각 한 점에서 만나므로 $f(3)=4$

(vi) $3<a<4$일 때

원 $C$는 정사각형 PQRS의 $\overline{RS}$와 두 점에서 만나고, $\overline{PS}$, $\overline{QR}$와 각각 한 점에서 만나므로 $f(a)=4$

(vii) $4<a<5$일 때

원 $C$는 정사각형 PQRS의 $\overline{RS}$와 두 점에서 만나므로 $f(a)=2$

(viii) $a=5$일 때

원 $C$는 정사각형 PQRS의 $\overline{RS}$와 한 점에서 만나므로 $f(5)=1$

(ix) $a>5$일 때

원 $C$와 정사각형 PQRS가 만나지 않으므로 $f(a)=0$

(i)~(ix)에 의하여 함수 $f(a)$의 그래프는 다음 그림과 같다.

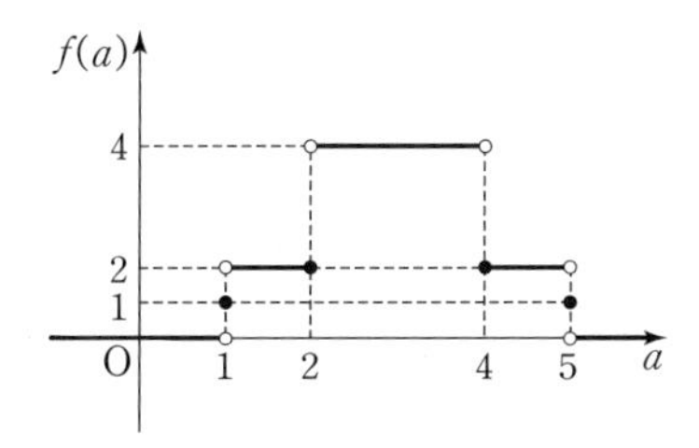


따라서 $\lim_{a\to k} f(a)\neq f(k)$를 만족시키는 실수 $k$의 값은 1, 2, 4, 5이므로 그 합은

$1+2+4+5=12$

**06** A 제품을 $x$ kg 생산하는 데 드는 비용 $P(x)$원에 대하여 $P(x)=x^3-30x^2+200x+300$이고, 생산량을 $\Delta x$만큼 늘릴 때 증가한 생산 비용 $\Delta y$는

$\Delta y=P(x+\Delta x)-P(x)$이다.

즉 A 제품을 $x$ kg 생산할 때의 한계 비용은

$$\lim_{\Delta x\to 0}\frac{\Delta y}{\Delta x}=\lim_{\Delta x\to 0}\frac{P(x+\Delta x)-P(x)}{\Delta x}=P'(x)$$

이때 $P'(x)=3x^2-60x+200$이므로

$P'(20)=1200-1200+200=200$

따라서 A 제품을 20 kg 생산할 때의 한계 비용은 200원이다.

**07** $g(x)=(x-1)f(x)$에서

$g'(x)=f(x)+(x-1)f'(x)$

ㄱ. $g'(1)=f(1)=0$

ㄴ. $g'(2)=f(2)+f'(2)$

$=f(2)$ ($\because f'(2)=0$)

$=-2<0$

ㄷ. $f(3)=g(3)=0$이므로

$$\lim_{x\to 3}\frac{g(x)-f(x)}{x-3}$$
$$=\lim_{x\to 3}\frac{g(x)-f(x)-g(3)+f(3)}{x-3}$$
$$=\lim_{x\to 3}\frac{g(x)-g(3)}{x-3}-\lim_{x\to 3}\frac{f(x)-f(3)}{x-3}$$
$$=g'(3)-f'(3)$$

이때 $g'(3)=f(3)+2f'(3)=2f'(3)$이므로

$g'(3)-f'(3)=2f'(3)-f'(3)=f'(3)$

따라서 옳은 것은 ㄴ, ㄷ이다.

**08** 조건 (나)의 식에 $y=h$를 대입하여 정리하면

$f(x+h)-f(x)=f(h)+xh(x+h)$

도함수의 정의와 조건 (가)에 의하여

$$f'(x)=\lim_{h\to 0}\frac{f(x+h)-f(x)}{h}$$
$$=\lim_{h\to 0}\frac{f(h)+xh(x+h)}{h}$$
$$=\lim_{h\to 0}\frac{f(h)}{h}+\lim_{h\to 0}(x^2+hx)$$
$$=x^2+\frac{2}{3}$$

$\therefore f'(3)=9+\frac{2}{3}=\frac{29}{3}$

따라서 3시간 후의 박테리아의 밀도의 변화율은 $\frac{29}{3}$이다.

## 1·2등급 확보 전략 1회

64~67쪽

| | | | |
|---|---|---|---|
| 01 ③ | 02 ④ | 03 ④ | 04 ② |
| 05 ① | 06 ① | 07 ① | 08 ② |
| 09 ⑤ | 10 ④ | 11 ① | 12 ③ |
| 13 ② | 14 ③ | 15 ⑤ | 16 ① |

**01** $\lim_{x\to-1+}f(x)=2$, $\lim_{x\to2}f(x)=-1$이므로

$\lim_{x\to-1+}f(x)-\lim_{x\to2}f(x)=2-(-1)=3$

**02** $\lim_{x\to0}\frac{\sqrt{4+x}-2}{x}=\lim_{x\to0}\frac{(\sqrt{4+x}-2)(\sqrt{4+x}+2)}{x(\sqrt{4+x}+2)}$

$=\lim_{x\to0}\frac{x}{x(\sqrt{4+x}+2)}$

$=\lim_{x\to0}\frac{1}{\sqrt{4+x}+2}=\frac{1}{4}$

**03** $\lim_{x\to0}\frac{1}{x}\left(3+\frac{3}{x-1}\right)=\lim_{x\to0}\frac{1}{x}\left\{\frac{3(x-1)+3}{x-1}\right\}$

$=\lim_{x\to0}\frac{1}{x}\left(\frac{3x}{x-1}\right)$

$=\lim_{x\to0}\frac{3}{x-1}=-3$

**04** $\lim_{x\to1}\frac{x-1}{x^2+ax+b}=\frac{1}{3}$에서 $x\to1$일 때, (분자)$\to0$이므로 (분모)$\to0$이다.

즉 $\lim_{x\to1}(x^2+ax+b)=1+a+b=0$이므로

$b=-1-a$ ……㉠

주어진 식에 ㉠을 대입하면

$\lim_{x\to1}\frac{x-1}{x^2+ax+b}=\lim_{x\to1}\frac{x-1}{x^2+ax-1-a}$

$=\lim_{x\to1}\frac{x-1}{(x-1)(x+1+a)}$

$=\lim_{x\to1}\frac{1}{x+1+a}$

$=\frac{1}{a+2}=\frac{1}{3}$

이므로 $a+2=3$ $\therefore a=1$

㉠에 $a=1$을 대입하면 $b=-2$

$\therefore ab=1\times(-2)=-2$

**05** 함수 $f(x)=x^2+ax$에 대하여

$\lim_{x\to0}\frac{f(x)}{x}=\lim_{x\to0}\frac{x^2+ax}{x}$

$=\lim_{x\to0}\frac{x(x+a)}{x}$

$=\lim_{x\to0}(x+a)=a$

이때 $\lim_{x\to0}\frac{f(x)}{x}=4$이므로 $a=4$

**06** 최고차항의 계수가 1인 이차함수 $f(x)$에 대하여

$f(-1)=2$, 즉 $f(-1)-2=0$이므로

$f(x)-2=(x+1)(x+a)$($a$는 상수)로 놓을 수 있다.

위의 식에 $x=0$을 대입하면 $f(0)-2=a$

이때 $f(0)=0$이므로 $a=-2$

따라서 $f(x)-2=(x+1)(x-2)$이므로

$\lim_{x\to-1}\frac{f(x)-2}{x+1}=\lim_{x\to-1}\frac{(x+1)(x-2)}{x+1}$

$=\lim_{x\to-1}(x-2)=-3$

**07** $\lim_{x\to-1}(x^3+ax-1)f(x)$

$=\lim_{x\to-1}(x^3+ax-1)\times\lim_{x\to-1}f(x)$

$=(-a-2)f(-1)$

$=3(-a-2)$ ($\because f(-1)=3$)

$=12$

이므로 $-a-2=4$

$\therefore a=-6$

**08** $\lim_{x\to2}\frac{(x-2)f(x)}{x^3-8}=\lim_{x\to2}\frac{(x-2)f(x)}{(x-2)(x^2+2x+4)}$

$=\lim_{x\to2}\frac{f(x)}{x^2+2x+4}$

$=\frac{f(2)}{12}=\frac{1}{3}$

이므로 $3f(2)=12$

$\therefore f(2)=4$

**오답 피하기**

다항함수 $f(x)$는 모든 실수 $x$에서 연속이므로 $x=2$에서 연속이다.

$\therefore \lim_{x\to 2}f(x)=f(2)$

**09** 조건 (가)의 $\lim_{x\to\infty}\frac{f(x)}{x^2}=-2$에서 다항함수 $f(x)$는 최고차항의 계수가 $-2$인 이차식이다.

조건 (나)의 $\lim_{x\to 0}\frac{f(x)}{x}=4$에서 $x\to 0$일 때, (분모)$\to 0$이므로 (분자)$\to 0$이다.

즉 $\lim_{x\to 0}f(x)=0$이고, 다항함수 $f(x)$는 연속함수이므로 $f(0)=0$

$f(x)=-2x^2+ax$ ($a$는 상수)로 놓고 조건 (나)의 식에 대입하면

$$\lim_{x\to 0}\frac{f(x)}{x}=\lim_{x\to 0}\frac{-2x^2+ax}{x}=\lim_{x\to 0}\frac{x(-2x+a)}{x}=\lim_{x\to 0}(-2x+a)=a=4$$

$\therefore f(x)=-2x^2+4x=-2(x-1)^2+2$

따라서 함수 $f(x)$는 $x=1$일 때, 최댓값 2를 갖는다.

**10** 함수 $f(x)$가 $x=0$에서 연속이므로

$\lim_{x\to 0}f(x)=f(0)=2$

(i) $x<0$일 때

$\lim_{x\to 0-}\{f(x)+g(x)\}=\lim_{x\to 0-}(x^2+4)$에서

$\lim_{x\to 0-}f(x)+\lim_{x\to 0-}g(x)=4$

$2+\lim_{x\to 0-}g(x)=4 \quad \therefore \lim_{x\to 0-}g(x)=2$

(ii) $x>0$일 때

$\lim_{x\to 0+}\{f(x)-g(x)\}=\lim_{x\to 0+}(x^2+2x+8)$에서

$\lim_{x\to 0+}f(x)-\lim_{x\to 0+}g(x)=8$

$2-\lim_{x\to 0+}g(x)=8 \quad \therefore \lim_{x\to 0+}g(x)=-6$

(i), (ii)에서

$\lim_{x\to 0-}g(x)-\lim_{x\to 0+}g(x)=2-(-6)=8$

**11** 함수 $f(x)=\begin{cases}\frac{x^2-2x-3}{x-3} & (x\neq 3)\\ a & (x=3)\end{cases}$가 모든 실수 $x$에서 연속이므로 $x=3$에서 연속이다.

$\therefore \lim_{x\to 3}f(x)=f(3)=a$

이때

$$\lim_{x\to 3}f(x)=\lim_{x\to 3}\frac{x^2-2x-3}{x-3}=\lim_{x\to 3}\frac{(x-3)(x+1)}{x-3}=\lim_{x\to 3}(x+1)=4$$

이므로 $a=4$

**12** 함수 $|f(x)|=\begin{cases}|x+2| & (x\leq a)\\ |x-1| & (x>a)\end{cases}$이 모든 실수 $x$에서 연속이려면 $x=a$에서 연속이어야 한다.

$\therefore \lim_{x\to a-}|f(x)|=\lim_{x\to a+}|f(x)|=|f(a)|$

이때

$\lim_{x\to a-}|f(x)|=|a+2|$, $\lim_{x\to a+}|f(x)|=|a-1|$,

$|f(a)|=|a+2|$

이므로 $|a-1|=|a+2|$

$a-1=-(a+2) \qquad \therefore a=-\frac{1}{2}$

즉 함수 $y=|f(x)|$의 그래프는 다음 그림과 같다.

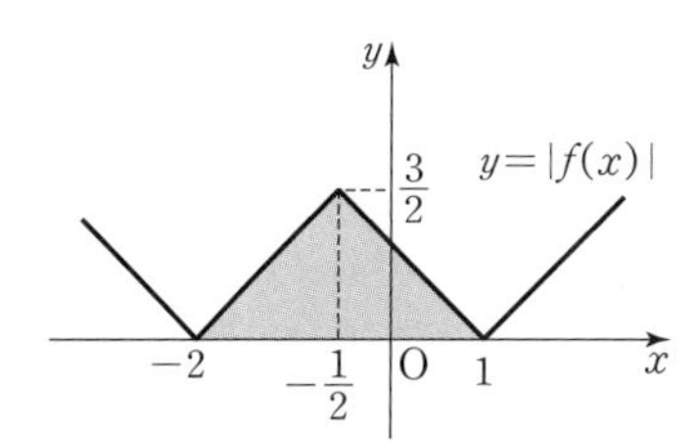


따라서 함수 $y=|f(x)|$의 그래프와 $x$축으로 둘러싸인 도형의 넓이는 $\frac{1}{2}\times 3\times\frac{3}{2}=\frac{9}{4}$

**13** 함수 $f(x)$는 모든 실수 $x$에서 연속이므로 $x=1$에서 연속이다.

$\therefore \lim_{x\to 1}f(x)=f(1)$

이때

$\lim_{x\to 1-}f(x)=\lim_{x\to 1-}3x=3$

$\lim_{x\to1+} f(x)=\lim_{x\to1+}(x^2+ax+b)=1+a+b$

$f(1)=1+a+b$

이므로 $1+a+b=3$ $\therefore a+b=2$ ……㉠

또 $f(x)=f(x+4)$에서 $f(0)=f(4)$이므로

$0=16+4a+b$ $\therefore 4a+b=-16$ ……㉡

㉠, ㉡을 연립하여 풀면 $a=-6$, $b=8$

$\therefore f(15)=f(11)=f(7)=f(3)$

$=9+3a+b$

$=9+3\times(-6)+8=-1$

**14** 직선 $y=x$ 위의 점 $P(t, t)$ $(t>0)$에 대하여 점 P를 지나고 $x$축에 평행한 직선의 방정식은 $y=t$

점 Q의 $x$좌표를 $a$라 하면 $Q(a, \sqrt{2a})$

이때 두 점 P, Q는 $y$좌표가 같으므로

$\sqrt{2a}=t$, $2a=t^2$ $\therefore a=\frac{t^2}{2}$

즉 $Q\left(\frac{t^2}{2}, t\right)$이므로 $f(t)=\left|t-\frac{t^2}{2}\right|$

$$\therefore \lim_{t\to2-}\frac{f(t)}{t-2}=\lim_{t\to2-}\frac{\left|t-\frac{t^2}{2}\right|}{t-2}=\lim_{t\to2-}\frac{\left|\frac{t(2-t)}{2}\right|}{t-2}=\lim_{t\to2-}\left(-\frac{t}{2}\right)=-1$$

**15** 조건 (가)에서 $f(1)=0$, $f(2)=0$

$\therefore f(x)=k(x-1)(x-2)$ ($k\neq0$인 상수) ……㉠

조건 (나)의 식에 ㉠을 대입하면

$$\lim_{x\to1}\frac{f(x)}{x-1}=\lim_{x\to1}\frac{k(x-1)(x-2)}{x-1}=\lim_{x\to1}k(x-2)=-k=-3$$

이므로 $k=3$

따라서 $f(x)=3(x-1)(x-2)$이므로

$f(4)=3\times3\times2=18$

**16** $x\neq2$일 때, $f(x)=\frac{\sqrt{x+7}-3}{x-2}$

함수 $f(x)$는 $x\geq-7$인 모든 실수 $x$에서 연속이므로 $x=2$에서 연속이다.

$\therefore \lim_{x\to2}f(x)=f(2)$

따라서

$$\lim_{x\to2}f(x)=\lim_{x\to2}\frac{\sqrt{x+7}-3}{x-2}=\lim_{x\to2}\frac{(\sqrt{x+7}-3)(\sqrt{x+7}+3)}{(x-2)(\sqrt{x+7}+3)}=\lim_{x\to2}\frac{x-2}{(x-2)(\sqrt{x+7}+3)}=\lim_{x\to2}\frac{1}{\sqrt{x+7}+3}=\frac{1}{6}$$

이므로 $f(2)=\frac{1}{6}$

## 1·2등급 확보 전략 2회

68~71쪽

| | | | |
|---|---|---|---|
| 01 ③ | 02 ⑤ | 03 ① | 04 ④ |
| 05 ① | 06 ③ | 07 ④ | 08 ③ |
| 09 ④ | 10 ③ | 11 ⑤ | 12 ① |
| 13 ② | 14 ⑤ | 15 ③ | 16 ② |

**01** $\lim_{x\to2}(x+1)f(x)=\lim_{x\to2}(x+1)\times\lim_{x\to2}f(x)$

$=3\times f(2)=6$

이므로 $f(2)=2$

$$\therefore \lim_{x\to1}\frac{f(x+1)}{x+1}=\frac{f(2)}{2}=\frac{2}{2}=1$$

**02** ㄱ. $\lim_{x\to1-}f(x)=-1$, $f(1)=-1$이므로

$\lim_{x\to1-}f(x)=f(1)$

ㄴ. $\lim_{x\to1-}|g(x)|=|-1|=1$, $\lim_{x\to1+}|g(x)|=1$

$|g(1)|=|-1|=1$

이므로 $\lim_{x\to1}|g(x)|=|g(1)|$

ㄷ. (i) $x=0$에서 연속성

$\lim_{x\to0-}f(x)g(x)=0\times0=0$

$\lim_{x\to0+}f(x)g(x)=(-1)\times0=0$

$f(0)g(0)=0\times0=0$

이므로 $\lim_{x\to0}f(x)g(x)=f(0)g(0)$

따라서 함수 $f(x)g(x)$는 $x=0$에서 연속이다.

(ii) $x=1$에서 연속성

$\lim_{x \to 1-} f(x)g(x)=(-1)\times(-1)=1$

$\lim_{x \to 1+} f(x)g(x)=1\times1=1$

$f(1)g(1)=(-1)\times(-1)=1$

이므로 $\lim_{x \to 1} f(x)g(x)=f(1)g(1)$

함수 $f(x)g(x)$는 $x=1$에서 연속이다.

(i), (ii)에서 함수 $f(x)g(x)$는 보든 실수 $x$에서 연속이다.

따라서 옳은 것은 ㄱ, ㄴ, ㄷ이다.

**03** 함수 $f(x)$가 모든 실수 $x$에서 연속이므로

$\lim_{x \to 0+} f(x)=2$에서 $f(0)=2$

$\lim_{x \to 0} f(x+1)=-1$에서 $f(1)=-1$

즉 이차방정식 $x^2+ax+b=0$의 두 근이 $-1$, $2$이므로

이차방정식의 근과 계수의 관계에 의하여

$-1+2=1=-a$, $(-1)\times2=-2=b$

따라서 $a=-1$, $b=-2$이므로

$a+b=-1+(-2)=-3$

**04** $g(x)=ax+b$ ($a$, $b$는 상수, $a\neq0$)로 놓으면

$g(0)=f(0)=3$이므로 $b=3$

또 $h(x)=f(x)g(x)$로 놓으면 함수 $h(x)$가 모든 실수 $x$에서 연속이므로 $x=1$에서 연속이다.

$\therefore \lim_{x \to 1} h(x)=h(1)$

이때

$\lim_{x \to 1-} h(x)=\lim_{x \to 1-} f(x)g(x)=2g(1)=2(a+3)$

$\lim_{x \to 1+} h(x)=\lim_{x \to 1+} f(x)g(x)=0\times g(1)=0$

$h(1)=f(1)g(1)=a+3$

이므로 $a+3=0$ $\quad\therefore a=-3$

따라서 $g(x)=-3x+3$이므로

$g(-1)=-3\times(-1)+3=6$

**오답 피하기**

$x=1$에서 불연속인 함수 $f(x)$와 실수 전체의 집합에서 연속인 함수 $g(x)$에 대하여 함수 $f(x)g(x)$가 모든 실수 $x$에서 연속이려면 $x=1$에서 연속성을 판단해야 한다.

**05** $x\geq0$에서 함수 $f(x)=\begin{cases}1 & (0\leq x<1)\\ x-1 & (x\geq1)\end{cases}$이고,

모든 실수 $x$에 대하여 $f(x)=f(-x)$에서 함수 $f(x)$는 $y$축에 대하여 대칭이므로 함수 $f(x)$의 그래프는 다음 그림과 같다.

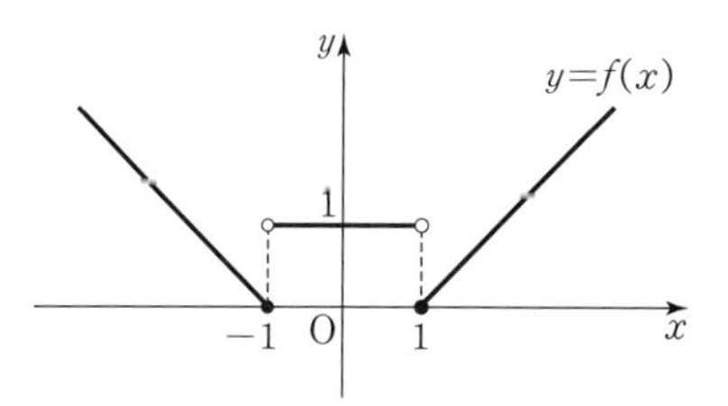


즉 함수 $f(x)$는 $x=-1$, $x=1$에서 불연속이므로

함수 $g(x)=(x^2+ax+b)f(x)$가 모든 실수 $x$에서 연속이려면 $x=-1$, $x=1$에서 연속이어야 한다.

$\therefore \lim_{x \to -1} g(x)=g(-1)$, $\lim_{x \to 1} g(x)=g(1)$

이때

$\lim_{x \to -1-} g(x)=\lim_{x \to -1-} (x^2+ax+b)f(x)=0$

$\lim_{x \to -1+} g(x)=\lim_{x \to -1+} (x^2+ax+b)f(x)$

$=1-a+b$

$g(-1)=(1-a+b)f(-1)=0$

이므로 $1-a+b=0$, $-a+b=-1$ $\quad\cdots\cdots$ ㉠

또

$\lim_{x \to 1-} g(x)=\lim_{x \to 1-} (x^2+ax+b)f(x)$

$=1+a+b$

$\lim_{x \to 1+} g(x)=\lim_{x \to 1+} (x^2+ax+b)f(x)=0$

$g(1)=(1+a+b)f(1)=0$

이므로 $1+a+b=0$, $a+b=-1$ $\quad\cdots\cdots$ ㉡

㉠, ㉡을 연립하여 풀면 $a=0$, $b=-1$

$\therefore a+2b=0+2\times(-1)=-2$

**06** 함수 $f(x)=x^2-2x$에 대하여 $x$의 값이 0부터 $a$까지 변할 때의 평균변화율은

$\frac{f(a)-f(0)}{a-0}=\frac{(a^2-2a)-0}{a}=a-2$

$f(x)=x^2-2x$에서 $f'(x)=2x-2$

이때 $x=2$에서의 순간변화율은

$f'(2)=2\times2-2=2$이므로

$a-2=2$

$\therefore a=4$

함수 $y=f(x)$의 $x=a$에서의 순간변화율과 미분계수는 같아!

**07** $\dfrac{f(n+1)-f(n)}{n+1-n}=2n$에서 $f(n+1)-f(n)=2n$

이때 함수 $y=f(x)$에 대하여 $x$의 값이 1에서 10까지 변할 때의 평균변화율은

$$\frac{f(10)-f(1)}{10-1}$$
$$=\frac{\{f(10)-f(9)\}+\{f(9)-f(8)\}+\cdots+\{f(2)-f(1)\}}{9}$$
$$=\frac{2\times9+2\times8+\cdots+2\times1}{9}$$
$$=\frac{90}{9}=10$$

**08** $$\lim_{h\to0}\frac{f(1+2h)-f(1)}{h}$$
$$=\lim_{h\to0}\frac{\{(1+2h)^4-(1+2h)^2+3\}-(1^4-1^2+3)}{h}$$
$$=\lim_{h\to0}\frac{(1+2h)^2\{(1+2h)^2-1\}}{h}$$
$$=\lim_{h\to0}\frac{4h(1+2h)^2(1+h)}{h}$$
$$=\lim_{h\to0}4(1+2h)^2(1+h)$$
$$=4\times1^2\times1=4$$

다른 풀이

$f(x)=x^4-x^2+3$에서 $f'(x)=4x^3-2x$

$$\therefore \lim_{h\to0}\frac{f(1+2h)-f(1)}{h}=\lim_{h\to0}\frac{f(1+2h)-f(1)}{2h}\times2$$
$$=2f'(1)$$
$$=2(4\times1^3-2\times1)$$
$$=4$$

**09** $$f'(3)=\lim_{x\to0}\frac{f(3+x)-f(3)}{x}$$
$$=\lim_{x\to0}\frac{x^3+6x^2+5x}{x}$$
$$=\lim_{x\to0}(x^2+6x+5)=5$$

**10** $f(x)=2x^2-3x+5$에서 $f'(x)=4x-3$

$\dfrac{1}{n}=h$라 하면 $n\to\infty$일 때, $h\to0$이므로

$$\lim_{n\to\infty}n\left\{f\left(1+\frac{2}{n}\right)-f\left(1-\frac{1}{n}\right)\right\}$$
$$=\lim_{n\to\infty}\frac{f\left(1+\frac{2}{n}\right)-f\left(1-\frac{1}{n}\right)}{\frac{1}{n}}$$
$$=\lim_{h\to0}\frac{f(1+2h)-f(1-h)}{h}$$
$$=\lim_{h\to0}\frac{f(1+2h)-f(1)+f(1)-f(1-h)}{h}$$
$$=\lim_{h\to0}\frac{f(1+2h)-f(1)}{h}-\lim_{h\to0}\frac{f(1-h)-f(1)}{h}$$
$$=\lim_{h\to0}\frac{f(1+2h)-f(1)}{2h}\times2+\lim_{h\to0}\frac{f(1-h)-f(1)}{-h}$$
$$=2f'(1)+f'(1)$$
$$=3f'(1)$$
$$=3\times(4\times1-3)=3$$

**11** $x+1=t$라 하면 $x\to1$일 때, $t\to2$

$$\lim_{x\to1}\frac{f(x+1)-1}{x-1}=\lim_{t\to2}\frac{f(t)-1}{t-2}=5 \quad \cdots\cdots ㉠$$

에서 $t\to2$일 때, (분모)$\to0$이므로 (분자)$\to0$이다.

즉 $\lim_{t\to2}\{f(t)-1\}=0$이므로 $f(2)=1$

㉠에 $f(2)=1$을 대입하면

$$\lim_{t\to2}\frac{f(t)-1}{t-2}=\lim_{t\to2}\frac{f(t)-f(2)}{t-2}$$
$$=f'(2)=5$$

$\therefore f(2)+f'(2)=1+5=6$

**12** 다항함수 $y=f(x)$의 그래프와 직선 $y=x-1$이 $x$축에서 만나므로 $f(1)=0$

따라서

$$\lim_{x\to1}\frac{\{f(x)\}^2-f(x)}{x^2-1}=\lim_{x\to1}\frac{f(x)\{f(x)-1\}}{(x-1)(x+1)}$$
$$=\lim_{x\to1}\frac{f(x)}{x-1}\times\lim_{x\to1}\frac{f(x)-1}{x+1}$$
$$=\lim_{x\to1}\frac{f(x)-f(1)}{x-1}\times\left(-\frac{1}{2}\right)$$
$$=-\frac{1}{2}f'(1)$$
$$=8$$

이므로 $f'(1)=-16$

**13** $\lim_{x\to3}\frac{f(x)-2}{x-3}=1$에서 $x\to3$일 때, (분모)$\to0$이므로 (분자)$\to0$이다.

즉 $\lim_{x\to3}\{f(x)-2\}=0$이므로 $f(3)=2$

이를 주어진 식에 대입하면

$\lim_{x\to3}\frac{f(x)-2}{x-3}=\lim_{x\to3}\frac{f(x)-f(3)}{x-3}=f'(3)=1$

이때 $g(x)=(x+1)f(x)$에서

$g'(x)=f(x)+(x+1)f'(x)$

따라서 함수 $g(x)=(x+1)f(x)$의 $x=3$에서의 미분계수는

$f(3)+4f'(3)=2+4\times1=6$

**14** $f(x)=(x+1)(x-1)(x-a)$에서

$f'(x)=(x-1)(x-a)+(x+1)(x-a)+(x+1)(x-1)$

이때

$f'(a)=(a+1)(a-1)=a^2-1$

$f'(-1)=-2(-1-a)=2a+2$

$f'(1)=2(1-a)=-2a+2$

이므로

$a^2-1=2a+2-2a+2$, $a^2-1=4$

$\therefore a^2=5$

**15** 함수 $f(x)$가 모든 실수 $x$에서 미분가능하므로 $x=1$에서 미분가능하고 연속이다.

$\therefore \lim_{x\to1}f(x)=f(1)$

이때

$\lim_{x\to1-}f(x)=\lim_{x\to1-}(2x+1)=3$

$\lim_{x\to1+}f(x)=\lim_{x\to1+}(x^2+ax+b)=1+a+b$

$f(1)=1+a+b$

이므로 $1+a+b=3$, $a+b=2$ ······㉠

한편, $f(x)=\begin{cases}2x+1 & (x<1)\\ x^2+ax+b & (x\ge1)\end{cases}$에서

$f'(x)=\begin{cases}2 & (x<1)\\ 2x+a & (x>1)\end{cases}$이고, $f'(1)$이 존재해야 하므로

$\lim_{x\to1-}f'(x)=\lim_{x\to1+}f'(x)$, $\lim_{x\to1-}2=\lim_{x\to1+}(2x+a)$

$2=2+a$ $\quad\therefore a=0$

㉠에 $a=0$을 대입하면 $b=2$

$\therefore a^2+b^2=0^2+2^2=4$

**16** 함수 $f(x)f'(x)$가 삼차함수이므로 함수 $f(x)$는 최고차항의 계수가 1인 이차함수이다.

즉 $f(x)=x^2+ax+b$ ($a$, $b$는 상수)로 놓으면

$f'(x)=2x+a$

이를 주어진 식에 대입하면

$(x^2+ax+b)(2x+a)=2x^3-3x^2+7x-3$

$2x^3+3ax^2+(a^2+2b)x+ab=2x^3-3x^2+7x-3$

양변의 계수를 비교하면

$3a=-3$, $a^2+2b=7$, $ab=-3$이므로

$a=-1$, $b=3$

따라서 함수 $f(x)=x^2-x+3$의 그래프의 $y$절편은

$f(0)=3$

오답 피하기

2 이상인 양의 정수 $n$에 대하여 함수 $f(x)$가 $n$차함수이면 $f'(x)$는 $(n-1)$차함수이다.

수학 II (후편)

WEEK

# 1

# 도함수의 활용

## DAY 1 개념 돌파 전략 ②

12~13쪽

1 ④ 2 ② 3 ③ 4 ③ 5 ① 6 ②

**1** $f(x)=x^3-2x+1$이라 하면 $f'(x)=3x^2-2$

따라서 곡선 $y=f(x)$ 위의 $x=1$인 점에서의 접선의 기울기는 $f'(1)=3\times1^2-2=1$

**2** $f(x)=x^3+x^2-2x+1$이라 하면 $f'(x)=3x^2+2x-2$

이때 $f'(1)=3$이므로 곡선 $y=x^3+x^2-2x+1$ 위의 점 $(1, 1)$에서의 접선의 방정식은

$y=3(x-1)+1$

$\therefore y=3x-2$

따라서 $a=3$, $b=-2$이므로

$ab=3\times(-2)=-6$

함수 $y=f(x)$의 $x=a$에서의 미분계수 $f'(a)$는 곡선 $y=f(x)$ 위의 점 $(a, f(a))$에서의 접선의 기울기와 같아.

**3** 함수 $f(x)=x^2-4x$는 닫힌구간 $[0, 4]$에서 연속이고 열린구간 $(0, 4)$에서 미분가능하며 $f(0)=f(4)=0$이므로 롤의 정리에 의하여 $f'(c)=0$인 $c$가 열린구간 $(0, 4)$에 적어도 하나 존재한다.

이때 $f'(x)=2x-4$이므로

$f'(c)=2c-4=0$ $\therefore c=2$

**LECTURE** 롤의 정리

함수 $f(x)$가 닫힌구간 $[a, b]$에서 연속이고
열린구간 $(a, b)$에서 미분가능할 때, $f(a)=f(b)$이면
$f'(c)=0$인 $c$가 열린구간 $(a, b)$에 적어도 하나 존재한다.

**4** $f(x)=x^2+ax+b$에서 $f'(x)=2x+a$

이때 함수 $f(x)$가 $x=1$에서 극솟값 0을 가지므로

$f(1)=1+a+b=0$, $f'(1)=2+a=0$

두 식을 연립하여 풀면 $a=-2$, $b=1$

$\therefore a^2+b^2=(-2)^2+1^2=5$

**5** $f(x)\{f(x)-1\}=0$에서 $f(x)=0$ 또는 $f(x)=1$

함수 $y=f(x)$의 그래프와 두 직선 $y=0$, $y=1$의 교점의 개수는 각각 3, 2이다.

따라서 방정식 $f(x)\{f(x)-1\}=0$의 서로 다른 실근의 개수는 5이다.

**6** 점 P의 시각 $t$에서의 속도 $v$는

$v=\dfrac{dx}{dt}=-6t+8$

따라서 시각 $t=1$에서의 점 P의 속도는

$v=-6\times1+8=2$

## DAY 2 필수 체크 전략 ①

14~17쪽

| | | | |
|---|---|---|---|
| 1-1 $-5$ | 1-2 ② | 2-1 ④ | 2-2 ③ |
| 3-1 ④ | 3-2 ③ | 4-1 ② | 4-2 6 |
| 5-1 ② | 5-2 6 | 6-1 25 | |
| 7-1 ③ | 7-2 5 | 8-1 ③ | 8-2 ④ |

**1-1** $f(x)=x^2-3x+2$라 하면 $f'(x)=2x-3$

따라서 곡선 $y=f(x)$ 위의 점 $(-1, 6)$에서의 접선의 기울기는 $f'(-1)=2\times(-1)-3=-5$

**1-2** $f(x)=\frac{2}{3}x^3+ax$에서 $f'(x)=2x^2+a$

이때 두 점 $(0, f(0))$, $(1, f(1))$에서의 접선이 서로 수직이므로

$f'(0)f'(1)=a(2+a)=-1$, $a^2+2a+1=0$

$(a+1)^2=0$ $\quad\therefore a=-1$

**2-1** $f(x)=x^3-x^2+k$라 하면 $f'(x)=3x^2-2x$

곡선 $y=f(x)$ 위의 점 $(1, k)$에서의 접선의 기울기는

$f'(1)=3\times1^2-2\times1=1$

즉 점 $(1, k)$에서의 접선의 방정식은

$y=x-1+k$

이때 이 접선이 점 $(0, 5)$를 지나므로

$5=-1+k$ $\quad\therefore k=6$

**다른 풀이**

곡선 $y=f(x)$ 위의 점 $(1, k)$에서의 접선의 기울기는

두 점 $(1, k)$, $(0, 5)$를 지나는 직선의 기울기와 같으므로

$\frac{5-k}{0-1}=1$, $5-k=-1$ $\quad\therefore k=6$

**2-2** $f(x)=x^3+ax+b$라 하면 $f'(x)=3x^2+a$

곡선 $y=f(x)$ 위의 점 $(-1, 4)$에서의 접선이 직선 $y=-x$와 평행하므로

$f'(-1)=3+a=-1$ $\quad\therefore a=-4$

즉 $f(x)=x^3-4x+b$이므로

$f(-1)=3+b=4$ $\quad\therefore b=1$

$\therefore a+b=-4+1=-3$

**3-1** 다항함수 $y=f(x)$의 그래프 위의 점 $(2, 1)$에서의 접선의 기울기가 3이므로 $f(2)=1$, $f'(2)=3$

$g(x)=(x^3-x)f(x)$라 하면

$g'(x)=(3x^2-1)f(x)+(x^3-x)f'(x)$

$\therefore g'(2)=(3\times2^2-1)f(2)+(2^3-2)f'(2)$

$=11\times1+6\times3=29$

**3-2** 다항함수 $y=f(x)$의 그래프 위의 점 $(2, 1)$에서의 접선의 기울기는 두 점 $(2, 1)$, $(0, -1)$을 지나는 직선의 기울기와 같으므로

$f(2)=1$, $f'(2)=\frac{-1-1}{0-2}=1$

$g(x)=xf(x)$라 하면 $g(2)=2f(2)=2\times1=2$이므로

$\lim_{x\to2}\frac{xf(x)-2}{x-2}=\lim_{x\to2}\frac{g(x)-g(2)}{x-2}=g'(2)$

따라서 $g'(x)=f(x)+xf'(x)$이므로

$g'(2)=f(2)+2f'(2)=1+2\times1=3$

**LECTURE** 직선의 기울기

두 점 $(x_1, y_1)$, $(x_2, y_2)$를 지나는 직선의 기울기는

$\frac{y_2-y_1}{x_2-x_1}$ (단, $x_1\neq x_2$)

**4-1** $f(x)=x^3-ax+b$라 하면 $f'(x)=3x^2-a$

점 $(1, 1)$에서의 접선의 기울기는 $f'(1)=3-a$

이때 이 접선과 수직인 직선의 기울기가 $-\frac{1}{2}$이므로

$(3-a)\times\left(-\frac{1}{2}\right)=-1$, $3-a=2$ $\quad\therefore a=1$

또 점 $(1, 1)$은 곡선 $y=x^3-x+b$ 위의 점이므로

$1=1^3-1+b$ $\quad\therefore b=1$

$\therefore a+b=1+1=2$

**4-2** $f(x)=x^3-3x^2+x+1$이라 하면

$f'(x)=3x^2-6x+1$

점 $A(3, f(3))$에서의 접선의 기울기는

$f'(3)=3\times3^2-6\times3+1=10$

점 B의 $x$좌표를 $k$라 하면 두 점 A, B에서의 접선이 서로 평행하므로

$3k^2-6k+1=10$, $3k^2-6k-9=0$

$k^2-2k-3=0$, $(k+1)(k-3)=0$

$\therefore k=-1$ ($\because k\neq3$)

즉 점 $B(-1, -4)$에서의 접선의 방정식은

$y=10\{x-(-1)\}+(-4)$ $\quad\therefore y=10x+6$

따라서 점 B에서의 접선의 $y$절편은 6이다.

**5-1** $f(x)=x^3-2$라 하면 $f'(x)=3x^2$

이때 접점의 좌표를 $\mathrm{A}(k,\ k^3-2)$라 하면 점 A에서의 접선의 방정식은

$y=3k^2(x-k)+k^3-2 \qquad \therefore y=3k^2x-2k^3-2$

이 접선이 점 $(0,\ -4)$를 지나므로

$-4=-2k^3-2,\ k^3=1 \qquad \therefore k=1$

따라서 접선의 방정식은 $y=3x-4$이고, 이 접선이 점 $(a,\ 0)$을 지나므로

$0=3a-4 \qquad \therefore a=\dfrac{4}{3}$

**5-2** $f(x)=2x^2+1$이라 하면 $f'(x)=4x$이므로

$f'(-1)=-4$

즉 점 $(-1,\ 3)$에서의 접선의 방정식은

$y=-4(x+1)+3 \qquad \therefore y=-4x-1$ ······㉠

$g(x)=2x^3-ax+3$이라 하면 $g'(x)=6x^2-a$이므로

$g'(b)=6b^2-a$

즉 점 $(b,\ c)$에서의 접선의 방정식은

$y=(6b^2-a)(x-b)+2b^3-ab+3$

$\therefore y=(6b^2-a)x-4b^3+3$ ······㉡

㉠과 ㉡이 같으므로

$6b^2-a=-4,\ -4b^3+3=-1$

두 식을 연립하여 풀면 $a=10,\ b=1$

이때 $g(x)=2x^3-10x+3$이므로

$c=g(1)=2-10+3=-5$

$\therefore a+b+c=10+1+(-5)=6$

**LECTURE** 서로 같은 두 직선

네 상수 $a,\ b,\ c,\ d$에 대하여 두 직선 $y=ax+b$, $y=cx+d$가 서로 같으면 $a=c,\ b=d$이다.

**6-1** $\displaystyle\lim_{x\to3}\frac{f(x)-2}{x-3}=-1$에서 $x\to3$일 때, (분모)$\to0$이므로 (분자)$\to0$이어야 한다.

즉 $\displaystyle\lim_{x\to3}\{f(x)-2\}=0$이므로 $f(3)=2$

주어진 식에 $f(3)=2$를 대입하면

$\displaystyle\lim_{x\to3}\frac{f(x)-2}{x-3}=\lim_{x\to3}\frac{f(x)-f(3)}{x-3}=f'(3)=-1$

곡선 $y=f(x)$의 $x=3$인 점에서의 접선의 방정식은

$y=-(x-3)+2 \qquad \therefore y=-x+5$

이때 이 접선과 $x$축, $y$축의 교점은 각각 $\mathrm{A}(5,\ 0)$, $\mathrm{B}(0,\ 5)$이므로 $a=5,\ b=5$

$\therefore ab=5\times5=25$

**7-1** $g(x)=xf(x)$라 하면 곡선 $y=g(x)$가 점 $(1,\ 2)$를 지나므로 $g(1)=f(1)=2$

이때 $g'(x)=f(x)+xf'(x)$이므로

$g'(1)=f(1)+f'(1)=2+f'(1)$

즉 곡선 $y=g(x)$ 위의 점 $(1,\ 2)$에서의 접선의 방정식은

$y=\{2+f'(1)\}(x-1)+2$

$\therefore y=\{2+f'(1)\}x-f'(1)$

이 접선이 원점을 지나므로 $f'(1)=0$

$\therefore f(1)+f'(1)=2+0=2$

**오답 피하기**

직선 $y=\{2+f'(1)\}x-f'(1)$이 원점을 지나므로
$0=\{2+f'(1)\}\times0-f'(1)$에서 $f'(1)=0$이다.

**7-2** 삼차함수 $y=f(x)$의 그래프 위의 점 $(0,\ 0)$에서의 접선의 방정식은

$y=f'(0)x$ ······㉠

$g(x)=xf(x)$라 하면 곡선 $y=g(x)$가 점 $(1,\ 5)$를 지나므로 $g(1)=f(1)=5$

이때 $g'(x)=f(x)+xf'(x)$이므로

$g'(1)=f(1)+f'(1)=5+f'(1)$

즉 곡선 $y=g(x)$ 위의 점 $(1,\ 5)$에서의 접선의 방정식은

$y=\{5+f'(1)\}(x-1)+5$

$\therefore y=\{5+f'(1)\}x-f'(1)$ ······㉡

㉠과 ㉡이 같으므로

$f'(0)=5+f'(1),\ f'(1)=0$

$\therefore f'(0)=5$

**8-1** 함수 $f(x)=x^3-2x$에 대하여 닫힌구간 $[0,\ 3]$에서 연속이고 열린구간 $(0,\ 3)$에서 미분가능하므로

$\dfrac{f(3)-f(0)}{3-0}=\dfrac{21-0}{3-0}=7=f'(c)$

인 $c$가 열린구간 $(0,\ 3)$에 적어도 하나 존재한다.

$f'(x)=3x^2-2$이므로 $f'(c)=3c^2-2=7$

$c^2=3 \qquad \therefore c=\sqrt{3}\ (\because 0<c<3)$

**8-2** 함수 $f(x)=x^3-3x^2+2x+1$의 그래프에서 $x=c$인 점에서의 접선의 기울기는 $f'(c)$

이때 함수 $f(x)$에 대하여 닫힌구간 $[0, 3]$에서 연속이고 열린구간 $(0, 3)$에서 미분가능하므로

$\dfrac{f(3)-f(0)}{3-0}=\dfrac{7-1}{3-0}=2=f'(c)$

인 $c$가 열린구간 $(0, 3)$에 적어도 하나 존재한다.

$f'(x)=3x^2-6x+2$이므로 $f'(c)=3c^2-6c+2=2$

$3c(c-2)=0$ $\therefore c=2$ ($\because 0<c<3$)

다항함수는 실수 전체의 집합에서 미분가능하므로 임의의 닫힌구간 $[a, b]$에서 평균값 정리를 만족시키는 상수 $c$의 값을 구할 수 있어!

## DAY 2 필수 체크 전략 ② 18~19쪽

| | | | | |
|---|---|---|---|---|
| 01 ③ | 02 ② | 03 ① | 04 ③ | 05 ② |
| 06 28 | 07 6 | 08 ② | 09 ④ | 10 ⑤ |

**01** $f(x)=2x^2$이라 하면 $f'(x)=4x$

점 $(a, b)$에서의 접선의 기울기가 4이므로

$f'(a)=4a=4$ $\therefore a=1$

이때 점 $(a, b)$는 곡선 $y=f(x)$ 위의 점이므로

$b=f(1)=2\times1^2=2$

$\therefore a+b=1+2=3$

**02** $f(x)=(x^2-1)(2x-1)$이라 하면

$f'(x)=2x(2x-1)+2(x^2-1)$이므로

$f'(1)=2\times1+2\times0=2$

즉 점 $(1, 0)$에서의 접선의 방정식은

$y=2(x-1)$ $\therefore y=2x-2$

따라서 곡선 $y=(x^2-1)(2x-1)$ 위의 점 $(1, 0)$에서의 접선의 $y$절편은 $-2$이다.

**03** $f(x)=-\dfrac{1}{4}x^2$이라 하면 $f'(x)=-\dfrac{1}{2}x$이므로

$f'(2)=-1$

즉 점 $(2, -1)$에서의 접선의 방정식은

$y=-(x-2)-1$ $\therefore y=-x+1$

따라서 이 접선의 $x$절편, $y$절편은 각각 1, 1이므로 이 접선과 $x$축, $y$축으로 둘러싸인 삼각형의 넓이는

$\dfrac{1}{2}\times1\times1=\dfrac{1}{2}$

**04** 곡선 $y=f(x)$ 위의 점 $(2, 1)$에서의 접선의 방정식이 $y=2x-3$이므로 $f(2)=1$, $f'(2)=2$

$g(x)=(x-1)f(x)$라 하면

$g'(x)=f(x)+(x-1)f'(x)$

따라서 곡선 $y=g(x)$ 위의 $x=2$인 점에서의 접선의 기울기는

$g'(2)=f(2)+f'(2)=1+2=3$

**05** $f(x)=x^3-6x^2+2x$라 하면

$f'(x)=3x^2-12x+2$이므로 $f'(1)=-7$

즉 점 $\mathrm{A}(1, -3)$에서의 접선의 방정식은

$y=-7(x-1)-3$ $\therefore y=-7x+4$

이때 점 $\mathrm{B}(a, b)$에서의 접선과 점 A에서의 접선이 서로 평행하므로 $f'(a)=f'(1)$

$3a^2-12a+2=-7$, $3a^2-12a+9=0$

$a^2-4a+3=0$, $(a-1)(a-3)=0$

$\therefore a=3$ ($\because a\neq1$)

또 점 $\mathrm{B}(a, b)$는 곡선 $y=f(x)$ 위의 점이므로

$b=f(3)=-21$ $\therefore \mathrm{B}(3, -21)$

따라서 두 접선 사이의 거리는

$\dfrac{|21-21-4|}{\sqrt{7^2+1^2}}=\dfrac{4}{\sqrt{50}}=\dfrac{2\sqrt{2}}{5}$

**오답 피하기**

두 접선이 서로 평행하므로 두 접선 사이의 거리는 직선 $y=-7x+4$와 점 $\mathrm{B}(3, -21)$ 사이의 거리와 같다.

**06** 점 $(a, -6)$은 곡선 $y=x^3+2$ 위의 점이므로

$-6=a^3+2$, $a^3=-8$ $\quad\therefore a=-2$

$f(x)=x^3+2$라 하면 $f'(x)=3x^2$

이때 점 $(-2, -6)$에서의 접선의 기울기가

$f'(-2)=12$이므로 접선의 방정식은

$y=12(x+2)-6$ $\quad\therefore y=12x+18$

따라서 $a=-2$, $m=12$, $n=18$이므로

$a+m+n=-2+12+18=28$

**07** 삼차함수 $y=f(x)$의 그래프 위의 점 $(1, f(1))$에서의 접선과 직선 $y=-\frac{1}{3}x+2$가 서로 수직이므로

$f'(1)\times\left(-\frac{1}{3}\right)=-1$ $\quad\therefore f'(1)=3$

$\therefore \lim_{h\to0}\frac{f(1+2h)-f(1)}{h}$

$=\lim_{h\to0}\left\{\frac{f(1+2h)-f(1)}{2h}\times2\right\}$

$=2f'(1)=2\times3=6$

**08** 곡선 $y=x^2-2x-1$과 직선 $y=2$의 교점의 $x$좌표를 구하면 $x^2-2x-1=2$, $x^2-2x-3=0$

$(x+1)(x-3)=0$ $\quad\therefore x=-1$ 또는 $x=3$

이때 교점의 $y$좌표는 모두 2이므로 $\mathrm{A}(-1, 2)$, $\mathrm{B}(3, 2)$

$f(x)=x^2-2x-1$이라 하면 $f'(x)=2x-2$

$f'(-1)=-4$이므로 점 $\mathrm{A}(-1, 2)$에서의 접선의 방정식은

$y=-4(x+1)+2$ $\quad\therefore y=-4x-2$

$f'(3)=4$이므로 점 $\mathrm{B}(3, 2)$에서의 접선의 방정식은

$y=4(x-3)+2$ $\quad\therefore y=4x-10$

두 접선의 교점의 $x$좌표를 구하면

$-4x-2=4x-10$, $8x=8$ $\quad\therefore x=1$

따라서 두 점 A, B에서의 접선의 교점의 $y$좌표는 $-6$이다.

다른 풀이

두 접선 $y=-4x-2$, $y=4x-10$의 교점의 $y$좌표는

연립방정식 $\begin{cases}4x+y=-2\\4x-y=10\end{cases}$의 해의 $y$의 값과 같다.

두 식을 변끼리 빼면 $2y=-12$ $\quad\therefore y=-6$

**09** 함수 $f(x)=x^2+x$의 그래프는 다음과 같다.

점 P와 직선 AB 사이의 거리가 최대일 때, 삼각형 APB의 넓이가 최대이므로 점 P에서의 접선은 직선 AB와 평행하다.

함수 $f(x)=x^2+x$는 닫힌구간 $[-1, 3]$에서 연속이고 열린구간 $(-1, 3)$에서 미분가능하므로 평균값 정리에 의하여

$\frac{f(3)-f(-1)}{3-(-1)}$

$=\frac{12-0}{3-(-1)}=3=f'(c)$

인 $c$가 열린구간 $(-1, 3)$에 적어도 하나 존재한다.

이때 $f'(x)=2x+1$이므로

$f'(c)=2c+1=3$ $\quad\therefore c=1$

따라서 점 P의 $x$좌표는 1이다.

**10** ㄱ. $h(x)=f(x)-2x$라 하면

$h(1)=f(1)-2\times1=0-2=-2<0$

$h(2)=f(2)-2\times2=1-4=-3<0$

$h(4)=f(4)-2\times4=9-8=1>0$

따라서 사잇값의 정리에 의하여 방정식 $h(x)=0$, 즉 방정식 $f(x)=2x$는 열린구간 $(1, 4)$에 적어도 하나의 실근을 가진다.

ㄴ. 다항함수 $f(x)$는 닫힌구간 $[1, 4]$에서 연속이고 열린구간 $(1, 4)$에서 미분가능하므로 평균값 정리에 의하여

$\frac{f(4)-f(1)}{4-1}=\frac{9-0}{4-1}=3=f'(c)$

인 $c$가 열린구간 $(1, 4)$에 적어도 하나 존재한다.

ㄷ. $g(x)=f(x)-x$는 닫힌구간 $[1, 2]$에서 연속이고 열린구간 $(1, 2)$에서 미분가능하다.

이때 $f(1)=0$, $f(2)=1$이므로 $g(1)=g(2)=-1$

즉 롤의 정리에 의하여 $g'(c)=0$인 $c$가 열린구간 $(1, 2)$에 적어도 하나 존재한다.

따라서 $g'(x)=0$인 $x$가 열린구간 $(1, 2)$에 적어도 하나 존재한다.

따라서 옳은 것은 ㄱ, ㄴ, ㄷ이다.

DAY
## 3 필수 체크 전략 ①

20~23쪽

| | | | |
|---|---|---|---|
| **1-1** 1 | **1-2** ① | **2-1** 12 | **2-2** ④ |
| **3-1** 22 | **3-2** 20 | **4-1** ④ | **4-2** 24 |
| **5-1** $-6$ | **5-2** 3 | **6-1** 8 | **6-2** ② |
| **7-1** ④ | **7-2** ① | **8-1** ④ | **8-2** ③ |

**1-1** $f(x)=x^3-3x$에서 $f'(x)=3x^2-3$

$f'(x)=0$에서 $3(x+1)(x-1)=0$

$\therefore x=-1$ 또는 $x=1$

함수 $f(x)$의 증가와 감소를 표로 나타내면 다음과 같다.

| $x$ | $\cdots$ | $-1$ | $\cdots$ | $1$ | $\cdots$ |
|---|---|---|---|---|---|
| $f'(x)$ | $+$ | 0 | $-$ | 0 | $+$ |
| $f(x)$ | ↗ | 2 | ↘ | $-2$ | ↗ |

즉 함수 $f(x)$는 $x=-1$에서 극댓값 2를 가지므로

$a=-1$, $b=2$

$\therefore a+b=-1+2=1$

**1-2** $f(x)=x^3-3x^2-9x+2$에서 $f'(x)=3x^2-6x-9$

$f'(x)=0$에서 $3(x+1)(x-3)=0$

$\therefore x=-1$ 또는 $x=3$

함수 $f(x)$의 증가와 감소를 표로 나타내면 다음과 같다.

| $x$ | $\cdots$ | $-1$ | $\cdots$ | $3$ | $\cdots$ |
|---|---|---|---|---|---|
| $f'(x)$ | $+$ | 0 | $-$ | 0 | $+$ |
| $f(x)$ | ↗ | 7 | ↘ | $-25$ | ↗ |

즉 함수 $f(x)$는 $x=-1$에서 극댓값 7, $x=3$에서 극솟값 $-25$를 가지므로 $M=7$, $m=-25$

$\therefore Mm=7\times(-25)=-175$

**2-1** $f(x)=x^3+ax^2+5x+b$에서 $f'(x)=3x^2+2ax+5$

이때 $x=1$에서 극댓값 $-1$을 가지므로

$f(1)=1+a+5+b=-1$

$f'(1)=3+2a+5=0$

두 식을 연립하여 풀면 $a=-4$, $b=-3$

$\therefore ab=(-4)\times(-3)=12$

**2-2** $f(x)=(x-1)^2(x-4)+a$에서

$f'(x)=2(x-1)(x-4)+(x-1)^2$

$=3(x-1)(x-3)$

$f'(x)=0$에서 $3(x-1)(x-3)=0$

$\therefore x=1$ 또는 $x=3$

함수 $f(x)$의 증가와 감소를 표로 나타내면 다음과 같다.

| $x$ | $\cdots$ | $1$ | $\cdots$ | $3$ | $\cdots$ |
|---|---|---|---|---|---|
| $f'(x)$ | $+$ | 0 | $-$ | 0 | $+$ |
| $f(x)$ | ↗ | $a$ | ↘ | $a-4$ | ↗ |

즉 함수 $f(x)$는 $x=3$에서 극솟값 $a-4$를 가지므로

$a-4=10$

$\therefore a=14$

**3-1** 조건 (가)에서 최고차항의 계수가 1인 이차함수 $y=f(x)$의 그래프가 $y$축에 대하여 대칭이므로

$f(x)=x^2+a$ ($a$는 상수)로 놓을 수 있다.

또 $f'(x)=2x$에서 $f'(0)=0$이므로 $x=0$에서 극소이다.

즉 조건 (나)에서 $f(0)=a=-3$

따라서 $f(x)=x^2-3$이므로

$f(5)=25-3=22$

**3-2** $f(x)=x^3+ax^2+bx+c$ ($a$, $b$, $c$는 상수)라 하면

$f'(x)=3x^2+2ax+b$

조건 (가)에서 이차함수 $y=f'(x)$의 그래프가 $y$축에 대하여 대칭이므로 $a=0$

조건 (나)에서 $f(1)=0$, $f'(1)=0$이므로

$f(1)=1+b+c=0$

$f'(1)=3+b=0$

두 식을 연립하여 풀면 $b=-3$, $c=2$

따라서 $f(x)=x^3-3x+2$이므로

$f(3)=27-9+2=20$

$n$이 짝수일 때, 함수 $y=x^n$의 그래프는 $y$축에 대하여 대칭이야!

**4-1** $f(x)=x^3-3x^2-9x+8$에서

$f'(x)=3x^2-6x-9$

$f'(x)=0$에서 $3x^2-6x-9=0$

$3(x+1)(x-3)=0$ $\quad\therefore x=-1$ 또는 $x=3$

함수 $f(x)$의 증가와 감소를 표로 나타내면 다음과 같다.

| $x$ | $-2$ | $\cdots$ | $-1$ | $\cdots$ | $0$ |
|---|---|---|---|---|---|
| $f'(x)$ | | $+$ | $0$ | $-$ | |
| $f(x)$ | $6$ | ↗ | $13$ | ↘ | $8$ |

따라서 닫힌구간 $[-2, 0]$에서 함수 $f(x)$는 $x=-1$일 때 최댓값 13을 갖는다.

**4-2** $f(x)=x^3+3x^2+10$에서 $f'(x)=3x^2+6x$

$f'(x)=0$에서 $3x^2+6x=0$

$3x(x+2)=0$ $\quad\therefore x=-2$ 또는 $x=0$

함수 $f(x)$의 증가와 감소를 표로 나타내면 다음과 같다.

| $x$ | $-1$ | $\cdots$ | $0$ | $\cdots$ | $1$ |
|---|---|---|---|---|---|
| $f'(x)$ | | $-$ | $0$ | $+$ | |
| $f(x)$ | $12$ | ↘ | $10$ | ↗ | $14$ |

따라서 닫힌구간 $[-1, 1]$에서 함수 $f(x)$는 $x=0$일 때 최솟값 10, $x=1$일 때 최댓값 14를 가지므로 최댓값과 최솟값의 합은 $14+10=24$이다.

**5-1** $x^3-3x^2-n=0$에서 $x^3-3x^2=n$

$f(x)=x^3-3x^2$이라 하면 $f'(x)=3x^2-6x$

$f'(x)=0$에서 $3x^2-6x=0$

$3x(x-2)=0$ $\quad\therefore x=0$ 또는 $x=2$

함수 $f(x)$의 증가와 감소를 표로 나타내면 다음과 같다.

| $x$ | $\cdots$ | $0$ | $\cdots$ | $2$ | $\cdots$ |
|---|---|---|---|---|---|
| $f'(x)$ | $+$ | $0$ | $-$ | $0$ | $+$ |
| $f(x)$ | ↗ | $0$ | ↘ | $-4$ | ↗ |

즉 함수 $y=f(x)$의 그래프는 다음과 같다.

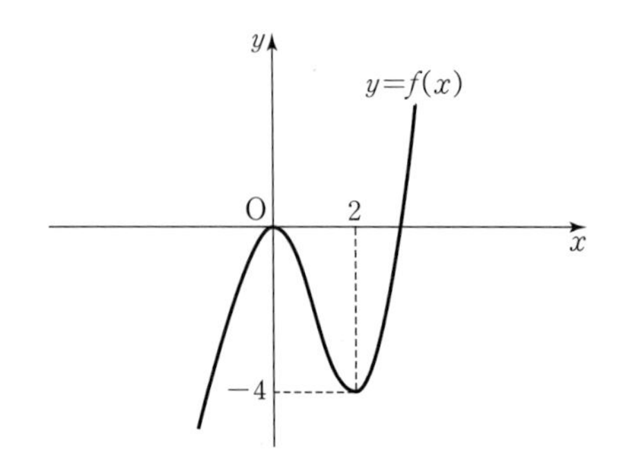


이때 함수 $y=f(x)$의 그래프와 직선 $y=n$이 서로 다른 세 점에서 만나려면 $-4<n<0$이어야 한다.

따라서 모든 정수 $n$의 값의 합은

$-3+(-2)+(-1)=-6$

**LECTURE** 방정식의 실근의 개수

방정식 $f(x)-k=0$ ($k$는 실수)의 서로 다른 실근의 개수는 함수 $y=f(x)$의 그래프와 직선 $y=k$의 교점의 개수와 같다.

**5-2** $f(x)=2x^3-3x^2-12x+5$에서

$f'(x)=6x^2-6x-12$

$f'(x)=0$에서 $6x^2-6x-12=0$

$6(x+1)(x-2)=0$ $\quad\therefore x=-1$ 또는 $x=2$

함수 $f(x)$의 증가와 감소를 표로 나타내면 다음과 같다.

| $x$ | $\cdots$ | $-1$ | $\cdots$ | $2$ | $\cdots$ |
|---|---|---|---|---|---|
| $f'(x)$ | $+$ | $0$ | $-$ | $0$ | $+$ |
| $f(x)$ | ↗ | $12$ | ↘ | $-15$ | ↗ |

즉 함수 $y=f(x)$의 그래프는 다음과 같다.

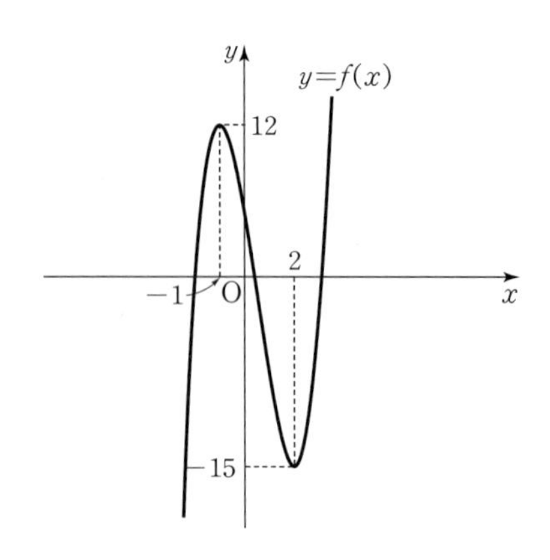


이때 $g(x)=f(x)+a$이므로 방정식 $g(x)=0$이 서로 다른 두 실근만을 가지려면 함수 $y=f(x)$의 그래프와 직선 $y=-a$가 접해야 하므로 $-a=12$ 또는 $-a=-15$이어야 한다.

$\therefore a=-12$ 또는 $a=15$

따라서 모든 $a$의 값의 합은

$-12+15=3$

**6-1** $f(x)=4x^3-12x+k$라 하면 $f'(x)=12x^2-12$

$f'(x)=0$에서 $12x^2-12=0$

$12(x+1)(x-1)=0$ $\quad\therefore x=-1$ 또는 $x=1$

함수 $f(x)$의 증가와 감소를 표로 나타내면 다음과 같다.

| $x$ | $\cdots$ | $-1$ | $\cdots$ | $1$ | $\cdots$ |
|---|---|---|---|---|---|
| $f'(x)$ | $+$ | $0$ | $-$ | $0$ | $+$ |
| $f(x)$ | ↗ | $k+8$ | ↘ | $k-8$ | ↗ |

즉 $0\le x\le 2$에서 함수 $f(x)$는 $x=1$일 때 극소이면서 최소이므로 최솟값 $k-8$을 갖는다.

이때 $0\le x\le 2$에서 $f(x)\ge 0$이려면 $f(1)\ge 0$이어야 하므로 $f(1)=k-8\ge 0$ $\quad\therefore k\ge 8$

따라서 실수 $k$의 최솟값은 8이다.

**6-2** $h(x)=f(x)-g(x)$라 하면

$h(x)=x^3+3x^2-k-(6x^2+9x-10)$

$\quad\;\;=x^3-3x^2-9x+10-k$

이므로 $h'(x)=3x^2-6x-9$

$h'(x)=0$에서 $3x^2-6x-9=0$

$3(x+1)(x-3)=0$ $\quad\therefore x=-1$ 또는 $x=3$

함수 $h(x)$의 증가와 감소를 표로 나타내면 다음과 같다.

| $x$ | $\cdots$ | $-1$ | $\cdots$ | $3$ | $\cdots$ |
|---|---|---|---|---|---|
| $h'(x)$ | $+$ | $0$ | $-$ | $0$ | $+$ |
| $h(x)$ | ↗ | $15-k$ | ↘ | $-17-k$ | ↗ |

즉 $-1\le x\le 4$에서 함수 $h(x)$는 $x=3$일 때 극소이면서 최소이므로 최솟값 $-17-k$를 갖는다.

이때 $-1\le x\le 4$에서 $h(x)\ge 0$이려면 $h(3)\ge 0$이어야 하므로 $h(3)=-17-k\ge 0$ $\quad\therefore k\le -17$

따라서 실수 $k$의 최댓값은 $-17$이다.

**7-1** 점 P의 시각 $t$에서의 속도 $v$는

$v=\dfrac{dx}{dt}=-2t+8$

시각 $t=a$에서의 점 P의 속도가 0이므로

$-2a+8=0$에서 $a=4$

**7-2** 점 P의 시각 $t$에서의 속도 $v$는

$v=\dfrac{dx}{dt}=3t^2-12t$

점 P의 시각 $t$에서의 가속도 $a$는

$a=\dfrac{dv}{dt}=6t-12$

이때 $6t-12=0$에서 $t=2$

따라서 시각 $t=2$에서의 점 P의 가속도가 0이므로

점 P의 속도는 $v=12-24=-12$

**8-1** 점 P의 시각 $t$에서의 속도 $v$는

$v=\dfrac{dx}{dt}=3t^2-12$

수직선 위를 움직이는 점 P의 운동 방향이 바뀌는 순간의 속도는 0이므로

$3t^2-12=0$, $3(t-2)(t+2)=0$

$\therefore t=2\ (\because t>0)$

즉 시각 $t=2$에서의 점 P의 위치가 원점이므로

$x=2^3-12\times 2+k=0$

$\therefore k=16$

**LECTURE** 속도와 운동 방향

수직선 위를 움직이는 점 P가 운동 방향을 바꾸는 순간의 속도는 0이다.

**8-2** 점 P의 시각 $t$에서의 속도 $v$는

$v=\dfrac{dx}{dt}=3t^2+2kt+1$

시각 $t=1$에서 점 P가 운동 방향을 바꾸므로

$3+2k+1=0$ $\quad\therefore k=-2$

한편, 점 P의 시각 $t$에서의 가속도 $a$는

$a=\dfrac{dv}{dt}=6t+2k=6t-4$

따라서 시각 $t=2$에서의 점 P의 가속도는

$a=6\times 2-4=8$

DAY

## 3 필수 체크 전략 ②

24~25쪽

| | | | | |
|---|---|---|---|---|
| 01 ① | 02 ③ | 03 ② | 04 ④ | 05 ② |
| 06 5 | 07 ③ | 08 ④ | 09 ③ | 10 ① |

**01** $f(x)=x^3+3x^2-24$에서 $f'(x)=3x^2+6x$

$f'(x)=0$에서 $3x^2+6x=0$

$3x(x+2)=0$ $\therefore x=-2$ 또는 $x=0$

함수 $f(x)$의 증가와 감소를 표로 나타내면 다음과 같다.

| $x$ | $\cdots$ | $-2$ | $\cdots$ | $0$ | $\cdots$ |
|---|---|---|---|---|---|
| $f'(x)$ | $+$ | $0$ | $-$ | $0$ | $+$ |
| $f(x)$ | ↗ | $-20$ | ↘ | $-24$ | ↗ |

따라서 함수 $f(x)$는 $x=0$에서 극솟값 $-24$를 갖는다.

**02** $f(x)=x^3+2x^2-4x-6$에서 $f'(x)=3x^2+4x-4$

$f'(x)=0$에서 $3x^2+4x-4=0$

$(x+2)(3x-2)=0$ $\therefore x=-2$ 또는 $x=\frac{2}{3}$

함수 $f(x)$의 증가와 감소를 표로 나타내면 다음과 같다.

| $x$ | $\cdots$ | $-2$ | $\cdots$ | $\frac{2}{3}$ | $\cdots$ |
|---|---|---|---|---|---|
| $f'(x)$ | $+$ | $0$ | $-$ | $0$ | $+$ |
| $f(x)$ | ↗ | $2$ | ↘ | $-\frac{202}{27}$ | ↗ |

즉 함수 $f(x)$는 $x=-2$에서 극댓값 2를 가지므로

$a=-2$, $b=2$

$\therefore a+b=-2+2=0$

**03** $f(x)=-2x^3+3x^2+12x-5$에서

$f'(x)=-6x^2+6x+12$

$f'(x)=0$에서 $-6x^2+6x+12=0$

$-6(x+1)(x-2)=0$ $\therefore x=-1$ 또는 $x=2$

함수 $f(x)$의 증가와 감소를 표로 나타내면 다음과 같다.

| $x$ | $\cdots$ | $-1$ | $\cdots$ | $2$ | $\cdots$ |
|---|---|---|---|---|---|
| $f'(x)$ | $-$ | $0$ | $+$ | $0$ | $-$ |
| $f(x)$ | ↘ | $-12$ | ↗ | $15$ | ↘ |

즉 함수 $f(x)$는 $x=-1$에서 극솟값 $-12$, $x=2$에서 극댓값 15를 갖는다.

따라서 $\mathrm{A}(-1, -12)$, $\mathrm{B}(2, 15)$이므로

$a=\frac{-1+2}{2}=\frac{1}{2}$, $b=\frac{-12+15}{2}=\frac{3}{2}$

$\therefore a+b=\frac{1}{2}+\frac{3}{2}=2$

**04** $f(x)=2x^3-12x^2+ax-4$에서

$f'(x)=6x^2-24x+a$

이때 함수 $f(x)$가 $x=1$에서 극댓값을 가지므로

$f'(1)=6-24+a=0$ $\therefore a=18$

즉 $f(x)=2x^3-12x^2+18x-4$이므로

$M=f(1)=4$

$\therefore a+M=18+4=22$

**05** $g(x)=(x+2)f(x)$에서

$g'(x)=f(x)+(x+2)f'(x)$

이때 함수 $g(x)$가 $x=1$에서 극솟값 18을 가지므로

$g(1)=3f(1)=18$, $g'(1)=f(1)+3f'(1)=0$

두 식을 연립하여 풀면 $f(1)=6$, $f'(1)=-2$

즉 함수 $f(x)$의 그래프 위의 $x=1$인 점에서의 접선의 방정식은

$y=-2(x-1)+6$ $\therefore y=-2x+8$

따라서 이 접선의 $x$절편, $y$절편은 각각 4, 8이므로 이 접선과 $x$축, $y$축으로 둘러싸인 삼각형의 넓이는

$\frac{1}{2}\times4\times8=16$

**06** $f(x)=x^3+(k-1)x^2+(k-1)x+5$에서

$f'(x)=3x^2+2(k-1)x+k-1$

삼차함수 $y=f(x)$가 극값을 갖지 않으려면 이차방정식 $f'(x)=0$이 중근을 갖거나 실근을 갖지 않아야 한다.

즉 이차방정식 $3x^2+2(k-1)x+k-1=0$의 판별식을 $D$라 하면

$\frac{D}{4}=(k-1)^2-3(k-1)\le0$

$(k-1)(k-4)\le0$ $\therefore 1\le k\le4$

따라서 $a=1$, $b=4$이므로

$a+b=1+4=5$

함수 $f(x)$에 대하여 $f'(a)=0$을 만족시켜도 $x=a$의 좌우에서 $f'(x)$의 부호가 바뀌지 않으면 $f(a)$는 극값이 아니야.

**07** $x^3-3x-a=0$에서 $x^3-3x=a$

$f(x)=x^3-3x$라 하면 $f'(x)=3x^2-3$

$f'(x)=0$에서 $3x^2-3=0$

$3(x+1)(x-1)=0$ $\therefore x=-1$ 또는 $x=1$

함수 $f(x)$의 증가와 감소를 표로 나타내면 다음과 같다.

| $x$ | $\cdots$ | $-1$ | $\cdots$ | $1$ | $\cdots$ |
|---|---|---|---|---|---|
| $f'(x)$ | $+$ | 0 | $-$ | 0 | $+$ |
| $f(x)$ | ↗ | 2 | ↘ | $-2$ | ↗ |

즉 함수 $y=f(x)$의 그래프는 다음과 같다.

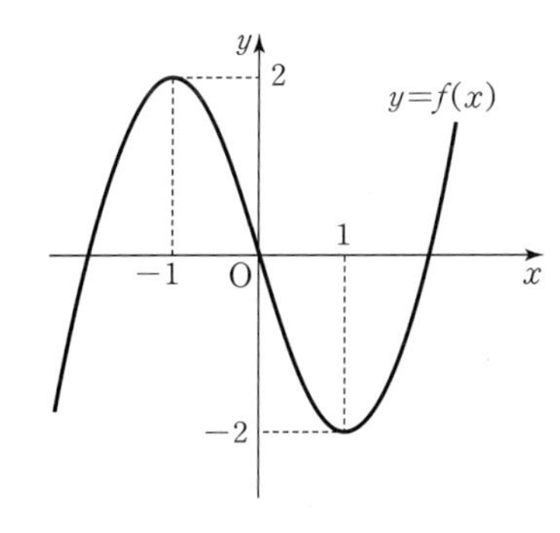

이때 방정식 $x^3-3x=a$가 서로 다른 세 실근을 가지려면 함수 $y=f(x)$의 그래프와 직선 $y=a$가 서로 다른 세 점에서 만나야 하므로 $-2<a<2$이다.

따라서 정수 $a$는 $-1$, $0$, $1$로 그 개수는 3이다.

**08** 조건 (가)에서 함수 $f(x)$의 그래프는 원점에 대하여 대칭이다. 즉 최고차항의 계수가 1인 삼차함수 $f(x)$는 $f(x)=x^3+bx$ ($b$는 상수)로 놓을 수 있다.

조건 (나)에서 곡선 $y=f(x)$와 직선 $y=16$이 서로 다른 두 점에서 만나므로 함수 $f(x)$의 극댓값 또는 극솟값이 16이어야 한다. 이때 $f'(x)=3x^2+b$이므로

$3x^2+b=0$에서 $x=\pm\sqrt{\frac{-b}{3}}$

$f\left(-\sqrt{\frac{-b}{3}}\right)=-\frac{2b}{3}\sqrt{\frac{-b}{3}}=16$

$\frac{-b}{3}\sqrt{\frac{-b}{3}}=8$

$\left(\sqrt{\frac{-b}{3}}\right)^3=2^3$

$\sqrt{\frac{-b}{3}}=2$, $\frac{-b}{3}=4$

$\therefore b=-12$

따라서 $f(x)=x^3-12x$에서

$f(-2)=-8+24=16$

**오답 피하기**

최고차항의 계수가 1인 삼차함수 $f(x)$를

$f(x)=x^3+ax^2+bx+c$ ($a$, $b$, $c$는 상수)

라 하면 모든 실수 $x$에 대하여 $f(-x)=-f(x)$이므로

$f(-x)+f(x)=0$이다. 즉

$f(-x)+f(x)$

$=-x^3+ax^2-bx+c+(x^3+ax^2+bx+c)$

$=2ax^2+2c=0$

이므로 $a=0$, $c=0$

따라서 함수 $f(x)$는 $f(x)=x^3+bx$ ($b$는 상수)로 놓을 수 있다.

**09** $h(x)=f(x)-g(x)$라 하면

$h(x)=x^3-x^2-x+3-(-x^2+2x+k)$

$=x^3-3x+3-k$

이므로 $h'(x)=3x^2-3$

$h'(x)=0$에서 $3x^2-3=0$

$3(x-1)(x+1)=0$ $\therefore x=-1$ 또는 $x=1$

함수 $h(x)$의 증가와 감소를 표로 나타내면 다음과 같다.

| $x$ | 0 | $\cdots$ | 1 | $\cdots$ | 3 |
|---|---|---|---|---|---|
| $h'(x)$ | | $-$ | 0 | $+$ | |
| $h(x)$ | $3-k$ | ↘ | $1-k$ | ↗ | $21-k$ |

즉 $0\le x\le 3$에서 함수 $h(x)$는 $x=1$일 때 극소이면서 최소이므로 최솟값 $1-k$를 갖는다.

이때 $0\le x\le 3$에서 $f(x)\ge g(x)$이려면 $h(x)\ge 0$이어야 하므로 $h(1)=1-k\ge 0$ $\therefore k\le 1$

따라서 실수 $k$의 최댓값은 1이다.

어떤 구간에서 부등식 $f(x)\ge g(x)$가 성립하는 것을 증명할 때는 $h(x)=f(x)-g(x)$로 놓고 그 구간에서 (함수 $h(x)$의 최솟값)$\ge 0$ 임을 보이면 돼.

**10** 점 P의 시각 $t$에서의 속도 $v$는

$v=\frac{dx}{dt}=3t^2+2at+b$

점 P의 시각 $t$에서의 가속도 $a$는

$a=\frac{dv}{dt}=6t+2a$

시각 $t=1$에서 점 P가 운동 방향을 바꾸므로

$3+2a+b=0$ ······㉠

시각 $t=2$에서의 점 P의 가속도는 0이므로

$12+2a=0$ ······㉡

㉠, ㉡을 연립하여 풀면 $a=-6,\ b=9$

$\therefore a+b=-6+9=3$

## 누구나 합격 전략 26~27쪽

| | | | | |
|---|---|---|---|---|
| 01 ③ | 02 ① | 03 ① | 04 ② | 05 ④ |
| 06 ③ | 07 20 | 08 3 | 09 ④ | 10 ② |

**01** $f(x)=x^3+2x-1$이라 하면 $f'(x)=3x^2+2$

이때 곡선 $y=f(x)$ 위의 점 $(1,\ 2)$에서의 접선이 직선 $y=mx$와 서로 평행하므로

$m=f'(1)=3+2=5$

**02** $f(x)=2x^3+3x-5$라 하면 $f'(x)=6x^2+3$이므로

$f'(1)=6+3=9$

즉 점 $(1,\ 0)$에서의 접선의 방정식은

$y=9(x-1)$ $\therefore y=9x-9$

따라서 이 접선이 점 $(0,\ a)$를 지나므로

$a=-9$

**03** $f(x)=x^3+3x^2-6$이라 하면

$f'(x)=3x^2+6x$

즉 점 $\mathrm{A}(1,\ f(1))$에서의 접선의 기울기는

$f'(1)=3+6=9$

이때 점 B의 $x$좌표를 $a$라 하면 두 점 A, B에서의 접선이 서로 평행하므로

$f'(a)=3a^2+6a=9$

$3a^2+6a-9=0,\ 3(a+3)(a-1)=0$

$\therefore a=-3\ (\because a\neq1)$

**04** 함수 $f(x)=\begin{cases}-x+3 & (x<2)\\ x-1 & (x\geq2)\end{cases}$의 그래프는 다음과 같다.

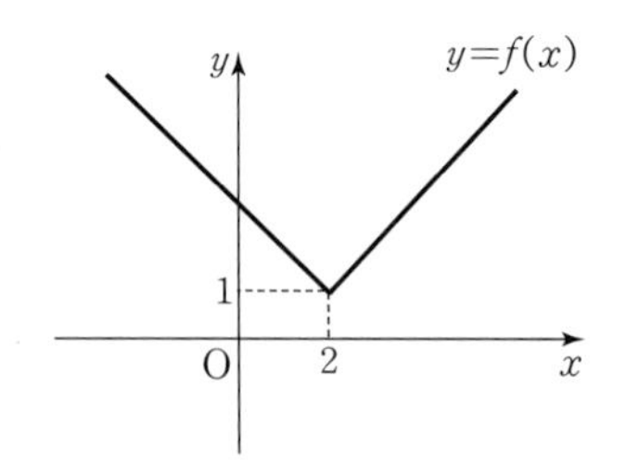


따라서 함수 $f(x)$는 $x=2$에서 극솟값 1을 갖는다.

함수 $f(x)$가 2를 포함하는 어떤 열린구간에 속하는 모든 $x$에서 $f(x)\geq f(2)$이므로 극솟값 $f(2)$를 갖는다는 것을 알 수 있어.

**05** $f(x)=x^3+3x^2-2$에서 $f'(x)=3x^2+6x$

$f'(x)=0$에서 $3x^2+6x=0$

$3x(x+2)=0$ $\therefore x=-2$ 또는 $x=0$

함수 $f(x)$의 증가와 감소를 표로 나타내면 다음과 같다.

| $x$ | $\cdots$ | $-2$ | $\cdots$ | $0$ | $\cdots$ |
|---|---|---|---|---|---|
| $f'(x)$ | $+$ | $0$ | $-$ | $0$ | $+$ |
| $f(x)$ | ↗ | $2$ | ↘ | $-2$ | ↗ |

즉 함수 $f(x)$는 $x=-2$에서 극댓값 2, $x=0$에서 극솟값 $-2$를 갖는다.

따라서 $M=2,\ m=-2$이므로

$M-m=2-(-2)=4$

**06** $f(x)=x^3+ax^2+bx$에서 $f'(x)=3x^2+2ax+b$

이때 함수 $f(x)$가 $x=3$에서 극값 0을 가지므로

$f(3)=27+9a+3b=0$

$f'(3)=27+6a+b=0$

두 식을 연립하여 풀면 $a=-6$, $b=9$

$\therefore a+b=-6+9=3$

**07** $f(x)=x^3-3x^2+4$에서 $f'(x)=3x^2-6x$

$f'(x)=0$에서 $3x^2-6x=0$

$3x(x-2)=0$ $\therefore x=0$ 또는 $x=2$

함수 $f(x)$의 증가와 감소를 표로 나타내면 다음과 같다.

| $x$ | 1 | $\cdots$ | 2 | $\cdots$ | 4 |
|---|---|---|---|---|---|
| $f'(x)$ | | $-$ | 0 | $+$ | |
| $f(x)$ | 2 | ↘ | 0 | ↗ | 20 |

즉 $1\le x\le 4$에서 함수 $f(x)$는 $x=2$일 때 극소이면서 최소이므로 최솟값 0, $x=4$일 때 최댓값 20을 갖는다.

따라서 화면에 나타나는 값은 $20+0=20$이다.

**08** $f(x)=x^3+3x^2-1$이라 하면 $f'(x)=3x^2+6x$

$f'(x)=0$에서 $3x^2+6x=0$

$3x(x+2)=0$ $\therefore x=-2$ 또는 $x=0$

함수 $f(x)$의 증가와 감소를 표로 나타내면 다음과 같다.

| $x$ | $\cdots$ | $-2$ | $\cdots$ | 0 | $\cdots$ |
|---|---|---|---|---|---|
| $f'(x)$ | $+$ | 0 | $-$ | 0 | $+$ |
| $f(x)$ | ↗ | 3 | ↘ | $-1$ | ↗ |

즉 함수 $y=f(x)$의 그래프는 다음과 같다.

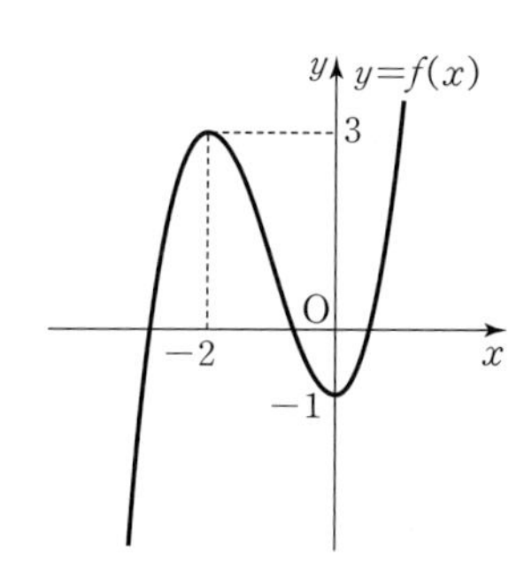


따라서 함수 $y=f(x)$의 그래프는 $x$축과 서로 다른 세 점에서 만나므로 방정식 $x^3+3x^2-1=0$의 서로 다른 실근의 개수는 3이다.

**09** 점 P의 시각 $t$에서의 속도 $v$는

$v=\frac{dx}{dt}=3t^2-2t$

따라서 시각 $t=2$에서의 점 P의 속도는

$v=12-4=8$

**10** 점 P의 시각 $t$에서의 가속도 $a$는

$a=\frac{dv}{dt}=-2t+10$

따라서 $-2k+10=0$이므로 $k=5$

## 창의·융합·코딩 전략 ①

28~29쪽

1 ③ 2 ⑤ 3 ③ 4 ②

**1** 점 P는 원점이고, 점 Q는 이차함수 $f(x)=-x^2+2x$의 그래프와 $x$축의 교점이므로 P(0, 0), Q(2, 0)

$f(x)=-x^2+2x$에서 $f'(x)=-2x+2$

$f'(0)=2$이므로 점 P(0, 0)에서의 접선의 방정식은

$y=2(x-0)+0 \quad \therefore y=2x$

$f'(2)=-2$이므로 점 Q(2, 0)에서의 접선의 방정식은

$y=-2(x-2)+0 \quad \therefore y=-2x+4$

이때 두 접선의 교점의 $x$좌표를 구하면

$2x=-2x+4$에서 $x=1$

$\therefore$ R(1, 2)

따라서 삼각형 PQR의 무게중심의 좌표 $(a, b)$는

$\left(\frac{0+2+1}{3}, \frac{2}{3}\right)=\left(1, \frac{2}{3}\right)$이므로 $a=1$, $b=\frac{2}{3}$

$\therefore a+b=1+\frac{2}{3}=\frac{5}{3}$

**2** $f(x)=x^2(3-x)=-x^3+3x^2$이라 하면

$f'(x)=-3x^2+6x$

즉 $f(a)=-a^3+3a^2$, $f'(a)=-3a^2+6a$이므로

점 P$(a, b)$에서 접선의 방정식은

$y=(-3a^2+6a)(x-a)-a^3+3a^2$

이때 원점에서 레이저 빔을 감지했으므로 이 접선은 원점을 지난다.

$0=3a^3-6a^2-a^3+3a^2$, $a^2(2a-3)=0$

$\therefore a=\frac{3}{2}$ ($\because a>0$)

따라서 $b=f\left(\frac{3}{2}\right)=\frac{27}{8}$이므로 점 P$\left(\frac{3}{2}, \frac{27}{8}\right)$에 대하여

직선 OP의 기울기는

$$\frac{\frac{27}{8}-0}{\frac{3}{2}-0}=\frac{9}{4}$$

**3** 두 지점 A, B의 높이의 차는 8이고, $\angle ACB=90°$이므로

$\overline{AC}=8$

삼각형 ABC에서

$\overline{BC}=\sqrt{\overline{AB}^2-\overline{AC}^2}=\sqrt{10^2-8^2}=6$

이므로 A$(a, f(a))$, B$(b, f(b))$라 하면

$b-a=6$ ······㉠

또 직각삼각형의 외심은 빗변의 중점이므로 $\overline{AB}$의 중점의 $x$좌표는 5이다.

즉 $\frac{a+b}{2}=5$이므로 $a+b=10$ ······㉡

㉠, ㉡을 연립하여 풀면 $a=2$, $b=8$

이때 함수 $f(x)$는 $x=2$에서 극대, $x=8$에서 극소이므로

$f'(2)=f'(8)=0$

따라서 방정식 $f'(x)=0$의 두 실근의 곱은

$2\times8=16$

**LECTURE** 외심

직각삼각형의 외심은 빗변의 중점에 위치한다.

**4** 잘라 낸 정사각형의 한 변의 길이를 $x$ cm $(0<x<3)$, 물통의 부피를 $V(x)$ cm$^3$라 하면

$V(x)=x(6-2x)(12-2x)$

이때 $V'(x)=12(x^2-6x+6)$이므로

$V'(x)=0$에서 $12(x^2-6x+6)=0$

$\therefore x=3-\sqrt{3}$ ($\because 0<x<3$)

함수 $V(x)$의 증가와 감소를 표로 나타내면 다음과 같다.

| $x$ | 0 | $\cdots$ | $3-\sqrt{3}$ | $\cdots$ | 3 |
|---|---|---|---|---|---|
| $V'(x)$ | | + | 0 | − | |
| $V(x)$ | 0 | ↗ | $24\sqrt{3}$ | ↘ | 0 |

즉 $0<x<3$에서 함수 $V(x)$는 $x=3-\sqrt{3}$일 때 극대이면서 최대이므로 최댓값을 갖는다.

따라서 $a=3$, $b=-1$이므로

$a+b=3+(-1)=2$

## 창의·융합·코딩 전략 ②

30~31쪽

5 ②　　6 ①　　7 우민, 나희　　8 ⑤

**5** 시각 $t$에서의 사면체 R−PBQ의 부피를 $V(t)$라 하면 $V(t)$는 밑면이 삼각형 PBQ이고, 높이가 $\overline{AR}$인 삼각뿔의 부피와 같으므로

$$V(t)=\frac{1}{3}\times\left(\frac{1}{2}\times\overline{BP}\times\overline{BQ}\right)\times\overline{AR}$$
$$=\frac{1}{3}\times\left\{\frac{1}{2}\times(10-t)\times t\right\}\times t$$
$$=\frac{1}{6}(-t^3+10t^2)$$

이때 $V'(t)=-\frac{1}{6}(3t^2-20t)$이므로

$V'(t)=0$에서 $-\frac{1}{6}(3t^2-20t)=0$

$-\frac{1}{6}t(3t-20)=0$　　$\therefore t=\frac{20}{3}$ ($\because 0<t<10$)

함수 $V(t)$의 증가와 감소를 표로 나타내면 다음과 같다.

| $t$ | 0 | $\cdots$ | $\frac{20}{3}$ | $\cdots$ | 10 |
|---|---|---|---|---|---|
| $V'(t)$ | | + | 0 | − | |
| $V(t)$ | 0 | ↗ | $\frac{2000}{81}$ | ↘ | 0 |

즉 $0<t<10$에서 함수 $V(t)$는 $t=\frac{20}{3}$일 때 극대이면서 최대이므로 최댓값을 갖는다.

따라서 사면체 R−PBQ의 부피가 최대일 때, 시각 $t$의 값은 $\frac{20}{3}$이다.

**6** 점 P의 시각 $t$에서의 속도 $v$는

$$v=\frac{dx}{dt}=2t-4$$

점 P와 원점 사이의 거리가 최소인 순간은 점 P의 속도가 0일 때이므로

$2t-4=0$에서 $t=2$

따라서 시각 $t=2$에서의 점 P의 위치는 $4-8+27=23$이므로 점 P와 원점 사이의 거리는 23이다.

**7** '가' 지점에서 '나' 지점까지의 거리를 $l$, 세 자동차 A, B, C의 속도를 각각 $v=f(t)$, $v=g(t)$, $v=h(t)$라 하자.

우민: A, C가 도착할 때까지 걸린 시간이 각각 40이므로

$$(\text{A의 평균속도})=\frac{l}{40}=(\text{C의 평균속도})$$

나희: 가속도가 0이면 $g'(t)=0$, $h'(t)=0$이므로 그래프에서 극값을 갖는 경우이다. 따라서 B는 한 번, C는 세 번 존재한다.

병재: A의 속도는 출발 후 도착할 때까지 항상 0보다 크므로 멈춘 순간은 없다.

따라서 옳은 판단을 하고 있는 학생은 우민, 나희이다.

**8** 공이 경사면과 처음으로 충돌하는 순간의 공의 위치는 다음과 같다.

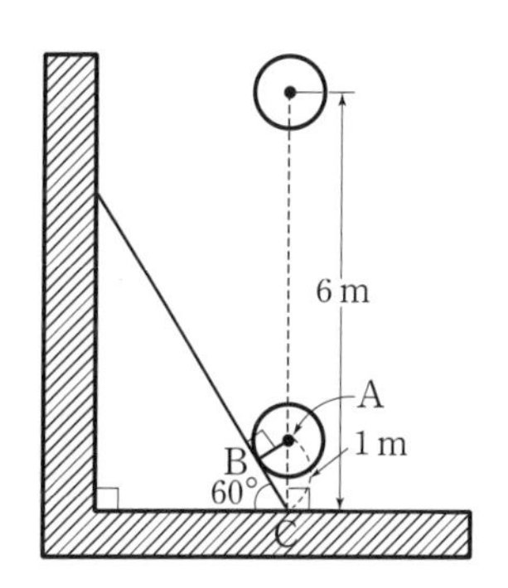


이때 $\overline{AB}=0.5$ m이고, $\angle ACB=30°$이므로

삼각형 ABC에서 $\overline{AC}=1$ m

즉 $h(t)=6-5t^2=1$인 시각 $t$에서 공이 경사면과 처음으로 충돌하므로

$5t^2=5$에서 $t^2=1$　　$\therefore t=1$ ($\because t>0$)

따라서 $h'(t)=-10t$이므로 시각 $t=1$에서의 공의 속도는

$h'(1)=-10$ (m/s)　　$\therefore a=-10$

수학 II (후편)

WEEK 2

# 적분

## DAY 1 개념 돌파 전략 ②

38~39쪽

| 1 ⑤ | 2 ② | 3 ① | 4 ③ | 5 ② | 6 ⑤ |
|---|---|---|---|---|---|

**1** $f'(x)=\frac{d}{dx}f(x)=\frac{d}{dx}\int(2x^2-3)dx=2x^2-3$

$\therefore f'(2)=5$

**2** $f(x)=\frac{d}{dx}\int f(x)dx=\frac{d}{dx}(-2x^3+C)=-6x^2$

**3** $f(x)=\int f'(x)dx$

$=\int(3x^2-4x-2)dx$

$=x^3-2x^2-2x+C$

이때 $f(0)=1$이므로

$C=1$

따라서 $f(x)=x^3-2x^2-2x+1$이므로

$f(1)=-2$

**4** $\int_0^2(3x^2-1)dx=\left[x^3-x\right]_0^2=6$

**5** 곡선 $y=-3x^2+6x$와 $x$축의 교점의 $x$좌표를 구하면

$-3x^2+6x=0$에서 $-3x(x-2)=0$

$\therefore x=0$ 또는 $x=2$

따라서 구하는 넓이는

$\int_0^2(-3x^2+6x)dx=\left[-x^3+3x^2\right]_0^2=4$

**6** 시각 $t=3$에서 점 P의 위치 $x$는

$x=0+\int_0^3 v(t)dt$

$=0+\int_0^3(3t^2-2t+1)dt$

$=\left[t^3-t^2+t\right]_0^3=21$

## DAY 2 필수 체크 전략 ①

40~43쪽

| 1-1 ④ | 1-2 $-2$ | 2-1 ④ | 2-2 ③ |
|---|---|---|---|
| 3-1 ④ | 3-2 1 | 4-1 ⑤ | 4-2 ⑤ |
| 5-1 ② | 5-2 ② | 6-1 ⑤ | 6-2 ① |
| 7-1 ④ | 7-2 ③ | 8-1 6 | 8-2 8 |

**1-1** $f(x)=\int(3x^2+2x-1)dx=x^3+x^2-x+C$

이때 $f(0)=3$이므로

$C=3$

따라서 $f(x)=x^3+x^2-x+3$이므로

$f(1)=4$

**1-2** $f(x)=\int(4x^3+ax-5)dx=x^4+\frac{a}{2}x^2-5x+C$

이때 $f(0)=2$이므로 $C=2$

또 $f(1)=-3$이므로

$f(1)=1+\frac{a}{2}-5+C$

$=\frac{a}{2}-2=-3$

$\frac{a}{2}=-1 \qquad \therefore a=-2$

**2-1** $f(x)=\int f'(x)dx=\int(x^2-3)dx=\frac{1}{3}x^3-3x+C$

이때 $f(3)=-2$이므로

$C=-2$

따라서 $f(x)=\frac{1}{3}x^3-3x-2$이므로

$f(-3)=-2$

**2-2** $f(x)=\int f'(x)dx=\int(4x+2)dx=2x^2+2x+C$

이때 $f(0)=3$이므로

$C=3$

따라서 $f(x)=2x^2+2x+3$이므로

$f(1)=7$

**3-1** $f'(x)=3x^2-12x=3x(x-4)$

$f'(x)=0$에서 $x=0$ 또는 $x=4$

함수 $f(x)$의 증가와 감소를 표로 나타내면 다음과 같다.

| $x$ | $\cdots$ | 0 | $\cdots$ | 4 | $\cdots$ |
|---|---|---|---|---|---|
| $f'(x)$ | + | 0 | − | 0 | + |
| $f(x)$ | ↗ | 극대 | ↘ | 극소 | ↗ |

즉 함수 $f(x)$는 $x=0$에서 극댓값, $x=4$에서 극솟값을 갖는다.

이때 $f(x)=\int(3x^2-12x)dx=x^3-6x^2+C$이고

극댓값이 5이므로

$f(0)=C=5$

따라서 $f(x)=x^3-6x^2+5$이므로

함수 $f(x)$의 극솟값은 $f(4)=-27$

**3-2** $f(x)=\int 6(x-1)(x-2)dx$에서

$f'(x)=6(x-1)(x-2)$

$f'(x)=0$에서 $x=1$ 또는 $x=2$

함수 $f(x)$의 증가와 감소를 표로 나타내면 다음과 같다.

| $x$ | $\cdots$ | 1 | $\cdots$ | 2 | $\cdots$ |
|---|---|---|---|---|---|
| $f'(x)$ | + | 0 | − | 0 | + |
| $f(x)$ | ↗ | 극대 | ↘ | 극소 | ↗ |

즉 함수 $f(x)$는 $x=1$에서 극댓값, $x=2$에서 극솟값을 갖는다.

이때

$$f(x)=\int 6(x-1)(x-2)dx$$
$$=\int(6x^2-18x+12)dx$$
$$=2x^3-9x^2+12x+C$$

이고 극댓값이 2이므로

$f(1)=5+C=2$ $\quad\therefore C=-3$

따라서 $f(x)=2x^3-9x^2+12x-3$이므로

함수 $f(x)$의 극솟값은 $f(2)=1$

**4-1** $\int_1^3 x(x-2)dx=\int_1^3(x^2-2x)dx$

$$=\left[\frac{1}{3}x^3-x^2\right]_1^3=\frac{2}{3}$$

**4-2** $\int_0^1(3x^2-2x+5)dx=\left[x^3-x^2+5x\right]_0^1=5$

**5-1** $\int_0^2(2x^2+5)dx-2\int_0^2(x^2+x)dx$

$$=\int_0^2\{(2x^2+5)-2(x^2+x)\}dx$$
$$=\int_0^2(-2x+5)dx$$
$$=\left[-x^2+5x\right]_0^2=6$$

**5-2** $\int_0^3\frac{x^3}{x+2}dx+\int_0^3\frac{8}{x+2}dx$

$$=\int_0^3\frac{x^3+8}{x+2}dx$$
$$=\int_0^3\frac{(x+2)(x^2-2x+4)}{x+2}dx$$
$$=\int_0^3(x^2-2x+4)dx$$
$$=\left[\frac{1}{3}x^3-x^2+4x\right]_0^3=12$$

**6-1** $\int_{-2}^0(3x^2-1)dx+\int_0^2(3x^2-1)dx$

$$=\int_{-2}^2(3x^2-1)dx$$
$$=\left[x^3-x\right]_{-2}^2=12$$

**6-2** $\int_{-2}^3(2x-3)dx+\int_3^4(2x-3)dx-\int_2^4(2x-3)dx$

$$=\int_{-2}^4(2x-3)dx-\int_2^4(2x-3)dx$$
$$=\int_{-2}^4(2x-3)dx+\int_4^2(2x-3)dx$$
$$=\int_{-2}^2(2x-3)dx=2\int_0^2(-3)dx$$
$$=2\left[-3x\right]_0^2=-12$$

**7-1** $\int_0^3 |x-1|dx=\int_0^1(-x+1)dx+\int_1^3(x-1)dx$

$=\left[-\frac{x^2}{2}+x\right]_0^1+\left[\frac{x^2}{2}-x\right]_1^3$

$=\frac{1}{2}+2=\frac{5}{2}$

**7-2** $\int_0^2 |x^2(x-1)|dx$

$=\int_0^1\{-x^2(x-1)\}dx+\int_1^2 x^2(x-1)dx$

$=\int_0^1(-x^3+x^2)dx+\int_1^2(x^3-x^2)dx$

$=\left[-\frac{1}{4}x^4+\frac{1}{3}x^3\right]_0^1+\left[\frac{1}{4}x^4-\frac{1}{3}x^3\right]_1^2$

$=\frac{1}{12}+\frac{17}{12}=\frac{3}{2}$

**8-1** $-1\le x\le 1$에서 $f(x)=-x^2+1$이므로 함수 $f(x)$는 $y$축에 대하여 대칭이다. 이때 모든 실수 $x$에 대하여 $f(x+2)=f(x)$이므로 주기가 2이다.

$\therefore \int_0^9 f(x)dx=9\int_0^1 f(x)dx$

$=9\int_0^1(-x^2+1)dx$

$=9\left[-\frac{1}{3}x^3+x\right]_0^1=6$

**8-2** 조건 ㈎에서 모든 실수 $x$에 대하여 $f(x+4)=f(x)$

조건 ㈏에서

$\int_{-2}^2 f(x)dx=\int_2^6 f(x)dx=\int_6^{10} f(x)dx=3$

$\int_2^4 f(x)dx=\int_{-2}^0 f(x)dx=1$

$\therefore \int_0^{10} f(x)dx=\int_{-2}^{10} f(x)dx-\int_{-2}^0 f(x)dx$

$=3\int_{-2}^2 f(x)dx-\int_{-2}^0 f(x)dx$

$=3\times 3-1=8$

**오답 피하기**

$\int_{-2}^{10} f(x)dx=\int_{-2}^2 f(x)dx+\int_2^6 f(x)dx+\int_6^{10} f(x)dx$

$=\int_{-2}^2 f(x)dx+\int_{-2}^2 f(x)dx+\int_{-2}^2 f(x)dx$

$=3\int_{-2}^2 f(x)dx=3\times 3=9$

## DAY 2 필수 체크 전략 ②

44~45쪽

| | | | | |
|---|---|---|---|---|
| 01 ⑤ | 02 ④ | 03 ① | 04 ② | 05 ② |
| 06 ③ | 07 ③ | 08 ⑤ | 09 9 | 10 ⑤ |

**01** $\int_{-1}^2(3x^2-2x+2)dx=\left[x^3-x^2+2x\right]_{-1}^2=12$

**02** $f(x)=\int f'(x)dx$

$=\int(x^3+4x)dx$

$=\frac{1}{4}x^4+2x^2+C$

이때 $f(0)=3$이므로

$C=3$

따라서 $f(x)=\frac{1}{4}x^4+2x^2+3$이므로

$f(2)=15$

**03** $\int_0^2 f(x)dx=\int_0^1 x^2dx+\int_1^2(-3x^2+4x)dx$

$=\left[\frac{1}{3}x^3\right]_0^1+\left[-x^3+2x^2\right]_1^2$

$=\frac{1}{3}+(-1)=-\frac{2}{3}$

**04** $\int_{-a}^a(2x+3)dx=\int_{-a}^a 2x\,dx+\int_{-a}^a 3\,dx$

$=0+2\int_0^a 3\,dx$

$=2\left[3x\right]_0^a=6a=6$

$\therefore a=1$

**05** $\int_0^1 f(x)dx=\int_0^1(3x^2+2ax)dx$

$=\left[x^3+ax^2\right]_0^1=1+a$

이때 $f(1)=3+2a$이므로

$\int_0^1 f(x)dx=f(1)$에서 $1+a=3+2a$

$\therefore a=-2$

**06** $\lim_{h\to0}\frac{f(2+h)-f(2-h)}{h}$

$=\lim_{h\to0}\frac{f(2+h)-f(2)-\{f(2-h)-f(2)\}}{h}$

$=\lim_{h\to0}\frac{f(2+h)-f(2)}{h}+\lim_{h\to0}\frac{f(2-h)-f(2)}{-h}$

$=2f'(2)$

이때 $f(x)=\int(x^2+2x)dx$에서

$f'(x)=\frac{d}{dx}\int(x^2+2x)dx=x^2+2x$

따라서 $f'(2)=8$이므로

$\lim_{h\to0}\frac{f(2+h)-f(2-h)}{h}=2f'(2)=2\times8=16$

**07** 이차방정식 $x^2-2x-1=0$의 서로 다른 두 실근이 $\alpha$, $\beta$이므로 이차방정식의 근과 계수의 관계에 의하여

$\alpha+\beta=2,\ \alpha\beta=-1$ ……㉠

한편,

$\int_\alpha^\beta(2x-1)dx=\left[x^2-x\right]_\alpha^\beta$

$=(\beta^2-\beta)-(\alpha^2-\alpha)$

$=(\beta^2-\alpha^2)-(\beta-\alpha)$

$=(\beta-\alpha)(\beta+\alpha-1)$

$=\beta-\alpha$ ($\because$ ㉠)

이때 $(\beta-\alpha)^2=(\beta+\alpha)^2-4\alpha\beta=2^2+4=8$

이므로

$\int_\alpha^\beta(2x-1)dx=\beta-\alpha=\sqrt{8}=2\sqrt{2}$ ($\because\ \alpha<\beta$)

**08** $f'(x)=3x^2$이므로

$f(x)=\int f'(x)dx=\int 3x^2dx=x^3+C$

이때 이 곡선이 점 $(-1,\ 3)$을 지나므로

$f(-1)=3$

즉 $-1+C=3$이므로 $C=4$

따라서 $f(x)=x^3+4$이므로

$\int_0^2(x^3+4)dx=\left[\frac{1}{4}x^4+4x\right]_0^2=12$

**09** $f(x)=4x^3-12x^2+k$이므로

$\int_0^3 f(x)dx=\int_0^3(4x^3-12x^2+k)dx$

$=\left[x^4-4x^3+kx\right]_0^3=-27+3k=0$

$\therefore k=9$

**10** ㄱ. $f(7)=f(4)=f(1)=f(-2)=f(-5)$이므로

$f(7)-f(-5)=0$

ㄴ. 모든 실수 $x$에 대하여 $f(x+3)=f(x)$이므로

$\int_{-4}^{-1}f(x)dx=\int_{-1}^{2}f(x)dx=\int_2^5 f(x)dx$

ㄷ. 모든 실수 $x$에 대하여 $f(x+3)=f(x)$이므로

$\int_2^8 f(x)dx=\int_5^{11}f(x)dx$

$=\int_{11}^{17}f(x)dx=\int_{17}^{23}f(x)dx$

$\therefore \int_{11}^{23}f(x)dx=\int_{11}^{17}f(x)dx+\int_{17}^{23}f(x)dx$

$=2\int_2^8 f(x)dx=2a$

따라서 옳은 것은 ㄱ, ㄴ, ㄷ이다.

## DAY 3 필수 체크 전략 ①

46~49쪽

| | | | |
|---|---|---|---|
| **1-1** 15 | **1-2** ③ | **2-1** ④ | **2-2** 107 |
| **3-1** 16 | **3-2** 12 | **4-1** 17 | **4-2** ① |
| **5-1** ③ | **5-2** ② | **6-1** ⑤ | **6-2** 4 |
| **7-1** 10 | **7-2** ② | **8-1** ① | **8-2** 3 |

**1-1** $f(3)=\int_0^3(4t-1)dt=\left[2t^2-t\right]_0^3=15$

**1-2** $f(0)=\int_0^0(2t+a)dt=0$

$f(2)=\int_0^2(2t+a)dt$

$=\left[t^2+at\right]_0^2=4+2a$

이때 두 점 $A(0,\ f(0))$, $B(2,\ f(2))$를 지나는 직선의 기울기가 2이므로

$$\frac{f(2)-f(0)}{2-0}=\frac{4+2a}{2}=2+a=2$$

$\therefore a=0$

**2-1** $f(x)=\int_0^x (2t^3-t)dt$의 양변을 $x$에 대하여 미분하면

$f'(x)=2x^3-x$

$\therefore f'(2)=14$

**2-2** $f(x)=\int_0^x (t^2+7)dt$의 양변을 $x$에 대하여 미분하면

$f'(x)=x^2+7$

$\therefore f'(10)=107$

**3-1** $\int_1^1 f(t)dt=1-2a+a=1-a=0$이므로

$a=1$

$\int_1^x f(t)dt=x^3-2x^2+x$의 양변을 $x$에 대하여 미분하면

$f(x)=3x^2-4x+1$

$\therefore f(3)=16$

**3-2** $\int_a^a f(t)dt=a^3-8=0$이므로

$(a-2)(a^2+2a+4)=0 \qquad \therefore a=2$

$\int_2^x f(t)dt=x^3-8$의 양변을 $x$에 대하여 미분하면

$f(x)=3x^2$

$\therefore f(a)=f(2)=12$

**4-1** $f(x)=\int_0^x (3t^2+5)dt$의 양변을 $x$에 대하여 미분하면

$f'(x)=3x^2+5$

$\therefore \lim_{x \to 2}\frac{f(x)-f(2)}{x-2}=f'(2)=17$

**4-2** $f(t)=3t^2-2t-1$, $F'(t)=f(t)$로 놓으면

$$\lim_{x \to 1}\frac{1}{x-1}\int_1^x (3t^2-2t-1)dt$$

$$=\lim_{x \to 1}\frac{1}{x-1}\int_1^x f(t)dt$$

$$=\lim_{x \to 1}\frac{F(x)-F(1)}{x-1}$$

$$=F'(1)=f(1)=0$$

**5-1** $\int_0^3 f(t)dt=a \qquad \cdots\cdots ㉠$

로 놓으면 $f(x)=3x^2-2x+a$

이를 ㉠에 대입하면

$\int_0^3 (3t^2-2t+a)dt=\left[t^3-t^2+at\right]_0^3=18+3a=a$

이므로 $a=-9$

따라서 $f(x)=3x^2-2x-9$이므로

$f(3)=12$

**5-2** $\int_0^1 f(t)dt=1-2-\int_0^1 f(t)dt$이므로

$2\int_0^1 f(t)dt=-1 \qquad \therefore \int_0^1 f(t)dt=-\frac{1}{2}$

즉 $\int_0^x f(t)dt=x^3-2x^2+\frac{1}{2}x$의 양변을 $x$에 대하여 미분하면 $f(x)=3x^2-4x+\frac{1}{2}$

$\therefore 2f(1)=2\times\left(3-4+\frac{1}{2}\right)=-1$

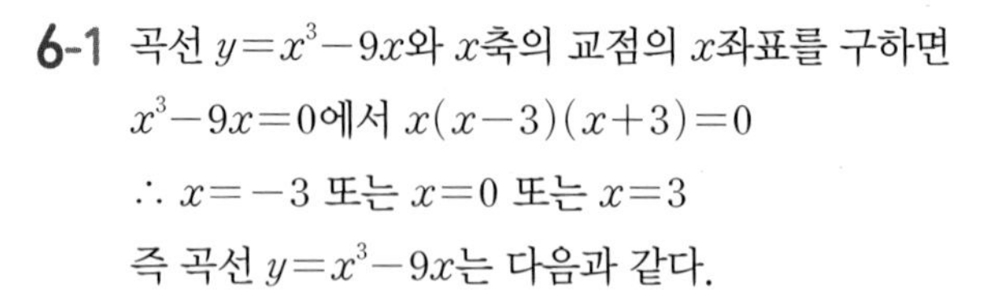

**6-1** 곡선 $y=x^3-9x$와 $x$축의 교점의 $x$좌표를 구하면

$x^3-9x=0$에서 $x(x-3)(x+3)=0$

$\therefore x=-3$ 또는 $x=0$ 또는 $x=3$

즉 곡선 $y=x^3-9x$는 다음과 같다.

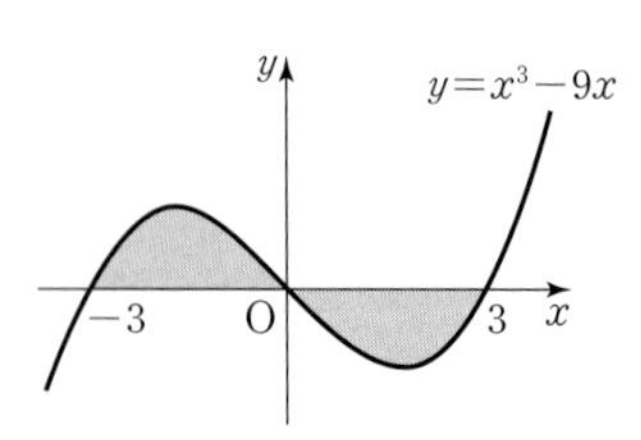


따라서 구하는 넓이는

$$\int_{-3}^3 |x^3-9x|dx=2\int_{-3}^0 (x^3-9x)dx$$

$$=2\left[\frac{1}{4}x^4-\frac{9}{2}x^2\right]_{-3}^0=\frac{81}{2}$$

**6-2** 곡선 $y=-2x^2+3x$와 직선 $y=x$의 교점의 $x$좌표를 구하면

$-2x^2+3x=x$에서 $-2x^2+2x=0$

$-2x(x-1)=0 \qquad \therefore x=0$ 또는 $x=1$

즉 곡선 $y=-2x^2+3x$와 직선 $y=x$는 다음과 같다.

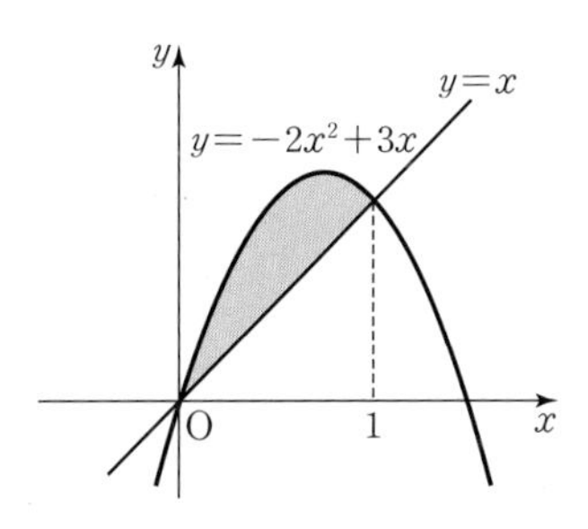


이때 구하는 넓이는

$$\int_0^1 \{(-2x^2+3x)-x\}dx=\int_0^1(-2x^2+2x)dx$$

$$=\left[-\frac{2}{3}x^3+x^2\right]_0^1=\frac{1}{3}$$

따라서 $p=3$, $q=1$이므로

$p+q=3+1=4$

**7-1** 점 P의 운동 방향이 바뀌는 시각에서의 속도는 0이므로

$v(t)=0$에서 $-3t^2+3t+6=0$

$-3(t+1)(t-2)=0 \qquad \therefore t=2\ (\because t\geq 0)$

따라서 점 P가 출발한 후 운동 방향이 바뀌는 시각은 $t=2$이므로 그때의 점 P의 위치는

$$0+\int_0^2 v(t)dt=\int_0^2(-3t^2+3t+6)dt$$

$$=\left[-t^3+\frac{3}{2}t^2+6t\right]_0^2=10$$

**7-2** 시각 $t=2$에서 점 P의 운동 방향이 바뀌었으므로

$v(2)=4-2a=0 \qquad \therefore a=2$

이때 점 P가 처음 출발한 지점에 다시 돌아오는 시각을 $k\ (k>0)$라 하면 그때의 위치의 변화량은 0이므로

$$\int_0^k v(t)dt=\int_0^k(4-2t)dt$$

$$=\left[4t-t^2\right]_0^k$$

$$=4k-k^2=0$$

$-k(k-4)=0 \qquad \therefore k=4$

**8-1** 시각 $t$에서의 점 P의 속도 $v(t)$는

$$v(t)=\frac{dx}{dt}=4t^3+3at^2$$

시각 $t=2$에서 점 P의 속도가 0이므로

$v(2)=32+12a=0 \qquad \therefore a=-\frac{8}{3}$

따라서 $v(t)=4t^3-8t^2$이므로

시각 $t=0$에서 $t=2$까지 점 P가 움직인 거리는

$$\int_0^2|v(t)|dt=\int_0^2|4t^3-8t^2|dt$$

$$=\int_0^2(8t^2-4t^3)dt$$

$$=\left[\frac{8}{3}t^3-t^4\right]_0^2=\frac{16}{3}$$

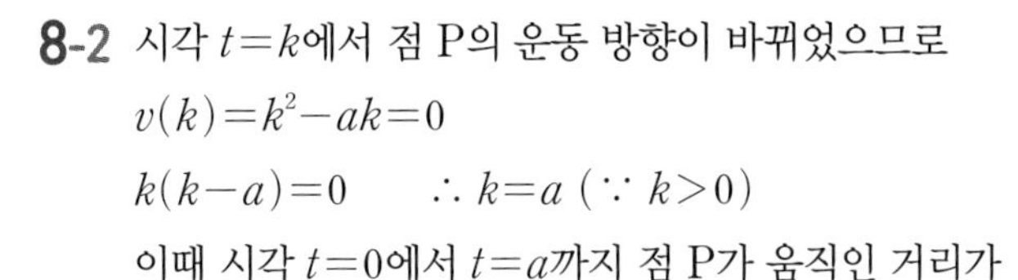

**8-2** 시각 $t=k$에서 점 P의 운동 방향이 바뀌었으므로

$v(k)=k^2-ak=0$

$k(k-a)=0 \qquad \therefore k=a\ (\because k>0)$

이때 시각 $t=0$에서 $t=a$까지 점 P가 움직인 거리가 $\frac{9}{2}$이므로

$$\int_0^a|v(t)|dt=\int_0^a|t^2-at|dt$$

$$=\int_0^a(-t^2+at)dt$$

$$=\left[-\frac{1}{3}t^3+\frac{a}{2}t^2\right]_0^a$$

$$=\frac{a^3}{6}=\frac{9}{2}$$

즉 $2a^3=54$이므로 $a^3=27$

$\therefore a=3$

DAY **3** 필수 체크 전략 ② | 50~51쪽

| | | | | |
|---|---|---|---|---|
| 01 ⑤ | 02 ④ | 03 ③ | 04 ⑤ | 05 ⑤ |
| 06 ④ | 07 45 | 08 35 | 09 ① | 10 ② |

**01** $f(2)=\int_0^2(-3t^2+4t+5)dt$

$=\left[-t^3+2t^2+5t\right]_0^2=10$

**02** $\int_1^x f(t)dt=3x^2-5x+2$의 양변을 $x$에 대하여 미분하면

$f(x)=6x-5$

$\therefore f(1)=1$

**03** $f(x)=\int_0^x(-2t+4)dt$의 양변을 $x$에 대하여 미분하면

$f'(x)=-2x+4$

$f'(x)=0$에서 $x=2$

함수 $f(x)$의 증가와 감소를 표로 나타내면 다음과 같다.

| $x$ | $\cdots$ | 2 | $\cdots$ |
|---|---|---|---|
| $f'(x)$ | + | 0 | − |
| $f(x)$ | ↗ | 극대 | ↘ |

즉 함수 $f(x)$는 $x=2$일 때 극대이면서 최대이다.

이때

$f(2)=\int_0^2(-2t+4)dt=\left[-t^2+4t\right]_0^2=4$

이므로 $a=2$, $M=4$

$\therefore a+M=2+4=6$

**04** $\int_1^1 f(t)dt=1+a-3+1=a-1=0$이므로

$a=1$

이때 $\int_1^x f(t)dt=x^3+x^2-3x+1$의 양변을 $x$에 대하여 미분하면

$f(x)=3x^2+2x-3$

$\therefore f(a)=f(1)=2$

**05** $\int_1^1\left\{\frac{d}{dt}f(t)\right\}dt=1+a-2=a-1=0$이므로

$a=1$

이때 $\int_1^x\left\{\frac{d}{dt}f(t)\right\}dt=\int_1^x f'(t)dt=x^3+x^2-2$의 양변을 $x$에 대하여 미분하면

$f'(x)=3x^2+2x$

$\therefore f'(a)=f'(1)=5$

**06** 곡선 $y=x^2-3x+2$와 직선 $y=2$의 교점의 $x$좌표를 구하면

$x^2-3x+2=2$에서 $x^2-3x=0$

$x(x-3)=0$ $\quad\therefore x=0$ 또는 $x=3$

즉 곡선 $y=x^2-3x+2$와 직선 $y=2$로 둘러싸인 부분은 다음과 같다.

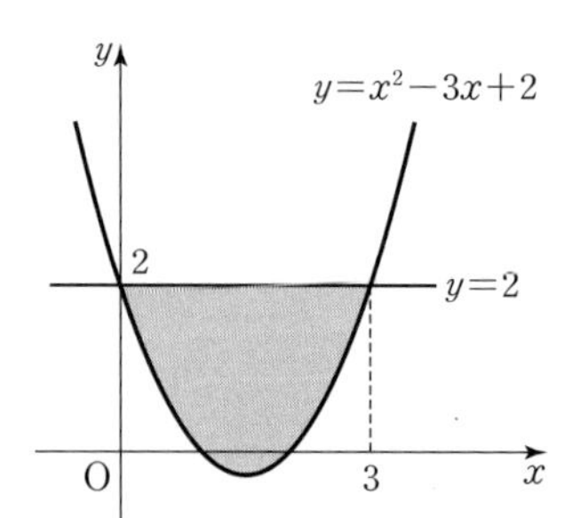


따라서 구하는 부분의 넓이는

$\int_0^3\{2-(x^2-3x+2)\}dx$

$=\int_0^3(-x^2+3x)dx$

$=\left[-\frac{1}{3}x^3+\frac{3}{2}x^2\right]_0^3=\frac{9}{2}$

**07** 곡선 $y=x^2-4x+5$와 직선 $y=-x+5$의 교점의 $x$좌표를 구하면 $x^2-4x+5=-x+5$에서 $x^2-3x=0$

$x(x-3)=0$ $\quad\therefore x=0$ 또는 $x=3$

즉 곡선 $y=x^2-4x+5$와 직선 $y=-x+5$로 둘러싸인 부분은 다음과 같다.

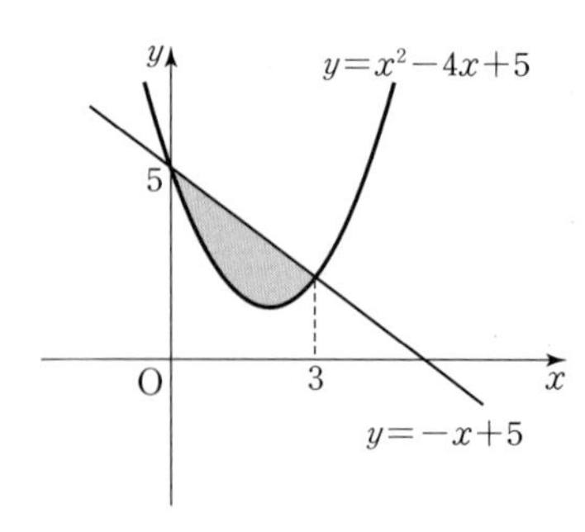


따라서 곡선 $y=x^2-4x+5$와 직선 $y=-x+5$로 둘러싸인 부분의 넓이 $S$는

$S=\int_0^3\{(-x+5)-(x^2-4x+5)\}dx$

$=\int_0^3(-x^2+3x)dx$

$=\left[-\frac{1}{3}x^3+\frac{3}{2}x^2\right]_0^3=\frac{9}{2}$

$\therefore 10S=10\times\frac{9}{2}=45$

**08** 두 곡선 $y=2x^2-4x$와 $y=x^2-2x+3$의 교점의 $x$좌표를 구하면 $2x^2-4x=x^2-2x+3$에서

$x^2-2x-3=0$

$(x+1)(x-3)=0 \qquad \therefore x=-1$ 또는 $x=3$

즉 두 곡선 $y=2x^2-4x$와 $y=x^2-2x+3$으로 둘러싸인 부분은 다음과 같다.

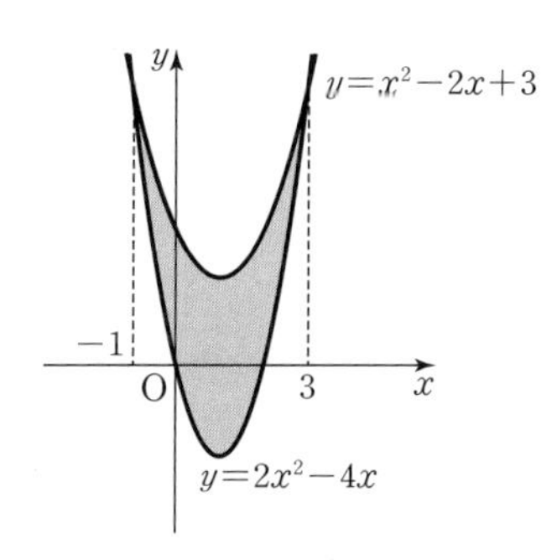


이때 두 곡선으로 둘러싸인 부분의 넓이는

$\int_{-1}^{3}\{(x^2-2x+3)-(2x^2-4x)\}dx$

$=\int_{-1}^{3}(-x^2+2x+3)dx$

$=\left[-\frac{1}{3}x^3+x^2+3x\right]_{-1}^{3}=\frac{32}{3}$

따라서 $p=3,\ q=32$이므로

$p+q=3+32=35$

**09** 시각 $t=3$에서 $t=k\ (k>3)$까지 움직인 거리가 9이므로

$\int_{3}^{k}|v(t)|dt=\int_{3}^{k}|2t-6|dt=\int_{3}^{k}(2t-6)dt$

$=\left[t^2-6t\right]_{3}^{k}=k^2-6k+9=9$

즉 $k^2-6k=0$이므로 $k(k-6)=0$

$\therefore k=6\ (\because k>3)$

**10** $v_{\mathrm{P}}(t)=v_{\mathrm{Q}}(t)$에서 $3t^2+t=2t^2+3t$

$t^2-2t=0,\ t(t-2)=0 \qquad \therefore t=2\ (\because t>0)$

이때 시각 $t=2$에서 두 점 P, Q의 위치는 각각

$\int_{0}^{2}v_{\mathrm{P}}(t)dt=\int_{0}^{2}(3t^2+t)dt=\left[t^3+\frac{1}{2}t^2\right]_{0}^{2}=10$

$\int_{0}^{2}v_{\mathrm{Q}}(t)dt=\int_{0}^{2}(2t^2+3t)dt$

$=\left[\frac{2}{3}t^3+\frac{3}{2}t^2\right]_{0}^{2}=\frac{34}{3}$

따라서 시각 $t=2$에서 두 점 P, Q 사이의 거리는

$\left|10-\frac{34}{3}\right|=\frac{4}{3}$

## 누구나 합격 전략

52~53쪽

| | | | | |
|---|---|---|---|---|
| 01 ④ | 02 ② | 03 ④ | 04 ③ | 05 ② |
| 06 ④ | 07 ③ | 08 ① | 09 ③ | 10 ② |

**01** $\int f(x)dx=x^3-3x+C$의 양변을 $x$에 대하여 미분하면

$\frac{d}{dx}\int f(x)dx=(x^3-3x+C)'$

$f(x)=3x^2-3 \qquad \therefore f(2)=9$

**02** $f(x)=\int f'(x)dx=\int(4x^3-5)dx=x^4-5x+C$

이때 $f(0)=6$이므로

$C=6$

따라서 $f(x)=x^4-5x+6$이므로

$f(1)=2$

**03** $\int_{0}^{3}(3x^2-2x+1)dx=\left[x^3-x^2+x\right]_{0}^{3}=21$

**04** $\int_{0}^{1}(2x^3-3x^2+1)dx-\int_{0}^{1}(2x^3-2)dx$

$=\int_{0}^{1}\{(2x^3-3x^2+1)-(2x^3-2)\}dx$

$=\int_{0}^{1}(-3x^2+3)dx$

$=\left[-x^3+3x\right]_{0}^{1}=2$

**05** $\int_{-2}^{-1}(2x+3)dx-\int_{1}^{-1}(2x+3)dx$

$=\int_{-2}^{-1}(2x+3)dx+\int_{-1}^{1}(2x+3)dx$

$=\int_{-2}^{1}(2x+3)dx=\left[x^2+3x\right]_{-2}^{1}=6$

**06** $\int_{0}^{2}f(x)dx=\int_{0}^{1}x^2dx+\int_{1}^{2}(4x-3)dx$

$=\left[\frac{1}{3}x^3\right]_{0}^{1}+\left[2x^2-3x\right]_{1}^{2}$

$=\frac{1}{3}+3=\frac{10}{3}$

**07** $\int_{-1}^{1}(3x^3-7x+5)dx=0+2\int_{0}^{1}5dx=2\Big[5x\Big]_{0}^{1}=10$

**08** $\int_{1}^{1}f(t)dt=1-a+2a+3=a+4=0$이므로

$a=-4$

**09** 곡선 $y=x^2-3x$와 $x$축의 교점의 $x$좌표를 구하면

$x^2-3x=0$에서 $x(x-3)=0$

$\therefore x=0$ 또는 $x=3$

즉 곡선 $y=x^2-3x$와 $x$축 및 직선 $x=4$로 둘러싸인 부분은 다음과 같다.

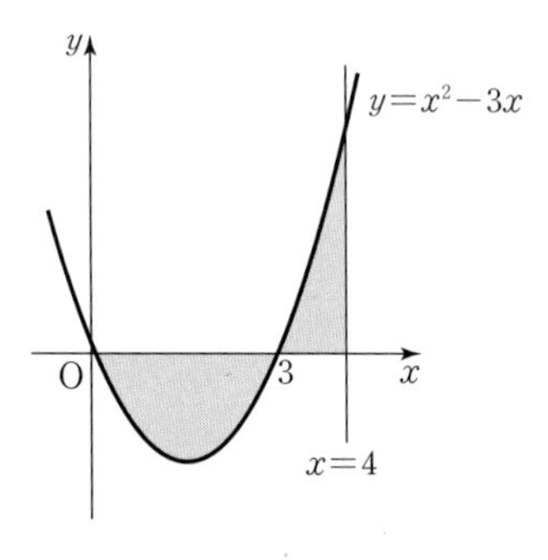


따라서 구하는 부분의 넓이는

$\int_{0}^{4}|x^2-3x|dx$

$=\int_{0}^{3}(-x^2+3x)dx+\int_{3}^{4}(x^2-3x)dx$

$=\Big[-\frac{1}{3}x^3+\frac{3}{2}x^2\Big]_{0}^{3}+\Big[\frac{1}{3}x^3-\frac{3}{2}x^2\Big]_{3}^{4}$

$=\frac{9}{2}+\frac{11}{6}=\frac{19}{3}$

**10** 시각 $t=3$에서 점 P의 위치는

$0+\int_{0}^{3}(3t^2-4t+1)dt=\Big[t^3-2t^2+t\Big]_{0}^{3}=12$

## 창의·융합·코딩 전략 ①

54~55쪽

| 1 ⑤ | 2 ① | 3 ③ | 4 ① |
|---|---|---|---|

**1** 2월 12일에 수학 연구소에 출입하므로

조건 (가)에서 $a=1$, $b=2$

조건 (나)에서 $\int f(x)dx=x^2+x$의 양변을 $x$에 대하여 미분하면

$f(x)=2x+1$

즉 $f(b)=f(2)=5$이므로 $c=0$, $d=5$

따라서 구하는 비밀번호는 1205이다.

**2** $2x+1$ →(프로그램 A)→ $(2x+1)'$

→(프로그램 B)→ $g(x)$

의 과정을 거쳐서 진아가 얻은 함수 $g(x)$는

$g(x)=\int 2dx=2x+C$

이므로 $g(1)=2+C$

$2x+1$ →(프로그램 B)→ $\int(2x+1)dx$

→(프로그램 A)→ $h(x)$

의 과정을 거쳐서 민혁이가 얻은 함수 $h(x)$는

$h(x)=\frac{d}{dx}\int(2x+1)dx=2x+1$

이므로 $h(1)=2+1=3$

이때 $g(1)-h(1)=5$이므로

$(2+C)-3=5 \qquad \therefore C=6$

따라서 $g(x)=2x+6$, $h(x)=2x+1$이므로

$g(2)+h(2)=10+5=15$

**3** $f(x)=\int f'(x)dx$

$=\int\left(\frac{1}{2}x+3\right)dx$

$=\frac{1}{4}x^2+3x+C$ (단, $C$는 적분상수)

$\therefore f(6)-f(2)=(27+C)-(7+C)$

$=20$

**다른 풀이**

$f(6)-f(2)=\int_{2}^{6}f'(x)dx$

$=\int_{2}^{6}\left(\frac{1}{2}x+3\right)dx$

$=\Big[\frac{1}{4}x^2+3x\Big]_{2}^{6}=20$

**4** 0.5 m인 용수철을 1.5 m까지 늘이는 데 필요한 일의 양은 원래 길이에서 1 m만큼 늘이는 데 필요한 일의 양이므로

$$W=\int_0^1 2t\,dt=\Big[t^2\Big]_0^1=1\ (\text{J})$$

**5** 곡선 $y=f(t)$와 $t$축의 교점의 $t$좌표를 구하면

$-t^2+3t=0$에서 $-t(t-3)=0$

$\therefore t=0$ 또는 $t=3$

즉 함수 $f(t)=-t^2+3t\ (0\le t\le 3)$의 그래프는 다음과 같다.

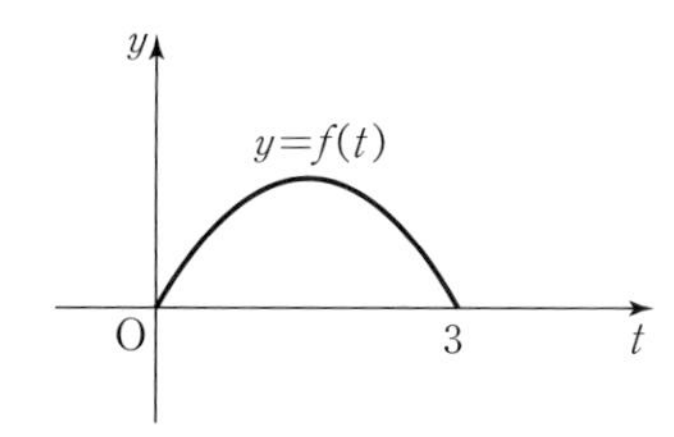


이때 시각 $t=0$에서 $t=3$까지 이 물체에 작용한 충격량의 크기는 곡선 $y=f(t)$와 $t$축으로 둘러싸인 부분의 넓이이므로

$$\int_0^3|-t^2+3t|\,dt=\int_0^3(-t^2+3t)\,dt$$
$$=\Big[-\frac{1}{3}t^3+\frac{3}{2}t^2\Big]_0^3$$
$$=\frac{9}{2}$$

**6** 모종나무를 비닐하우스에서 노지로 옮겨 심고 측정한 나무의 높이가 25 cm이므로 4년 후 이 모종나무의 높이는

$$25+\int_0^4\left(\frac{3}{2}t+5\right)dt=25+\Big[\frac{3}{4}t^2+5t\Big]_0^4=57$$

따라서 4년 후 모종나무의 높이는 57 cm이다.

**7** $t=35$일 때, 지면으로부터 열기구의 높이는

$$\int_0^{35}v(t)\,dt=\int_0^{20}t\,dt+\int_{20}^{35}(60-2t)\,dt$$
$$=\Big[\frac{1}{2}t^2\Big]_0^{20}+\Big[60t-t^2\Big]_{20}^{35}$$
$$=200+75$$
$$=275\ (\text{m})$$

**8** 1층에서 출발한 지 $t$초 후의 엘리베이터의 가속도를 $a(t)$, 속도를 $v(t)$라 하면 $v(t)=\int_0^t a(t)\,dt$

(i) $0\le t\le 2$일 때

$$v(t)=\int_0^t a(t)\,dt=\int_0^t 3\,dt$$
$$=\Big[3t\Big]_0^t=3t$$

(ii) $2<t\le 10$일 때

등속 운동을 하고 $v(2)=6$이므로

$v(t)=6$

(iii) $t>10$일 때

가속도가 $-2\ \text{m/s}^2$이고 $v(10)=6$이므로

$$v(t)=6+\int_{10}^t(-2)\,dt$$
$$=6+\Big[-2t\Big]_{10}^t$$
$$=-2t+26$$

이때 엘리베이터가 멈추는 순간의 속도는 0이므로

$v(t)=0$에서 $-2t+26=0$　　$\therefore t=13$

(i)~(iii)에서 $v(t)=\begin{cases}3t & (0\le t\le 2)\\ 6 & (2<t\le 10)\\ -2t+26 & (10<t\le 13)\end{cases}$

따라서 엘리베이터가 출발하여 멈출 때까지 움직인 거리는

$$\int_0^2 3t\,dt+\int_2^{10}6\,dt+\int_{10}^{13}(-2t+26)\,dt$$
$$=\Big[\frac{3}{2}t^2\Big]_0^2+\Big[6t\Big]_2^{10}+\Big[-t^2+26t\Big]_{10}^{13}$$
$$=63\ (\text{m})$$

# 후편 마무리 전략

## 신유형·신경향 전략

60~63쪽

| | | | |
|---|---|---|---|
| **01** 3 | **02** 3 | **03** 정연 | **04** 21 |
| **05** 4 | **06** 2 | **07** 8 | **08** 민수 |

**01** 두 점 A(0, 2), B(2, 0)을 지나는 직선의 방정식은

$y=-x+2$

$f(x)=-x^2+x+2$라 하면 $f'(x)=-2x+1$

점 P$(a, b)$와 직선 AB 사이의 거리가 최대일 때는 점 P에서의 접선이 직선 AB와 평행할 때이므로

$f'(a)=-2a+1=-1 \qquad \therefore a=1$

따라서 $b=f(1)=2$이므로

$a+b=1+2=3$

**02** $f(t)=\frac{1}{54}t^3-\frac{1}{3}t^2+\frac{3}{2}t+7$에서

$f'(t)=\frac{1}{18}t^2-\frac{2}{3}t+\frac{3}{2}$

$f'(t)=0$에서 $\frac{1}{18}t^2-\frac{2}{3}t+\frac{3}{2}=0$

$\frac{1}{18}(t-3)(t-9)=0 \qquad \therefore t=3\ (\because 0<t\le 5)$

함수 $f(t)$의 증가와 감소를 표로 나타내면 다음과 같다.

| $t$ | 0 | $\cdots$ | 3 | $\cdots$ | 5 |
|---|---|---|---|---|---|
| $f'(t)$ | | + | 0 | − | |
| $f(t)$ | 7 | ↗ | 9 | ↘ | |

즉 혈중 젖산 농도가 증가하는 시각은 $0<t<3$

따라서 $a=0$, $b=3$이므로

$a+b=0+3=3$

**03** 조건 (가)에서 시각 $t=10$일 때 두 자동차 A, B는 같은 위치에 있고, 조건 (나)에서 $5\le t\le 15$일 때 자동차 B의 속도가 자동차 A보다 더 빠르다.

즉 시각 $t=5$에서 자동차 A의 위치는 자동차 B의 위치보다 앞에 있고, 시각 $t=10$에서 자동차 B는 자동차 A를 추월한다.

따라서 자동차 B가 자동차 A를 시각 $t=10$에서 한 번 추월하므로 옳은 설명을 한 학생은 정연이다.

**04** $f(x)=\int f'(x)dx=\int(6x^2+2)dx=2x^3+2x+C$

이때 $f(0)=1$이므로 $C=1$

따라서 $f(x)=2x^3+2x+1$이므로

$f(2)=16+4+1=21$

**05** 최고차항의 계수가 1인 삼차함수 $f(x)$가 $x=1$에서 극대, $x=3$에서 극소이므로

$f'(x)=3(x-1)(x-3)=3x^2-12x+9$

이때 $p=f(1)$, $q=f(3)$이므로

$$p-q=f(1)-f(3)=\int_3^1 f'(x)dx$$
$$=-\int_1^3 f'(x)dx=-\int_1^3(3x^2-12x+9)dx$$
$$=-\Big[x^3-6x^2+9x\Big]_1^3=-(-4)=4$$

**06**

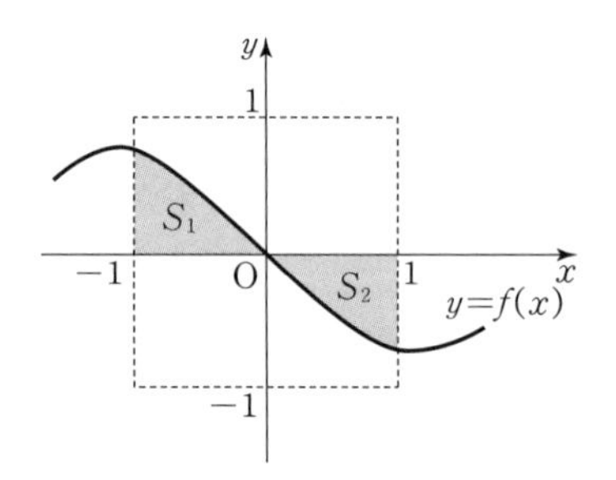


모든 실수 $x$에 대하여 $f(-x)=-f(x)$이므로 함수 $y=f(x)$의 그래프는 원점에 대하여 대칭이다. 즉 위의 그림과 같이 색칠된 부분의 넓이를 각각 $S_1$, $S_2$라 하면 $S_1=S_2$

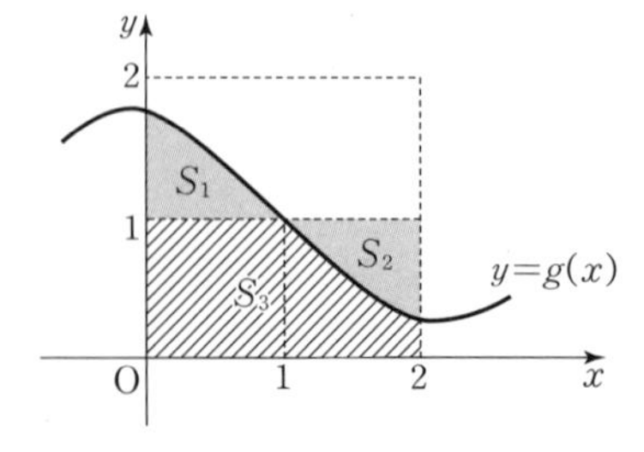


함수 $y=f(x)$의 그래프를 $x$축의 방향으로 1만큼, $y$축의 방향으로 1만큼 평행이동한 함수의 그래프가 함수 $y=g(x)$의 그래프이다. 즉 위의 그림과 같이 함수 $y=g(x)$의 그래프에서 빗금 친 부분의 넓이를 $S_3$이라 하면

$\int_0^2 g(x)dx=S_1+S_3=S_2+S_3=2\times 1=2$

**07** 모든 실수 $x$에 대하여 $f(x)\ge 0$이므로

$g(a)=\int_{-2}^{a}f(t)dt$의 값은 닫힌구간 $[-2,\ a]$에서 함수 $y=f(x)$의 그래프와 $x$축으로 둘러싸인 부분의 넓이와 같다.

이때 모든 실수 $x$에 대하여 $f(x+2)=f(x)$이고,

$\int_{-2}^{0}f(t)dt=\frac{1}{2}\times 2\times 1=1$이므로

$g(8)=\int_{-2}^{8}f(t)dt=5\int_{-2}^{0}f(t)dt=5\times 1=5$

$\therefore a=8$

**08** ㄱ. $v(1)=1$이므로 시각 $t=1$에서 점 P는 멈추지 않았다.

ㄴ. 시각 $t=5$에서의 점 P와 원점 사이의 거리가 최대이다. 이때 점 P의 위치는

$\int_{0}^{5}v(t)dt=\frac{1}{2}+1+\frac{3}{2}+2=5$

ㄷ. 시각 $t=0$에서 $t=6$까지 점 P가 움직인 거리는

$\int_{0}^{6}|v(t)|dt=5+\frac{1}{2}=\frac{11}{2}$

따라서 옳은 것은 ㄱ, ㄴ, ㄷ이므로 구하는 학생은 민수이다.

## 1·2등급 확보 전략 1회

64~67쪽

| | | | |
|---|---|---|---|
| 01 ③ | 02 ② | 03 ② | 04 ④ |
| 05 ② | 06 ⑤ | 07 ④ | 08 ③ |
| 09 ⑤ | 10 ② | 11 ③ | 12 ② |
| 13 ③ | 14 ③ | 15 ① | 16 ① |

**01** $f(x)=x^4-4x^3+6x^2+4$에서

$f'(x)=4x^3-12x^2+12x$

이때 점 $(a,\ b)$에서의 접선의 기울기가 4이므로

$f'(a)=4a^3-12a^2+12a=4$

$a^3-3a^2+3a-1=0,\ (a-1)^3=0$

$\therefore a=1$

따라서 $b=f(1)=7$이므로

$a+b=1+7=8$

**02** $\lim_{x\to 1}\frac{f(x)-5}{x-1}=2$에서 $x\to 1$일 때, (분모)$\to 0$이므로 (분자)$\to 0$이어야 한다.

즉 $\lim_{x\to 1}\{f(x)-5\}=0$이므로 $f(1)=5$

$\therefore \lim_{x\to 1}\frac{f(x)-5}{x-1}=\lim_{x\to 1}\frac{f(x)-f(1)}{x-1}=f'(1)=2$

한편, $g(x)=xf(x)$에서 $g'(x)=f(x)+xf'(x)$

$a=g(1)=f(1)=5,\ g'(1)=f(1)+f'(1)=5+2=7$

즉 함수 $g(x)=xf(x)$의 그래프 위의 점 $(1,\ 5)$에서의 접선의 방정식은

$y=7(x-1)+5 \qquad \therefore y=7x-2$

따라서 이 접선이 점 $(0,\ b)$를 지나므로 $b=-2$

$\therefore a+b=5+(-2)=3$

**03** $y'=2x$이므로 점 $(t,\ t^2)$에서의 접선의 방정식은

$y=2t(x-t)+t^2$

$\therefore 2tx-y-t^2=0$

이 직선과 원점 사이의 거리 $f(t)$는

$f(t)=\frac{|-t^2|}{\sqrt{4t^2+1}}=\frac{t^2}{\sqrt{4t^2+1}}$

$$\therefore \lim_{t\to\infty}\frac{f(t)}{t}=\lim_{t\to\infty}\frac{\frac{t^2}{\sqrt{4t^2+1}}}{t}=\lim_{t\to\infty}\frac{t}{\sqrt{4t^2+1}}$$

$$=\lim_{t\to\infty}\frac{1}{\sqrt{4+\frac{1}{t^2}}}=\frac{1}{2}$$

**04** $f(x)=x^3+ax^2+9x+b$에서

$f'(x)=3x^2+2ax+9$

이때 함수 $f(x)$가 $x=1$에서 극댓값 0을 가지므로

$f(1)=1+a+9+b=0,\ f'(1)=3+2a+9=0$

$a+b=-10,\ 2a=-12 \qquad \therefore a=-6,\ b=-4$

$\therefore ab=(-6)\times(-4)=24$

**05** $f(x)=x^3-9x^2+24x+a$에서

$f'(x)=3x^2-18x+24$

$f'(x)=0$에서 $3x^2-18x+24=0$

$3(x-2)(x-4)=0$

$\therefore x=2$ 또는 $x=4$

함수 $f(x)$의 증가와 감소를 표로 나타내면 다음과 같다.

| $x$ | $\cdots$ | 2 | $\cdots$ | 4 | $\cdots$ |
|---|---|---|---|---|---|
| $f'(x)$ | + | 0 | − | 0 | + |
| $f(x)$ | ↗ | $a+20$ | ↘ | $a+16$ | ↗ |

즉 함수 $f(x)$는 $x=2$에서 극댓값 $a+20$을 가지므로

$a+20=10 \quad \therefore a=-10$

**06** 조건 (가)에서 함수 $f(x)$의 그래프는 $y$축에 대하여 대칭이므로 $a=0$, $c=0$

$f(x)=x^4+bx^2+6$에서 $f'(x)=4x^3+2bx$

$f'(x)=0$에서 $4x^3+2bx=0$

$2x(2x^2+b)=0$

$\therefore x=-\sqrt{-\frac{b}{2}}$ 또는 $x=0$ 또는 $x=\sqrt{-\frac{b}{2}}$ $(b<0)$

함수 $f(x)$의 증가와 감소를 표로 나타내면 다음과 같다.

| $x$ | $\cdots$ | $-\sqrt{-\frac{b}{2}}$ | $\cdots$ | 0 | $\cdots$ | $\sqrt{-\frac{b}{2}}$ | $\cdots$ |
|---|---|---|---|---|---|---|---|
| $f'(x)$ | − | 0 | + | 0 | − | 0 | + |
| $f(x)$ | ↘ | $6-\frac{b^2}{4}$ | ↗ | 6 | ↘ | $6-\frac{b^2}{4}$ | ↗ |

즉 함수 $f(x)$는 $x=\pm\sqrt{-\frac{b}{2}}$에서 극솟값 $6-\frac{b^2}{4}$을 가지므로 조건 (나)에서 $6-\frac{b^2}{4}=-10$

$-\frac{b^2}{4}=-16$, $b^2=64 \quad \therefore b=-8$ ($\because b<0$)

따라서 $f(x)=x^4-8x^2+6$이므로

$f(3)=15$

오답 피하기

$b\geq 0$이면 함수 $f(x)$는 $x=0$에서 극솟값 6만을 가지므로 조건 (나)를 만족시키지 않는다.

**07** $f(x)=x^3-ax^2-36x+10$에서

$f'(x)=3x^2-2ax-36$

이때 직선 $x=a$가 곡선 $f(x)=x^3-ax^2-36x+10$의 극대인 점과 극소인 점 사이를 지나려면 $f'(a)<0$이어야 한다.

즉 $3a^2-2a^2-36<0$에서 $a^2-36<0$

$(a-6)(a+6)<0 \quad \therefore -6<a<6$

따라서 정수 $a$의 최댓값은 5이다.

**08** $K(t)=-\frac{1}{3}\left(\frac{2}{3}t^3-2t^2-6t\right)$에서

$K'(t)=-\frac{2}{3}t^2+\frac{4}{3}t+2$

$K'(t)=0$에서 $-\frac{2}{3}t^2+\frac{4}{3}t+2=0$

$-\frac{2}{3}(t-3)(t+1)=0$

$\therefore t=3$ ($\because t\geq 0$)

함수 $K(t)$의 증가와 감소를 표로 나타내면 다음과 같다.

| $t$ | 0 | $\cdots$ | 3 | $\cdots$ |
|---|---|---|---|---|
| $K'(t)$ | | + | 0 | − |
| $K(t)$ | 0 | ↗ | 6 | ↘ |

즉 함수 $K(t)$는 $t=3$일 때, 극대이면서 최대이다.

따라서 이 약의 약효는 $t=3$에서 최대이므로 $a=3$

**09** $f(x)=x^3-3x^2+a$에서

$f'(x)=3x^2-6x$

$f'(x)=0$에서 $3x^2-6x=0$

$3x(x-2)=0$

$\therefore x=0$ 또는 $x=2$

함수 $f(x)$의 증가와 감소를 표로 나타내면 다음과 같다.

| $x$ | 1 | $\cdots$ | 2 | $\cdots$ | 4 |
|---|---|---|---|---|---|
| $f'(x)$ | | − | 0 | + | |
| $f(x)$ | $a-2$ | ↘ | $a-4$ | ↗ | $a+16$ |

즉 $1\leq x\leq 4$에서 함수 $f(x)$는 $x=2$일 때 극소이면서 최소이므로 최솟값 $a-2$, $x=4$일 때 최댓값 $a+16$을 갖는다.

$\therefore m=a-4$, $M=a+16$

따라서 $M+m=2a+12=20$이므로

$a=4$

**10** $h(x)=f(x)-g(x)$라 하면

$h(x)=(x^4-4x+a)-(-x^2+2x-a)$

$\quad=x^4+x^2-6x+2a$

에서

$h'(x)=4x^3+2x-6$

$h'(x)=0$에서 $4x^3+2x-6=0$

$(x-1)(4x^2+4x+6)=0$

$\therefore x=1$

함수 $h(x)$의 증가와 감소를 표로 나타내면 다음과 같다.

| $x$ | $\cdots$ | 1 | $\cdots$ |
|---|---|---|---|
| $h'(x)$ | $-$ | 0 | $+$ |
| $h(x)$ | ↘ | $2a-4$ | ↗ |

즉 함수 $h(x)$는 $x=1$에서 극솟값 $2a-4$만을 갖는다.
이때 두 함수 $f(x)$, $g(x)$의 그래프가 오직 한 점에서 만나므로 방정식 $h(x)=0$이 오직 하나의 실근을 갖는다. 즉 함수 $y=h(x)$의 그래프는 다음과 같이 $x$축과 한 점에서 만나야 한다.

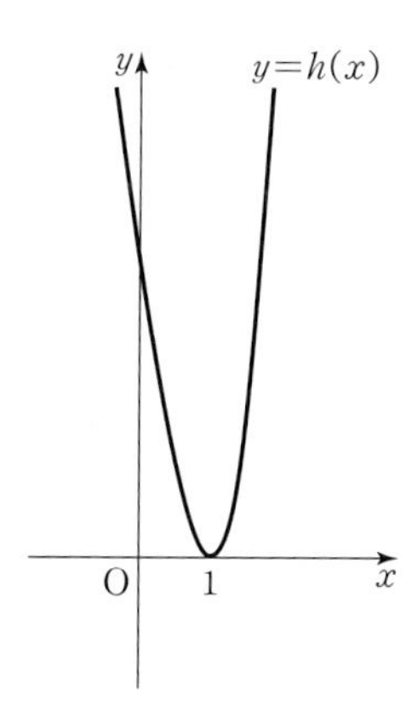


따라서 $h(1)=2a-4=0$에서
$a=2$

**11** $f(x)=x^3+3x^2+a$라 하면
$f'(x)=3x^2+6x$
$f'(x)=0$에서 $3x^2+6x=0$
$3x(x+2)=0 \qquad \therefore x=-2$ 또는 $x=0$
함수 $f(x)$의 증가와 감소를 표로 나타내면 다음과 같다.

| $x$ | $-2$ | $\cdots$ | 0 | $\cdots$ | 1 |
|---|---|---|---|---|---|
| $f'(x)$ | 0 | $-$ | 0 | $+$ | |
| $f(x)$ | $4+a$ | ↘ | $a$ | ↗ | $4+a$ |

$-2\leq x\leq 1$에서 방정식 $f(x)=0$이 서로 다른 두 실근을 가지려면 함수 $y=f(x)$의 그래프가 다음과 같아야 한다.

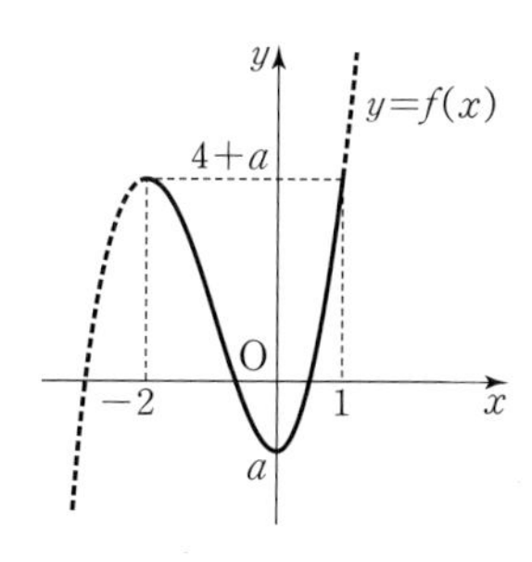


즉 $f(-2)=f(1)=4+a\geq 0$, $a\geq -4$
$f(0)=a<0 \qquad \therefore -4\leq a<0$
따라서 정수 $a$는 $-4$, $-3$, $-2$, $-1$로 그 개수는 4이다.

**12** $f(x)=(x^3-3x^2+2x-3)-(2x+k)$
$=x^3-3x^2-k-3$
이라 하면
$f'(x)=3x^2-6x$
$f'(x)=0$에서 $3x^2-6x=0$
$3x(x-2)=0$
$\therefore x=0$ 또는 $x=2$
함수 $f(x)$의 증가와 감소를 표로 나타내면 다음과 같다.

| $x$ | $\cdots$ | 0 | $\cdots$ | 2 | $\cdots$ |
|---|---|---|---|---|---|
| $f'(x)$ | $+$ | 0 | $-$ | 0 | $+$ |
| $f(x)$ | ↗ | $-k-3$ | ↘ | $-k-7$ | ↗ |

즉 함수 $f(x)$는 $x=0$에서 극댓값 $-k-3$, $x=2$에서 극솟값 $-k-7$을 갖는다.
이때 곡선 $y=x^3-3x^2+2x-3$과 직선 $y=2x+k$가 서로 다른 두 점에서 만나려면 함수 $f(x)$의 극댓값 또는 극솟값이 0이어야 하므로
$(-k-3)(-k-7)=0 \qquad \therefore k=-3$ 또는 $k=-7$
따라서 모든 실수 $k$의 값의 곱은
$-3\times(-7)=21$

**다른 풀이**

곡선 $y=x^3-3x^2+2x-3$과 직선 $y=2x+k$가 서로 다른 두 점에서 만나므로 직선 $y=2x+k$는 곡선 $y=x^3-3x^2+2x-3$의 접선이다. $f(x)=x^3-3x^2+2x-3$이라 하면
$f'(x)=3x^2-6x+2$
즉 $3x^2-6x+2=2$에서 $3x^2-6x=0$
$3x(x-2)=0 \qquad \therefore x=0$ 또는 $x=2$
즉 접점은 $(0, -3)$, $(2, -3)$이므로 접선의 방정식은 각각
$y=2x-3$, $y=2x-7 \qquad \therefore k=-3$ 또는 $k=-7$
따라서 모든 실수 $k$의 값의 곱은
$-3\times(-7)=21$

**13** $h(x)=f(x)-g(x)$라 하면
$h(x)=(5x^3-10x^2+2k-2)-(5x^2+k)$
$=5x^3-15x^2+k-2$
에서
$h'(x)=15x^2-30x$
$h'(x)=0$에서 $15x^2-30x=0$
$15x(x-2)=0 \qquad \therefore x=0$ 또는 $x=2$
함수 $h(x)$의 증가와 감소를 표로 나타내면 다음과 같다.

| $x$ | $\cdots$ | 0 | $\cdots$ | 2 | $\cdots$ |
|---|---|---|---|---|---|
| $h'(x)$ | $+$ | 0 | $-$ | 0 | $+$ |
| $h(x)$ | ↗ | $k-2$ | ↘ | $k-22$ | ↗ |

즉 $0<x<3$에서 함수 $h(x)$는 $x=2$일 때 극소이면서 최소이므로 최솟값 $k-22$를 갖는다.

이때 $0<x<3$에서 $h(x)\geq 0$이려면 $h(2)\geq 0$이어야 하므로

$h(2)=k-22\geq 0 \qquad \therefore k\geq 22$

따라서 상수 $k$의 최솟값은 22이다.

**14** 점 P의 시각 $t$에서의 속도 $v$는

$v=\dfrac{dx}{dt}=3t^2-6t+a$

점 P가 움직이는 방향이 바뀌지 않으려면 $t\geq 0$에서 $v=3t^2-6t+a$의 부호가 변하지 않아야 한다.

즉 $3t^2-6t+a\geq 0$에서

$3(t-1)^2+a-3\geq 0$이므로

$a-3\geq 0 \qquad \therefore a\geq 3$

따라서 상수 $a$의 최솟값은 3이다.

**15** 점 P의 시각 $t$에서의 속도 $v$는

$v=\dfrac{dx}{dt}=-t^2+6t$

점 P의 시각 $t$에서의 가속도 $a$는

$a=\dfrac{dv}{dt}=-2t+6$

이때 $-2t+6=0$에서 $t=3$

즉 시각 $t=3$에서의 점 P의 위치가 0이므로

$18+k=0 \qquad \therefore k=-18$

**16** 점 P의 시각 $t$에서의 속도 $v$는

$v=\dfrac{dx}{dt}=6t^2-2kt$

점 P의 시각 $t$에서의 가속도 $a$는

$a=\dfrac{dv}{dt}=12t-2k$

시각 $t=1$에서 점 P가 운동 방향을 바꾸므로

$6-2k=0 \qquad \therefore k=3$

따라서 시각 $t=3$에서의 점 P의 가속도는

$12\times 3-2\times 3=30$

## 1·2등급 확보 전략 2회

68~71쪽

| | | | |
|---|---|---|---|
| 01 ④ | 02 ④ | 03 ③ | 04 ⑤ |
| 05 ⑤ | 06 ② | 07 ③ | 08 ② |
| 09 ⑤ | 10 ① | 11 ④ | 12 ④ |
| 13 ① | 14 ③ | 15 ③ | 16 ② |

**01** $f'(x)=6x^2+4$이므로

$f(x)=\int(6x^2+4)dx=2x^3+4x+C$

이때 이 곡선과 직선 $y=x+5$가 $y$축에서 만나므로

$f(0)=5$

즉 $f(0)=C=5$이므로

$f(x)=2x^3+4x+5$

$\therefore \lim\limits_{x\to 2-}f(x-1)=f(1)=11$

**02** $f'(x)=2x-3$이므로

$f(x)=\int(2x-3)dx=x^2-3x+C$

이때 이 곡선이 원점을 지나므로 $f(0)=0$

즉 $C=0$이므로

$f(x)=x^2-3x$

한편, $f(2)=-2$, $f'(2)=1$이므로 곡선 $y=f(x)$ 위의 점 $(2, f(2))$에서의 접선의 방정식은

$y=(x-2)-2 \qquad \therefore y=x-4$

따라서 원점과 접선 $x-y-4=0$ 사이의 거리는

$\dfrac{|-4|}{\sqrt{1^2+(-1)^2}}=2\sqrt{2}$

**03** $\int_0^2\{f(x)\}^2dx=\int_0^2(x+1)^2dx$

$=\int_0^2(x^2+2x+1)dx$

$=\left[\dfrac{1}{3}x^3+x^2+x\right]_0^2=\dfrac{26}{3}$

$\int_0^2 f(x)dx=\int_0^2(x+1)dx$

$=\left[\dfrac{1}{2}x^2+x\right]_0^2=4$

이므로 주어진 식에 각각 대입하면

$\dfrac{26}{3}=16k \qquad \therefore k=\dfrac{13}{24}$

**04** $\int_{-a}^{a}(5x+1)dx=\int_{-a}^{a}5xdx+\int_{-a}^{a}1\,dx$

$=0+2\int_{0}^{a}1\,dx$

$=2a=10$

$\therefore a=5$

**05** $\int_{0}^{6}|2x-4|dx=\int_{0}^{2}(-2x+4)dx+\int_{2}^{6}(2x-4)dx$

$=\Big[-x^2+4x\Big]_0^2+\Big[x^2-4x\Big]_2^6$

$=4+16=20$

**06** $\int_{-2}^{1}\frac{2x^3}{x-3}dx+\int_{-2}^{1}\frac{54}{3-x}dx$

$=\int_{-2}^{1}\frac{2x^3-54}{x-3}dx$

$=\int_{-2}^{1}\frac{2(x-3)(x^2+3x+9)}{x-3}dx$

$=2\int_{-2}^{1}(x^2+3x+9)dx$

$=2\Big[\frac{1}{3}x^3+\frac{3}{2}x^2+9x\Big]_{-2}^{1}=2\times\frac{51}{2}=51$

**07** $\int_{0}^{10}(x+1)^2dx-\int_{0}^{10}(x-1)^2dx$

$=\int_{0}^{10}\{(x+1)^2-(x-1)^2\}dx$

$=\int_{0}^{10}4x\,dx$

$=\Big[2x^2\Big]_0^{10}=200$

**08** $g(a)=\int_{-a}^{a}f(x)dx\ (a>0)$라 하면

$g(a)=\int_{-a}^{0}(2x+2)dx+\int_{0}^{a}(-x^2+2x+2)dx$

$=\Big[x^2+2x\Big]_{-a}^{0}+\Big[-\frac{1}{3}x^3+x^2+2x\Big]_0^a$

$=(-a^2+2a)+\left(-\frac{1}{3}a^3+a^2+2a\right)$

$=-\frac{1}{3}a^3+4a$

$g'(a)=-a^2+4=0$에서 $-(a+2)(a-2)=0$

$\therefore a=2\ (\because a>0)$

함수 $g(a)$의 증가와 감소를 표로 나타내면 다음과 같다.

| $a$ | 0 | $\cdots$ | 2 | $\cdots$ |
|---|---|---|---|---|
| $g'(a)$ | | $+$ | 0 | $-$ |
| $g(a)$ | 0 | ↗ | $\frac{16}{3}$ | ↘ |

따라서 함수 $g(a)$는 $a=2$일 때 극대이면서 최대이므로

최댓값은 $\frac{16}{3}$이다.

**09** $\int_{1}^{1}f(t)dt=1+a+3=a+4=0$에서 $a=-4$

$\int_{1}^{x}f(t)dt=x^2-4x+3$의 양변을 $x$에 대하여 미분하면

$f(x)=2x-4$

$\therefore f(5)=6$

**10** $f(t)=-t^2+6t-1,\ F'(t)=f(t)$로 놓으면

$\lim_{x\to2}\frac{1}{x-2}\int_{2}^{x}(-t^2+6t-1)dt$

$=\lim_{x\to2}\frac{1}{x-2}\int_{2}^{x}f(t)dt$

$=\lim_{x\to2}\frac{F(x)-F(2)}{x-2}$

$=F'(2)=f(2)=7$

**11** $\int_{0}^{2}f(t)dt=a$로 놓으면 $f(x)=x^3-2x^2+ax$

$\int_{0}^{2}f(t)dt=\int_{0}^{2}(t^3-2t^2+at)dt$

$=\Big[\frac{1}{4}t^4-\frac{2}{3}t^3+\frac{a}{2}t^2\Big]_0^2$

$=2a-\frac{4}{3}=a$

이므로 $a=\frac{4}{3}$

$\therefore f(x)=x^3-2x^2+\frac{4}{3}x$

따라서 $f'(x)=3x^2-4x+\frac{4}{3}$이므로

$f'(1)=\frac{1}{3}$

**12** 곡선 $y=3x^2-6x+1$과 직선 $y=1$의 교점의 $x$좌표를 구하면

$3x^2-6x+1=1$에서 $3x^2-6x=0$

$3x(x-2)=0$ $\quad \therefore x=0$ 또는 $x=2$

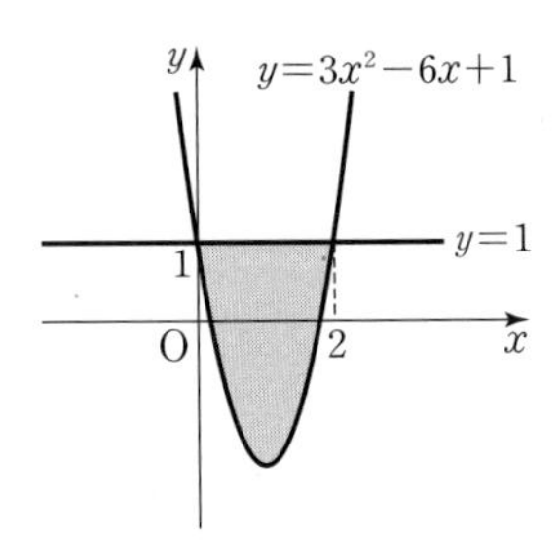


따라서 구하는 넓이는

$$\int_0^2 \{1-(3x^2-6x+1)\}dx=\int_0^2 (-3x^2+6x)dx$$
$$=\Big[-x^3+3x^2\Big]_0^2=4$$

**13** 곡선 $y=x^2-5x+5$와 직선 $y=x+5$의 교점의 $x$좌표를 구하면 $x^2-5x+5=x+5$에서 $x^2-6x=0$

$x(x-6)=0$ $\quad \therefore x=0$ 또는 $x=6$

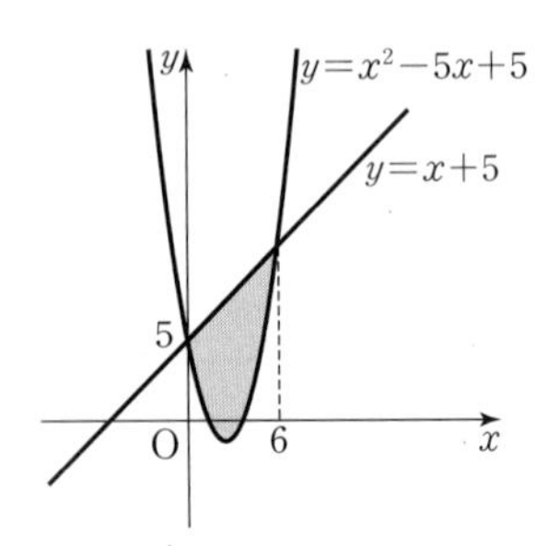


따라서 구하는 넓이는

$$\int_0^6\{x+5-(x^2-5x+5)\}dx=\int_0^6(-x^2+6x)dx$$
$$=\Big[-\frac{x^3}{3}+3x^2\Big]_0^6=36$$

**14** 시각 $t=0$에서의 점 P의 좌표를 $x_0$, 시각 $t$에서 점 P의 위치를 $x(t)$라 하면

$$x(3)=x_0+\int_0^3 v(t)dt$$
$$=x_0+\int_0^3(-3t^2+5)dt$$
$$=x_0+\Big[-t^3+5t\Big]_0^3=x_0-12$$

이때 $x(3)=11$이므로

$x_0-12=11$ $\quad \therefore x_0=23$

**15** 시각 $t=2$에서 $t=k$ $(k>2)$까지 점 P가 움직인 거리가 16이므로

$$\int_2^k|2t-4|dt=\int_2^k(2t-4)dt$$
$$=\Big[t^2-4t\Big]_2^k$$
$$=k^2-4k+4=16$$

$k^2-4k-12=0$, $(k+2)(k-6)=0$

$\therefore k=6$ $(\because k>2)$

**16** $\int_0^a|v(t)|dt=s_1$, $\int_a^b|v(t)|dt=s_2$, $\int_b^c|v(t)|dt=s_3$

이라 하면 점 P는 출발한 후 시각 $t=a$에서 처음으로 운동 방향을 바꾸므로

$\int_0^a v(t)dt=-s_1=-50$에서 $s_1=50$

점 P의 시각 $t=c$에서의 위치가 $-42$이므로

$\int_0^c v(t)dt=-50+s_2-s_3=-42$

$\therefore s_2-s_3=8$ $\quad \cdots\cdots$㉠

또 $\int_0^b v(t)dt=\int_b^c v(t)dt$에서

$-50+s_2=-s_3$

$\therefore s_2+s_3=50$ $\quad \cdots\cdots$㉡

㉠, ㉡을 연립하여 풀면

$s_2=29$, $s_3=21$

따라서 시각 $t=a$에서 $t=b$까지 점 P가 움직인 거리는

$\int_a^b|v(t)|dt=s_2=29$

정답은
이안에
있어!